JN129319

災害
リハビリテーション標準テキスト 第2版

企画・編集　一般社団法人 日本災害リハビリテーション支援協会

医歯薬出版株式会社

【企画・編集】一般社団法人 日本災害リハビリテーション支援協会

【編集委員】

監修　里宇明元　（一般社団法人 日本災害リハビリテーション支援協会）
委員長　川上途行　（公益社団法人 日本リハビリテーション医学会）
委員　冨岡正雄　（公益社団法人 日本リハビリテーション医学会）
船越政範　（公益社団法人 日本リハビリテーション医学会）
松岡雅一　（公益社団法人 日本理学療法士協会）
下田栄次　（公益社団法人 日本理学療法士協会）
香山明美　（一般社団法人 日本作業療法士協会）
今野和成　（一般社団法人 日本作業療法士協会）
清水兼悦　（一般社団法人 日本作業療法士協会）
立石雅子　（一般社団法人 日本言語聴覚士協会）
原田浩美　（一般社団法人 日本言語聴覚士協会）
淡野義長　（一般社団法人 日本リハビリテーション病院・施設協会，
全国地域リハビリテーション支援事業連絡協議会）
三宮 克彦　（一般社団法人 日本リハビリテーション病院・施設協会）
近藤国嗣　（一般社団法人 回復期リハビリテーション病棟協会）
佐尾健太郎　（一般社団法人 回復期リハビリテーション病棟協会）
平井政規　（一般社団法人 全国デイ・ケア協会）
一場友実　（一般社団法人 日本訪問リハビリテーション協会）
武田輝也　（全国地域リハビリテーション支援事業連絡協議会）
三宅貴志　（全国地域リハビリテーション研究会）
小原　誠　（一般社団法人 日本介護支援専門員協会）
根岸和諭　（公益社団法人 日本義肢装具士協会）
菊地尚久　（一般社団法人 日本義肢装具学会）
水澤二郎　（一般社団法人 日本リハビリテーション工学協会）

（　）内は所属団体

This book is originally published in Japanese
under the title of：

SAIGAI RIHABIRITĒSHON HYOJUN TEKISUTO
(Standard Textbook of Rehabilitation in Disasters)

Japan Disaster Rehabilitation Assistance Team

ISHIYAKU PUBLISHERS, INC.
7-10, Honkomagome 1 chome, Bunkyo-ku,
Tokyo 113-8612, Japan

【執筆】

赤津嘉樹　（小倉リハビリテーション病院 診療部）

浅野直也　（国立病院機構静岡医療センター リハビリテーション部）

浅見豊子　（佐賀大学 医学部附属病院 リハビリテーション科）

天野純子　（アマノリハビリテーション病院）

荒木暁子　（東邦大学 看護学部）

淡野義長　（長崎医療技術専門学校）

伊藤智典　（公益社団法人 日本理学療法士協会）

内田正剛　（熊本託麻台リハビリテーション病院）

遠藤浩之　（常葉大学 保健医療学部 作業療法学科）

大井清文　（いわてリハビリテーションセンター）

大越　満　（東京ふれあい医療生活協同組合 梶原診療所 リハビリテーション部）

大仲功一　（志村大宮病院）

大場　薫　（宮城県介護研修センター）

大庭潤平　（神戸学院大学総合リハビリテーション学部作業療法学科）

笠松信幸　（かさまつケアオフィス合同会社）

梶村政司　（有限会社アフェクシー）

加藤真介　（徳島赤十字ひのみね医療療育センター）

上　梓　（一般社団法人 日本作業療法士協会）

香山明美　（東北文化学園大学 医療福祉学部 リハビリテーション学科 作業療法学専攻）

河合俊宏　（埼玉県総合リハビリテーションセンター 相談部身体障害担当）

川上途行　（慶應義塾大学 医学部 リハビリテーション医学教室）

菊地尚久　（千葉県千葉リハビリテーションセンター リハビリテーション科）

木村慎二　（新潟大学 医歯学総合病院 総合リハビリテーションセンター）

國安勝司　（川崎医療福祉大学 リハビリテーション学部 理学療法学科）

栗原正紀　（長崎リハビリテーション病院）

上月正博　（公立大学法人 山形県立保健医療大学）

小早川義貴　（国立病院機構本部DMAT事務局・福島復興支援室）

近藤国嗣　（東京湾岸リハビリテーション病院 リハビリテーション科）

今野和成　（総合病院国保旭中央病院 診療技術局 リハビリテーション科）

斉藤秀之　（公益社団法人 日本理学療法士協会）

佐浦隆一　（大阪医科薬科大学 医学部 総合医学講座 リハビリテーション医学教室）

佐藤　亮　（山鹿温泉リハビリテーション病院）

三宮克彦　（熊本機能病院 総合リハビリテーション部）

下田栄次　（湘南医療大学 保健医療学部 リハビリテーション学科）

高橋香代子　（北里大学 医療衛生学部 リハビリテーション学科作業療法学専攻）

高橋博達　（浜松市リハビリテーション病院）

武田輝也　（宮城県仙台保健福祉事務所／塩釜保健所）

田代桂一　（山鹿温泉リハビリテーション病院）

田中康之　（千葉県千葉リハビリテーションセンター 地域支援センター）

坪田朋子　（合同会社リハビタ）

徳田浩一　（東北大学病院 感染管理室）

冨岡正雄　（大阪医科薬科大学 医学部 総合医学講座リハビリテーション医学教室）

中村春基　（一般社団法人 日本作業療法士協会）

根岸和諭　（福岡義肢製作所）

根岸　昌　（埼玉県総合リハビリテーションセンター）

信澤直美　（前橋市こども未来部こども支援課）
原田浩美　（東京工科大学 医療保健学部 リハビリテーション学科 言語聴覚学専攻）
深浦順一　（国際医療福祉大学 大学院 医療福祉学研究科）
藤田正明　（伊予病院）
船越政範　（栃木県立リハビリテーションセンター リハビリテーション科）
古澤文夫　（一般社団法人 日本災害リハビリテーション支援協会）
補永　薫　（順天堂大学 大学院医学研究科 リハビリテーション医学）
松岡雅一　（株式会社リハステージ）
松坂誠應　（是真会長崎リハビリテーション病院 在宅支援リハビリテーションセンターぎんや）
水上直彦　（社会福祉法人清祥会 介護老人福祉施設こすもす）
光増　智　（中村記念南病院 リハビリテーション科）
三宅貴志　（公立みつぎ総合病院 リハビリテーション部／広島県リハビリテーション支援センター）
宮田昌司　（リニエ訪問看護ステーション横浜青葉）
森　直樹　（慶應義塾大学 医学部 リハビリテーション科）
柳　尚夫　（兵庫県豊岡保健所）
山本恵仙　（熊本託麻台リハビリテーション病院 臨床研究センター）
吉田光子　（郡山ソーシャルワーカーズオフィス）
里宇明元　（慶應義塾大学）

（50音順）

■一般社団法人 日本災害リハビリテーション支援協会　構成団体

- 公益社団法人 日本リハビリテーション医学会
- 公益社団法人 日本理学療法士協会
- 一般社団法人 日本作業療法士協会
- 一般社団法人 日本言語聴覚士協会
- 一般社団法人 日本リハビリテーション病院・施設協会
- 一般社団法人 回復期リハビリテーション病棟協会
- 一般社団法人 全国デイ・ケア協会
- 一般社団法人 日本訪問リハビリテーション協会
- 全国地域リハビリテーション支援事業連絡協議会
- 全国地域リハビリテーション研究会
- 公益社団法人 日本義肢装具士協会
- 一般社団法人 日本義肢装具学会
- 一般社団法人 日本リハビリテーション工学協会

（2023年6月現在，順不同）

第2版　序　文

2011年3月11日に発災した東日本大震災における甚大な被害に直面したリハビリテーション関係者は，職種や団体の枠を超え，共に手を携えて被災者・被災地の支援に取り組むことの必要性を強く認識し，2011年4月13日に「東日本大震災リハビリテーション支援関連10団体（10団体）」を結成して支援活動を展開してまいりました．その経験を通して，平時から十分に備えながら，発災時には関係者が一丸となって効率的・効果的な支援活動を展開するための基盤として，「10団体」は複数の関連団体を加え「大規模災害リハビリテーション支援関連団体協議会（Japan Disaster Rehabilitation Assistance Team；JRAT)」へと発展し（2013年7月26日），被災地での直接支援とともに，『大規模災害リハビリテーション対応マニュアル』の発刊（2012年5月），災害リハビリテーションコーディネータの育成，地域JRATの組織化，他団体との連携強化などの活動が展開されました．

その後，災害救助法におけるリハビリテーション関連職の位置づけ，内閣官房国土強靭化アクションプランへのJRATの明記，災害時派遣医療チーム（DMAT）や日本医師会災害医療チーム（JMAT）との連携などが進みました．2016年4月14日の熊本地震においては，JRATは発災当初からJMATの一員として組織的な活動を展開しました．一方，活動の基本となる『大規模災害リハビリテーション対応マニュアル』は発刊後6年が経過し，現場からのフィードバックに加え社会情勢や災害対応に関わる諸制度の変化を踏まえた改訂が必要となり，2018年6月に『災害リハビリテーション標準テキスト（標準テキスト)』として一新されました．

『標準テキスト』の出版から5年が経過し，この間に①JRATの一般社団法人化（2020年4月），②厚生労働省通達による災害時医療保健福祉チームのメンバーとしての明記(2022年7月)，③地域JRAT組織化の進展，④豪雨などの局地的災害に対する支援活動実績の蓄積，⑤Rapid Response Team（RRT）育成の進展，⑥COVID-19感染拡大を踏まえた感染対策の見直し，⑦災害時福祉機器供給システムの構築，⑧Webinar講習やE-learningの導入など，災害リハビリテーションを巡る状況にはいくつかの重要な変化がありました．これらの変化を踏まえ，本改訂版は，災害リハビリテーションの新たな指針となることを目指して発刊されました．本書が災害に対する平時からの備えの充実と発災時の迅速かつ的確な対応を行うための一助となることを願っております．

最後になりましたが，改訂版の企画・編集に尽力された編集委員各位，ご多忙の中，限られた期間でご寄稿くださった著者の方々，終始ご支援くださったJRAT栗原政紀代表ならびに理事会の皆様，そして社会貢献の一貫として真摯に出版に取り組まれた医歯薬出版株式会社の皆様に深謝いたします．

『災害リハビリテーション標準テキスト』編集委員会
監修　里宇明元

第1版 序 文

2011年3月11日に発生した東日本大震災において，リハビリテーション関連の諸団体は比較的早い時期からそれぞれ手探りで独自の支援活動を展開していました．しかしながら，未曽有の大地震と津波によるあまりにも甚大な被害に直面し，リハビリテーション関連の団体が手を携えて被災者・被災地の支援に取り組むことの必要性が強く認識され，「東日本大震災リハビリテーション支援関連10団体」が結成されました．

これまでの支援活動を通して，被災地の行政，専門職等と密に連携しながら，災害時要援護者である高齢者・障害児者等のリハビリテーション・生活支援，生活不活発病・二次障害の予防に向けた支援活動を多職種で行うことの重要性と難しさを改めて痛感するとともに，平時から十分に備えながら，災害発生時には関係団体が一丸となって被災者，被災地のための支援活動を効率的・効果的に展開できるような基盤を作っていくことが不可欠との認識が共有されました．

これを受けて，「東日本大震災リハビリテーション支援関連10団体」は，複数の関連団体を加え，「大規模災害リハビリテーション支援関連団体協議会（Japan Disaster Rehabilitation Assistance Team：JRAT）へと発展し，被災地での直接支援とともに，『大規模災害リハビリテーション対応マニュアル』の発刊，都道府県単位の災害リハビリテーションコーディネータの育成，地域JRATの組織化，他団体との連携強化などの活動が展開されました．

その後，災害救助法におけるリハビリテーション関連職の位置づけ，内閣官房国土強靭化アクションプランへのJRATの明記，局地的災害における協働等を通しての災害時派遣医療チーム（DMAT）との連携，日本医師会災害医療チーム（JMAT）との関係構築，災害派遣精神医療チーム（DPAT）との連携など，徐々にJRATの公的認知の高まりと他団体との連携の広がりがみられるようになり，2016年4月14日に発生した熊本地震においては，JRATは発災当初からJMATの一員として，全国レベルで組織的な活動を展開することができました．

一方で，JRAT活動の基本となる『大規模災害リハビリテーション対応マニュアル』については，発刊からすでに6年が経過し，現場から寄せられたさまざまな意見，社会情勢や災害対応に関わる諸制度の変化等を踏まえた全面的な改訂が必要という声が高まり，このたび『災害リハビリテーション標準テキスト』として一新し，発刊されることになりました．本書は，以下のポイントに留意して作成されました．

① 大規模災害に限らず，近年頻発している局地的災害も含める．
② 初版発行以降に発生した広島土砂災害，口永良部島噴火，関東東北豪雨，熊本地震等におけるJRATの活動経験を踏まえて加筆し，また，それぞれの災害における活動のエッセンスと抽出された課題を資料集としてまとめる．
③ フェーズごとに活動する場（避難所・福祉避難所など）に分け，活動するうえでの心得，リハビリテーションとして果たすべき役割，地元との連携などを記載し，活用しやすいように工夫する．
④ 他団体・行政との連携の充実を加筆する（熊本地震におけるJMATの一環としての活動，地域JRATの組織化，地域防災訓練への参加など）．
⑤ 国土強靱化計画の中にJRATが位置付けられたことや災害救助法の適応および費用弁済の適応となったことを加筆する．
⑥ 平時の活動のポイントや具体的な活動事例をまとめる．
⑦ 生活不活発病等の身体面/うつ状態などの心理面へのサポート，限られた資源のなかでの環境調

整等，リハビリテーションスタッフならではの実践的な取り組みをより充実させる．

⑧ 地震・水害・火災，都市部・過疎地など，状況に応じてどのように対応すべきか，可能な範囲でガイドラインを示す．

⑨ 可能な限り，一般的な記述とし，体験を交えた方がわかりやすい場合には，事例として紹介する．

本書がわが国では避けることができない地震や豪雨などの自然災害に対する備えの充実と災害発生時の迅速かつ的確な対応を行うための一助となることを心から願っております．

最後になりましたが，マニュアルの企画・編集に尽力された編集委員各位，ご多忙の中，限られた期間で貴重な原稿をお寄せいただいた著者の方々，丁寧な査読を通して建設的なご意見をお寄せいただいた査読者の方々，終始一貫して暖かくご支援くださったJRAT栗原正紀代表ならびに戦略会議の皆様，そして社会貢献の一環として真摯に出版に取り組んでくださった医歯薬出版株式会社の皆様に深謝いたします．

『災害リハビリテーション標準テキスト』編集委員会
委員長　里宇明元

目　次

CBRT	地域リハビリテーションチーム（Community-Based Rehabilitation Team）
DHEAT	災害時健康危機管理チーム（Disaster Health Emergency Assistance Team）
DMAT	災害派遣医療チーム（Disaster Medical Assistance Team）
DPAT	災害派遣精神医療チーム（Disaster Psychiatric Assistance Team）
DWAT	災害派遣福祉チーム（Disaster Welfare Assistance Team）
IFRC	国際赤十字赤新月社連盟（The International Federation of Red Cross and Red Crescent Societies）
JDR	国際緊急援助隊（Japan Disaster Relief Team）
JICA	国際協力機構（Japan International Cooperation Agency）
JIMTEF	国際医療技術財団（Japan International Medical TEchnology Foundation）
JMAT	日本医師会災害医療チーム（Japan Medical Association Team）
JOCV	青年海外協力隊（Japan Overseas Cooperation Volunteers）
JRAT	日本災害リハビリテーション支援協会(Japan Disaster Rehabilitation Assistance Team)
JVOAD	全国災害ボランティア支援団体ネットワーク（Japan Voluntary Organizations Active in Disaster）
UNDRR	国連防災機関（United Nations Office for Disaster Risk Reduction）

I 災害時のリハビリテーション支援の目的・意義

A 災害の定義

「災害対策基本法（1961年制定）」では，災害とは「暴風，豪雨，豪雪，洪水，高潮，地震，津波，噴火その他の異常な自然現象又は大規模な火事若しくは爆発その他その及ぼす被害の程度においてこれらに類する政令で定める原因により生ずる被害をいう」と定義されている．また，政令で定める原因とは，放射性物質の大量の放出，多数の者の遭難を伴う船舶の沈没その他の大規模な事故とされている．

また，被災した地域・住民を支援していこうとする観点からは，災害が人間生活や社会構造に及ぼす影響を重視した，「被災地域内の努力だけでは解決不可能なほど，地域の包括的な社会維持機能が障害された状態」という定義もある[1]．

災害（disaster）の国際的に代表的な定義は以下の通りである（表Ⅰ-1）．

表Ⅰ-1　UNDRRとIFRCによる災害の原因となる危険（hazard）の分類

UNDRR
地震・津波・地滑り・洪水・火災・生物学的（感染症など）・核/放射線・化学/産業・自然災害起因の産業事故（natural-hazard triggered technological accidents：NATECH）・環境（気候変動・大気汚染など）
IFRC
地震・火山噴火・地滑り・津波・雪崩・洪水・熱波・寒波・山火事・干害・台風・感染症・化学/生物学的/放射線/核・降雹

国連防災機関（United Nations Office for Disaster Risk Reduction；UNDRR）[2]：曝露，脆弱性，および適応力の状態と密に関連する危険なイベント（hazardous event）による，コミュニティや社会の機能の様々な規模の深刻な破綻であり，人的，物的，経済的または環境的な損失と打撃を与える．このうち，大規模災害とは，国家的もしくは国際的支援を必要とするものをいう．

国際赤十字赤新月社連盟（The International Federation of Red Cross and Red Crescent Societies；IFRC）[3]：災害とは，コミュニティ自身が持つ資源で対応できる範囲を超える機能の破綻である．災害は，自然，人為的，技術的な危険（hazard）に引き起こされ，コミュニティの暴露や脆弱性に影響する様々な要因が影響する．

COVID-19感染・拡大前の2019 Global Natural Disaster Assessment Reportによると，1989〜2019年の30年間に9,923の大規模自然災害があり，60％以上が嵐と洪水で，約9％が地震であった．時代が進むにつれ，気温異常，噴火，山火事が徐々に増えている．総死亡者数は1,677,000人であり，この中には2010年ハイチ地震（約32万人），2004年スマトラ沖地震と津波（約23万人以上），ベンガル湾サイクロン（約13万人以上）が含まれる[4]．

「災害対策基本法」では，災害の規模により，特別の財政的援助などがある激甚災害指定が行われる．指定される災害の規模により，本激（地域を指定せず災害そのものを指定）と，局激（市町村単位で災害を指定）がある[5]．

激甚災害指定基準は，大まかには当該災害に係る公共施設災害復旧事業などの事業費の査定見込額が全国の都道府県及び市町村の当該年度の標準税収入の総額のおおむね0.5％を超えるか，0.2％を超える災害で，かつ，都道府県が負担する額が当該都道府県の当該年度の標準税収入の25％を超えるか，当該都道府県の区域内の全市町村の当該年度の標準税収入の総額の5％を超える場合とされている．また，局所激甚災害指定基準は，当該災害に係る公共施設災害復旧事業などの事業費の査定見込額が，当該市町村の規模により当該年度の標準税収入の20～50％を超える場合である．

本テキストの対象

本テキストでは，必ずしも激甚災害に指定されるような災害に限らず，災害の規模と対応する医療資源との不均衡によって，多数のPreventable Deaths（防ぎえた死）の発生が懸念される場合も対象とする[6]．

これまで激甚災害に指定された災害としては2017～2022年の5年間で本激に指定された災害は15件あり，このうち，一般社団法人 日本災害リハビリテーション支援協会（Japan Disaster Rehabilitation Assistance Team；JRAT）が活動もしくは活動に向けての現地調査を行ったものは5件である．

※本書には2023年5月時点での情報を掲載しているが，災害リハビリテーションに関する最新の情報や評価表，報告書などについてはJRATのホームページ（https://www.jrat.jp/）で更新されるため，そちらも参照いただければ幸いである．

【文献】

1）太田保之：災害精神医学の現状．精神医学 38：344-354，1996．
2）UNDRR：Disaster：https://www.undrr.org/terminology/disaster
3）IFRC：What is a disaster?：https://www.ifrc.org/our-work/disasters-climate-and-crises/what-disaster
4）Academy of Disaster Reduction and Emergency Management, Ministry of Emergency Management - Ministry of Education National Disaster Reduction Center of China, Ministry of Emergency Management Information institute of the Ministry of Emergency Management：2019 Global Natural Disaster Assessment Report：https://www.preventionweb.net/files/73363_2019globalnaturaldisasterassessment.pdf
5）内閣府：過去5年の激甚災害の指定状況一覧：http://www.bousai.go.jp/taisaku/gekijinhukko/list.html
6）平成16年度厚生労働科学研究費補助金特別研究事業：自然災害発生時における医療支援活動マニュアル，2005．

（加藤真介）

B 災害時のリハビリテーション支援活動の目的と意義

1．災害リハビリテーション支援活動に関するこれまでの経緯

災害時には災害派遣医療チーム（Disaster Medical Assistance Team；DMAT）などによる救命救急を主体とした医療支援が重要であるが，近年我が国で立て続けに発生した大規模災害の経験から，災害リハビリテーションが注目されることとなった．

災害リハビリテーションの具体的な目的としては，避難所・仮設住宅などでの災害関連疾患〔深部静脈血栓症（deep vein thrombosis；DVT），肺炎，うつ病，生活不活発病など〕，ストレスによる精神疾患の予防・治療，嚥下障害や口腔ケア支援，災害弱者の保護・生活環境整備などが挙げられる．

特に超高齢社会における災害では，避難所や仮設住宅，あるいは自宅での高齢者，障がい者の孤立・生活不活発が大きな問題となり，想定外の災害関連死が多数発生したことから，発災直後からの迅速かつ組織的，継続的な災害リハビリテーション支援の重要性が広く認識された．

このような状況を受けて，リハビリテーション関連10団体が連携し，被災地のリハビリテーション支援体制の構築を目的にJRATが発足した．

2．各フェーズでの災害リハビリテーション支援活動の目的と意義

災害が発生した場合，発災直後からの経時的変化により以下の4つのフェーズに分類される．それぞれのフェーズで必要とされる目的に沿った災

害リハビリテーション支援を遂行し，被災地のリハビリテーション活動を維持することに重要な意義があると考えられる．各フェーズにおける災害リハビリテーション支援活動の目的と意義を以下に述べる．

1〕第1期（被災混乱期）

発災直後からおおむね72時間までの期間で，ライフラインおよび交通網・情報網の破綻とともに行政・医療・介護機能の破綻・混乱時期である．この時期の災害リハビリテーション支援活動では，現地リハビリテーション専門職が主体となり，リハビリテーション対象者（避難時受傷者や廃用リスク者を含む）の状況把握，入院患者および入所者の安全な施設への移送支援，避難所環境整備（段差解消，手すりの設置，簡易ベッドの設置など），DVT予防のための運動療法および生活指導，現地リハビリテーションニーズなどの速やかな情報収集・発信などが主な目的となる．

2〕第2期（応急修復期）

おおよそ発災4日目から1カ月までの時期で，破綻したライフラインや主な交通網・情報網が修復・復活し，指示命令系統が整備される．またJRATなど，被災地外からの支援が開始されるようになり，避難所の管理・運営が開始される．この時期のリハビリテーション支援活動では，発災前から存在した身体機能障害への対応に加え，被災時に新たに発生した外傷，低体温症や誤嚥性肺炎，さらには避難生活が誘因となり発生する感染症，DVT，脱水，熱中症，生活不活発病などに対応し，要配慮者が避難生活を混乱なく開始できるように支援することが大きな目的となる．また，依然として混乱，不安状態にある被災者の心情に考慮しつつ，被災生活の長期化も視野に入れた災害リハビリテーション支援体制の構築を開始することに重要な意義があると考えられる．具体的には現地JRAT災害対策本部が活動の中心となり，避難所における被災者の生活状況の把握，避難所環境整備，セルフケア（食事，整容，排泄，更衣，清潔，睡眠，移動）の支援，感染症やうつ症状の予防，生活不活発による弊害に対し，広報を通じた注意喚起や運動療法の実践などが重要と考えられる．

3〕第3期（復旧期）

おおよそ発災2カ月目から6カ月の期間で，避難所の集約化が始まるとともに，二次避難所・福祉避難所への移行・運営，また応急仮設住宅（以下，仮設住宅）での生活が開始される．この時期の災害リハビリテーション支援活動の目的は，第2期の支援内容の継続による当該避難所生活に対する生活不活発病の予防や福祉避難所・仮設住宅での生活支援および帰宅者の孤立化対策などである．具体的には，避難所で集約している要援助者に関する現場のニーズを把握し，セルフケアの確認とアドバイス，介護保険サービスの提供のための現地専門職への支援，さらには災害リハビリテーション支援の長期化を見据えた現地での自立移行策の検討・実施，定期的な運動療法の励行，仮設住宅などでのアクティビティの集いなどが挙げられる．これらの活動を通じて，JRATならびに現地リハビリテーション専門職の参画により，避難生活の長期化も想定したリハビリテーション支援活動を着実に遂行することに重要な意義があると考えられる．

4〕第4期（復興期）

おおよそ発災から6カ月以降，避難所生活から仮設住宅への移行が完了し，地域生活の安定・維持・向上を目指しながら新たな街づくりへと復興していく時期である．JRATなど，外部からの支援チームが撤退することに伴い，地域リハビリテーションチーム（Community-Based Rehabilitation Team；CBRT），現地JRAT災害対策本部，現地リハビリテーション専門職主体の活動へと円滑にかつ段階的に移行することが要求される．活動としては，地域住民の生活不活発や孤立化予防，地域生活再生に向けた地域リハビリテーション活動および地域包括ケア（自助，互助，共助）に関する教育・啓発，ならびに復興に向けた新たなコミュニティづくり・街づくりへの参画による地域での生活再建が重要な目的となる．CBRTや行政のみならず，地域住民自らも地域生活支援に主体的に参画し，長期的な視野に基づいた災害リハビリテーション支援活動が継続されることに，この時期の災害リハビリテーション支援活動の大きな意義があると考えられる.

3. まとめ―きたるべき災害に備えて

今後の災害発生時には，リハビリテーション専門職に要求される社会的役割がこれまで以上に重要であることを関係各位が認識する必要がある．災害リハビリテーション支援活動は被災者の生活支援が最優先の目的であるが，リハビリテーション専門職が積極的に参加，貢献することで，社会に対してわれわれリハビリテーション専門職の存在を示す重要な意義もあると考えられる．そのためにも，リハビリテーション支援チームの育成や組織化，災害リハビリテーション研修，他の災害医療チームとの活動協力など，きたるべき大規模災害に備え，平時から十分な対策を立てておくことが必要である.

（木村慎二）

日本災害リハビリテーション支援協会（JRAT）

日本災害リハビリテーション支援協会（Japan Disaster Rehabilitation Assistance Team；JRAT）は発災後に起こり得る生活不活発病（Preventable Disabilities，防ぎ得る障害）を予防し，災害関連死（Preventable Deaths，防ぎ得る死）ゼロを目標に，被災者（特に高齢者，障がい児・者，難病者，妊婦，乳幼児といった要配慮者など）および被災地リハビリテーション関連施設や地域のネットワークなどの早期自立・復興を目的として，組織的リハビリテーション支援を展開する災害医療支援団体である.

1. 設立経緯

日本災害リハビリテーション支援協会は東日本大震災時（2011年3月11日）の東日本大震災リハビリテーション支援関連10団体〔日本リハビリテーション医学会，日本リハビリテーション病院・施設協会，日本理学療法士協会，日本作業療法士協会，日本言語聴覚士協会，全国回復期リハビリテーション病棟連絡協議会（現 回復期リハビリテーション病棟協会），全国老人デイ・ケア連絡協議会（現 全国デイ・ケア協会），全国訪問リハビリテーション研究会（現 日本訪問リハビリテーション協会），全国地域リハビリテーション支援事業連絡協議会/全国地域リハビリテーション研究会，日本介護支援専門員協会：2011年4月13日設立〕としての組織的支援活動の経験を基に，きたる大規模災害に備えて他の関連団体にも呼びかけを行い（日本義肢装具士協会，日本義肢装具学会などの新規参画，また2017年には日本リハビリテーション工学協会も加盟），さらに災害派遣医療チーム（Disaster Medical Assistance Team；DMAT），災害派遣精神医療チーム（Disaster Psychiatric Assistance Team；DPAT）および厚生労働省老人保健課などからオブザーバー参加を得て2013年7月26日に新たに結成された「大規模災害リハビリテーション支援関連団体協議会（JRAT）」が母体となっている．2020年に一般社団法人化と現在の名称に変更され，今では13のリハビリテーション関連団体（この段階で全国地域リハビリテーション支援事業連絡協議会と全国地域リハビリテーション研究会は別々の団体として登録）と賛助会員（日本介護支援専門員協会は加盟団体から移行）から成っている.

JRATの組織的支援展開として重視すべきと考えられる項目を以下に列挙する.

1）基本的重視項目

①責任性，②規律性，③倫理性，④継続性，⑤適時・適切な撤退判断

2）活動時重視項目

①自立支援：被災地における要配慮者やリハビリテーション医療関連組織の自立を支援

②地元主義：被災地のニーズに対応した支援であること

③現地主義：被災地地域JRAT代表の指示に従う

④多職種チーム意識の重視：密なる情報交換・カ

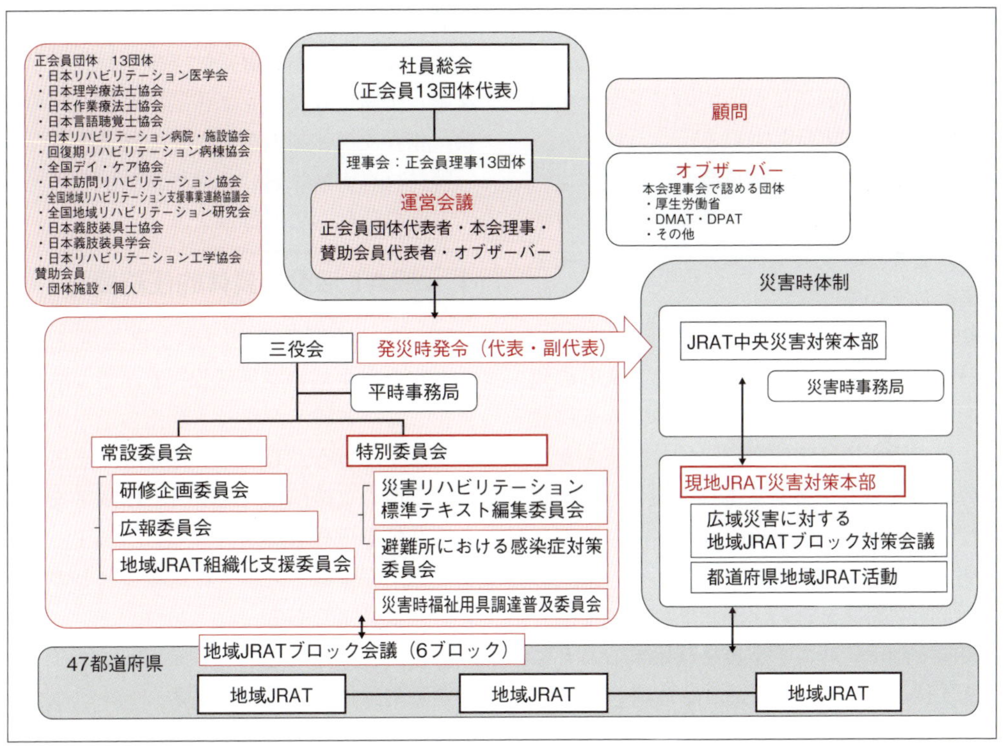

図Ⅰ-1　JRAT 基本組織図

ンファレンスを実施・記録

⑤行政および他支援団体〔特に日本医師会災害医療チーム（Japan Medical Association Team；JMAT）など〕との強固な連携（避難所においては保健師，医師，行政職など）

2．組織のあり様（図Ⅰ-1）

1〕平時

(1) 社員総会

加盟団体（正会員）の代表（会長・理事長）によって構成される．

(2) 理事会

正会員より選出された理事により構成される．2年ごとに JRAT 代表者を決定する．

(3) 運営会議

各加盟団体および賛助会員からの代表者および理事・オブザーバーで構成され積極的な情報共有および意見交換に努めている．

(4) 常設委員会

研修企画委員会，広報委員会そして地域 JRAT 組織化推進委員会を設置して活動している．

(5) 地域 JRAT ブロック会議および地域 JRAT 代表者会

都道府県単位での組織として“地域 JRAT”の設立を推進，全国を6ブロックに分け，地域 JRAT 代表者・世話人によるブロック会議および全国規模での代表者会議を定期的に開催し，情報交換を行う．

(6) 委員会活動

①研修企画委員会

本会の研修事業を担う委員会で，主には人材養成研修を担当する．ロジスティクスや直接支援活動をするスタッフなどの育成を立案・実行する．

②広報委員会

本会の活動・事業についてホームページやパンフレットなどを活用して「国民への周知」などを担当する．発災時に迅速な支援活動をする体制として都道府県に地域 JRAT を設立しているが，この地域 JRAT に対するアンケート調査などを行っている．

③地域 JRAT 組織化推進委員会

地域JRATの組織化の支援活動や共通課題の支援を担当する．共通課題についてのアンケートの分析・対策を企画・実行している．

④災害時福祉用具調達普及委員会

避難所で必要とされる福祉用具などの調達方法を整理し，そのマニュアル作成と，普及・啓発を企画・実行している．

2〕災害時

災害が発生した場合，被災地の地域JRATの代表は①速やかに都道府県が災害対策本部の下に設置する「保健医療福祉調整会議」に参加するとともに，②現地JRAT災害対策本部を設置し，情報集約を行い，③JRAT中央災害対策本部に情報発信を行う．また④支援派遣のためのチーム編成およびマッチング作業を行い，⑤調整会議（都道府県）の要請・指示に基づき支援を開始することになる．⑥支援派遣の規模（被災地の地域JRATのみ，近隣都道府県やブロック単位あるいは全国規模など）に関しては調整会議の要請に基づき地域JRAT代表とJRAT中央災害対策本部（JRAT代表，副代表，委員会委員長など）が協議を行い，決定し，JRAT代表がJRATとしての派遣指示の任にあたる．

このためJRAT代表は他の支援団体，特に日本医師会JMAT本部および厚生労働省のJRAT窓口である老人保健課との情報交換（JRAT派遣時期，派遣メンバー，活動報告などについて）を行い，緊密な連携の下で支援活動を開始することに留意する．

3. 組織化推進：「地域 JRAT」の設立

「地域JRAT」は都道府県単位で組織化されたものであり，その都道府県を代表して，平時には災害リハビリテーションチームの育成，関係各機関・団体との連携強化および地域住民への教育・啓発など，防災・減災活動を実施するとともに発災時には組織的かつ直接的支援を行う核となる．なお，全国を6ブロック体制にして互いの情報交換・相互支援体制の構築などを推進する．

特にコロナ禍においては地域JRATの充実そして，その活動への期待は大きい．

4. JRAT 活動の具体的任務概要

JRATは被災者の速やかな自立生活獲得，安心・安全な生活の継続確保，1日でも早い復興を目指して，避難所が開設されたら速やかに以下の支援などを行う．その際，避難所で支援にあたっている他の支援団体（DMAT，JMATなど）や，災害時健康危機管理チーム（DHEAT）との情報交換や，保健師・医師・行政職などとのカンファレンスは必須である．

＜支援内容（感染対策の下で）＞

①避難所環境評価と整備提案

②避難所など，要配慮者に関する災害リハビリテーショントリアージ

③生活不活発対策

④リハビリテーション医療資材など（福祉機器）の適時・適切な供給

⑤避難生活での役割，活動，参加などを提案

※特記事項

- 要配慮者：高齢者，障がい児者，難病者，在宅療養者，妊婦，乳幼児など
- 助言はしても，直接的リハビリテーションサービスの提供は原則ない
- 速やかに医療や介護保険サービスに繋ぐ：介護支援専門員との協働を重視する

なお，原則としてJRAT支援活動は地元地域リハビリテーション活動に移行することで終了・撤退となる．

（栗原正紀）

災害時の情報収集，伝達のポイント

1．はじめに

災害医療で効率的に治療し，安全を確保するための基本原則としてCSCATTT〔C：Command & Control（指揮・統制），S：Safety（安全），C：Communication（情報伝達），A：Assessment（評価），T：Triage（トリアージ），T：Treatment（治療），T：Transport（搬送）〕という略語がある．CSCATTTは大規模な事故や災害発生した際の活動順位を示したものであり，CSCA（医療管理項目）は，TTT（医療支援項目）より実行優先順位が高い．Cは組織の指揮命令系統の確立と連携調整，Sは自分自身の安全を確保，現場の安全を確保し，生存者等者の救出や救助，治療を行うこと．次のCは組織内と組織間の情報の収集と伝達・共有，Aは現状を得られた情報から評価し，方針を決定することである．ここではCSCATTTの「C：情報」について述べる．

2．情報の収集・発信

被災時の情報収集の主体は，局地災害においては地域JRATが担う．大規模災害にてJRAT中央災害対策本部が立ち上がった場合には，JRAT中央災害対策本部および被災地の地域JRATが相互に補完して行う．

地域JRATは発災後速やかに都道府県保健医療福祉調整本部に参集し，行政や他の災害医療支援団体と連携をとって災害状況の情報収集に努め，災害の規模，避難者数，避難所ならび設置状況など，今後の活動の必要性および規模などについて把握する．ただし，発災直後は情報が乏しく収集が困難であるため，都道府県保健医療福祉調整本部で得られる情報に加えて，報道各社のホームページなどからの情報も活用する．また，DMATが開設する広域災害救急医療情報システム（Emergency Medical Information System；EMIS）[1]なども活用する．また被災地のより詳細な情報を得たい場合は，JRAT隊員を被災地に派遣して情報収集を行う．なお，JRAT隊員が不足し，JRAT-RRTの派遣を必要とするときは，JRAT中央災害対策本部に要請する．

収集された情報は地域JRAT内にて共有し，さらに必要な情報についてはJRAT中央災害対策本部に提供する．JRAT活動開始後は把握した情報を，保健医療福祉調整本部内で行政，他団体にも提供する．図Ⅰ-2に厚生労働省が示す大規模災害時の保健医療福祉活動に係る体制の模式図を示す[2]．

なお，保健医療福祉調整本部に入って情報の入手・発信にあたっては，優秀な災害リハビリテーションコーディネーターの存在が鍵となる．高い使命感と複眼的思考能力を有するコーディネーターの養成を普段から心がけ，高い権限を与えること，平時より地域内の行政，災害医療団体との交流を行うことが重要である．また，災害支援は長期にわたることも多いため，交代が必要であり，複数のコーディネーターの養成も求められる．

JRAT中央災害対策本部は，厚生労働省，日本医師会，DMAT，DPAT，日本赤十字社など関係省庁および災害医療関連団体と情報交換を行い，災害医療体制の全体把握を行う．また，JRAT加盟団体内での情報収集と情報発信を行う．また，JRAT中央災害対策本部で集約された必要情報は，クラウドサービスなどを利用して共有ファイル化して地域JRATと共有する．なお，JRAT中央災害対策本部と地域JRATの情報交換は，決められた定時に行うほうが混乱状況にある被災地側の対応がしやすい．図Ⅰ-3に発災時のJRAT内での情報の流れを示す．

3．情報の共有化

JRAT中央災害対策本部および地域JRAT内で重要な情報はホワイトボード（壁に貼り付けられる使い捨て式もあり）などに掲示して見える化による共有化を図る．さらに当日のクロノロジー（後述）もホワイトボードに掲示する（図Ⅰ-4）．

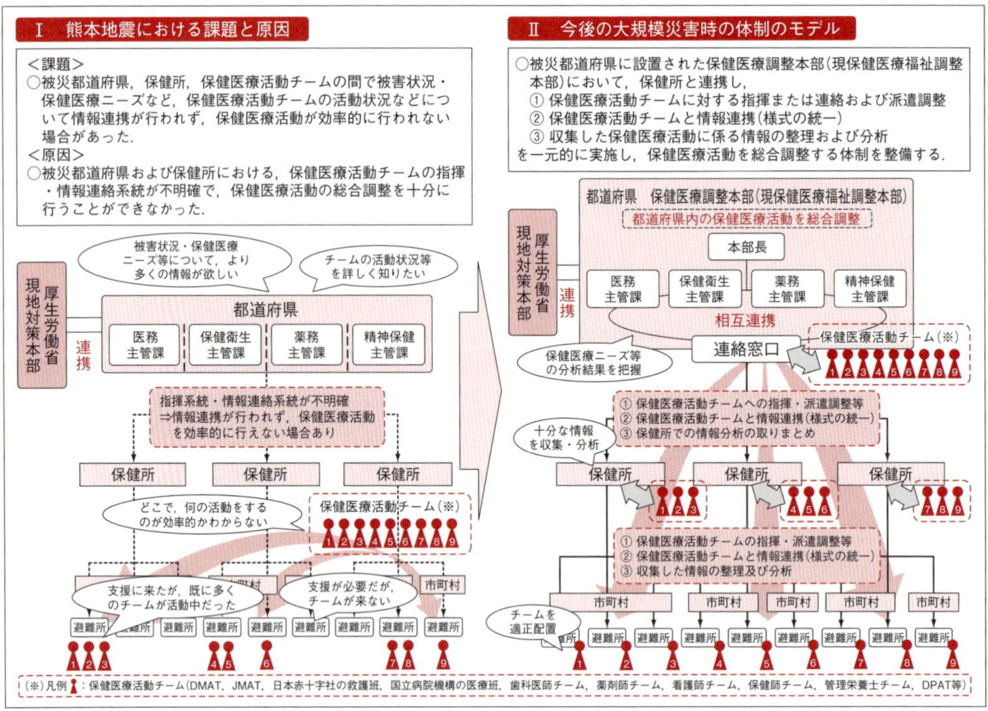

図Ⅰ-2　厚生労働省が示す，大規模災害時の保健医療活動に係る体制のモデル

被災地に派遣される医療チームや保健師チームなどを全体としてマネジメントする機能を構築する．

（厚生労働省，2017，文献2を改変）

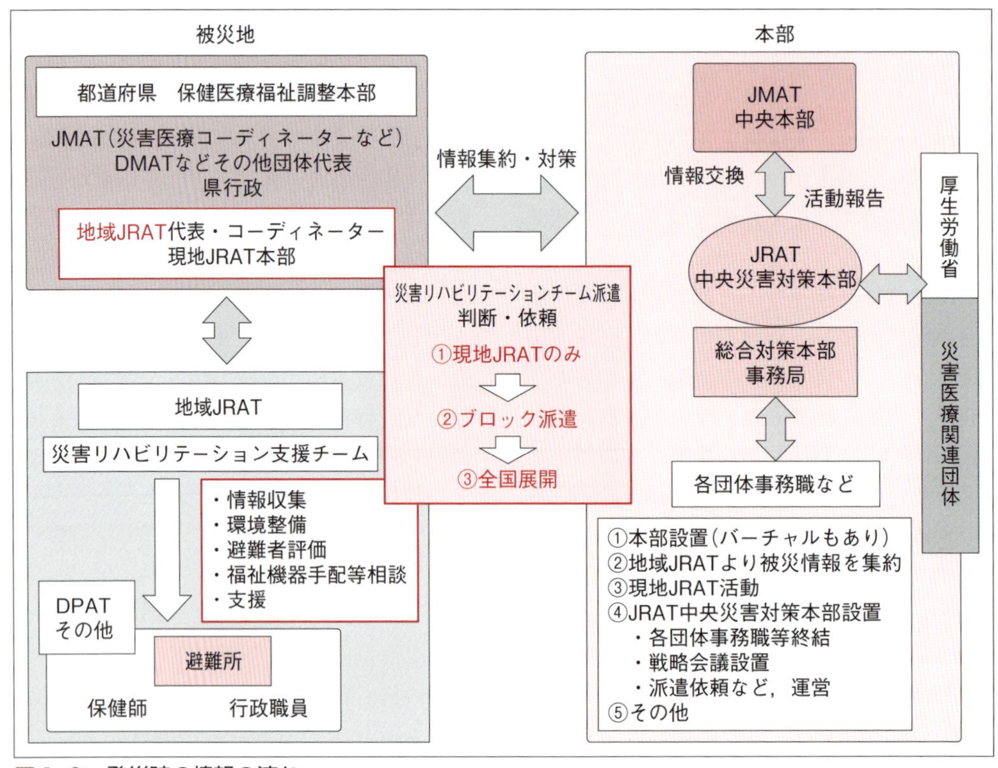

図Ⅰ-3　発災時の情報の流れ

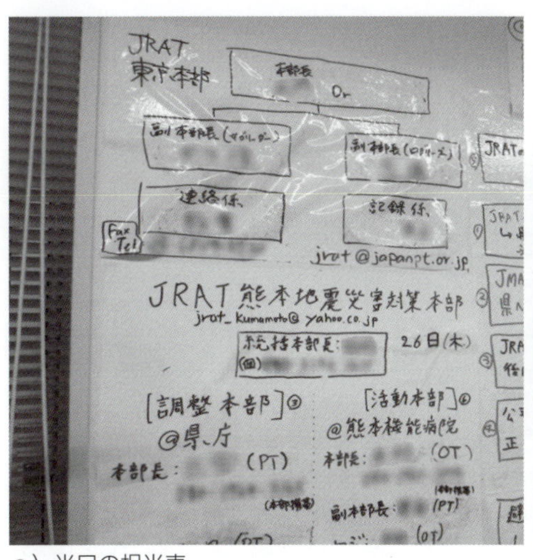

a）当日の担当表

上にJRAT中央災害対策本部，下に熊本JRAT災害対策本部の当日の体制と連絡先が記載されており，本部委員全体に見える化している．

b）当日のクロノロジー（記録）

壁には当日のクロノロジー（記録）が随時記載され，最終的にはスタッフの手入力にてデジタル情報として保存され，当日の報告書が作成される．

図Ⅰ-4　熊本地震における東京本部の情報共有の様子

また，支援チームの登録にあたっても情報共有が必要である．支援チームの支援機関，移動手段，所属地域，施設，職種などのいわゆる“マッチング表”についてもJRAT中央災害対策本部と地域JRATが共有する（図Ⅰ-5）．一方，支援チームに対しては，発見決定後に速やかに被災地の情報および支援にあたっての心得やルール，必要な物品などについての情報を提供する．なお，支援チームに必要な事前情報は定期的に見直しながら1つのファイルにまとめて管理して情報の過不足が生じないようにする．また，大規模災害にて地域JRATが混乱している状況であるならば，支援チームへの情報提供はJRAT中央災害対策本部で一括して行う．

4．支援開始後の情報共有

支援開始にあたっては，避難所および被災者の情報を各避難所にて確認する．厚生労働省では施設・避難所等ラピッドアセスメントシート（p.183，図Ⅻ-4）や被災者アセスメント調査表（p.182，図Ⅻ-3）が作成されている．支援開始後は避難所情報および支援の内容ならびに個別リハビリテーションを実施した要配慮者についての情報を記録する．本書Ⅻ-Bには熊本地震で実際に用いられた情報書を掲載している．また，活動の全体については日々の報告（p.136，図Ⅷ-4）を行い，交代時には次のチームへの申し送りを記録し，支援チームが交代しても継続的な情報ができるようにする．なお，支援チームが有する情報も紙ベースだけなく電子情報として伝達したほうが共有化がしやすい．なお，我が国では日本診療情報管理学会，日本病院会，日本医師会，日本救急医学会と日本集団災害医学会の5団体および国際協力機構（Japan International Cooperation Agency；JICA）を加えた団体による「災害診療記録報告書」が作成されている[3]．また，災害医療情報の標準化手法（Minimum Data Set；MDS）[4]が国際標準としてWHOにより採択されている．MDSは，被災地で活動する緊急医療チームがカルテから抽出し，国に日報として報告すべき46の項目からなり，年齢層，性別，妊娠の有無，外傷・疾病の種類，処置，衛生状態などから構成されている．

5．情報の体系化

災害時の情報は情報源も多く多種多彩にわたる．また真偽が判断できないような情報も存在す

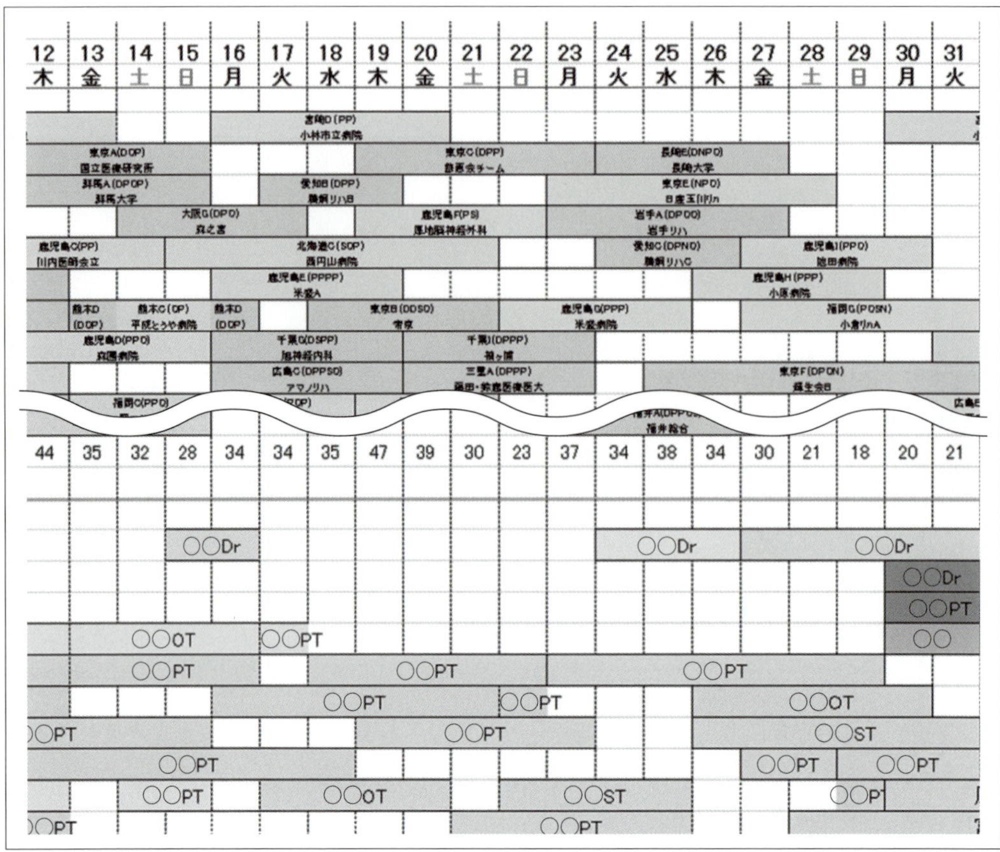

図Ⅰ-5　情報管理表

エクセル上でチームおよび熊本JRAT災害対策本部への派遣状況がJRAT中央災害対策本部と熊本JRAT災害対策本部間で確認できる体制を確立した.

る. その中で情報を体系化して整理していく必要がある. すべてを羅列して記録するのではなく, 情報源や項目〔問題・解決リスト, 活動方針, 指揮系統図と活動部隊・人員と現在の活動, 主要連絡先, 避難所・要配慮者数情報一覧表, 被災状況・現場状況（地図), その他〕別に分類することにより, 交代時にも把握しやすくする. 重要な情報は項目別にホワイトボードにも掲示し, さらにデジタルデータ内でも分類して管理することによって, 事務的負担を減らす.

6. 情報の継承化

情報管理には多くの人員を要する. 災害支援時には, 日々の活動および活動から得られた情報, 行政, 他団体との連携状況さらに連絡内容などを時系列に記録するいわゆる“クロノロジー”を行っていく必要があり, その任を担う業務調整員がJRAT中央災害対策本部, 地域JRATともに必要である. クロノロジーは汎用性のある記録ツールとして, 本部で得た情報や指示事項を時刻も含めて記録する. また発信元と発信先も明記する. 記録すべき内容は責任者が指示し, ホワイトボードを用いることで情報の共有化を図る（図Ⅰ-4). さらに, 1日の終了時までにはその内容を電子データに移行する. なお電子データへの移行時は時刻以外にも, 情報先および項目や内容別分類を行っておくと情報探索が行いやすい. また, 日々の業務において解決できない問題や業務上の必須項目などについては, 担当者が交代しても継続して対応できるように, 重要項目を抽出して継承する. 特に支援にあたっての取り決め（ルール）や未解決問題については, 責任者間で紙ベースにて

表Ⅰ-2　現地 JRAT 災害対策本部および JRAT 中央災害対策本部初動手順

地域 JRAT		平時：JRAT 事務局　　発災時：JRAT 中央災害対策本部	
行うこと	備考	行うこと	備考
1．活動開始	自らの判断 or JRAT 中央災害対策本部（事務局）からの依頼	**0．災害モードへの切り替え**	①JRAT 事務局を中心に，被災地の情報収集に努める． ②情報共有は，メール，LINE，Chat-work などを用いて行う．
2．JRAT 中央災害対策本部（事務局）へ報告	活動開始宣言	**1．JRAT 中央災害対策本部設置** ①Help-SCREAM（＊）を参考に，立ち上げる． ②立ち上げを，理事会，厚生労働省老健局，DMAT 本部，JMAT 本部，DPAT 本部，都道府県 JRAT 代表者などに報告する． ③本部人員体制を整える． （本部長（1 名），副本部長（2 名），ロジスティクス（4 名））	代表の指示による 集合形式の本部か，インターネットを用いた形式の本部かは，その時に決定する． 本部運営人員は 48 時間をめどに参集する． 各団体および L-スタッフに呼びかける．
3．都道府県庁に入る（地域 JRAT 代表者など） ①都道府県保健医療福祉調整本部に，JRAT の活動開始を報告する． ②地域 JRAT 現地調整本部を立ち上げる． ③都道府県保健医療福祉調整本部会議に参加する．	都道府県庁との対応が困難な場合，JRAT 中央災害対策本部（事務局）に，DMAT の担当者・JMAT の担当者などを問い合わせる． 大規模災害時は，（本部長（1 名），副本部長（1 名），ロジスティクス（1～2 名））で本部活動を行う． 局所災害時は，リエゾン（情報連絡員）として 1-2 名滞在させる．		
4．現地調整本部設置を JRAT 中央災害対策本部（事務局）へ報告 災害医療関連団体と連携を行い，情報を共有する．	情報収集の際にはお互いの連絡方法を確認する（携帯電話，メールアドレス等） ※DMAT，JMAT，DPAT，日本赤十字社の救護班，など	**2．本部活動開始** ①連絡体制を構築する ②JRAT 代表は必要に応じて，緊急会議を行う． ③厚生労働省や JMAT からの問い合わせに対応する． ④JRAT 活動派遣依頼状の発行を行う．	コンタクトリストを作る． クロノロジーで記録する． チャットワークなどで連絡体系を確立する．
5．現地 JRAT 災害対策本部設置 ①Help-SCREAM（＊）を参考に，立ち上げる． ②本部人員体制を整える． （本部長（1 名），副本部長（2 名），ロジスティクス（3 名）） ③現地医療保健福祉調整本部会議に参加する．	被災地に近く，安全な場所に設置する． 本部要員が不足する場合，地域 JRAT の判断の元，JRAT 事務局（JRAT 中央災害対策本部）に JRAT-RRT を要請する．	＊HeLP-SCREAM Hello　カウンターパートへのあいさつ Location　本部場所の確保 Part　（初期本部人員の）役割分担 Safety　安全確認 Communication　連絡手段の確保 Report　上位本部への立ち上げ連絡 Equipment　本部機材の確保 Assessment　アセスメント METHANE メタン （日本集団災害医学会，2011）[5]	METHANE report M：My call sign/Major Incident 名乗り，災害の宣言 E：Exact location 正確な発災場所（位置・座標） T：Type of incident 災害の種類 H：Hazards 危険性の現状と拡大の可能性 A：Access 現場までの安全な経路 N：Number of casualties 傷病者数 E：Emergency services 緊急対応の現況と今後必要となるサービス
6．現地支援活動開始 ①情報収集：全避難者数，避難所の場と避難者数 ②L-スタッフ，D-スタッフ，E-スタッフの要請 ③派遣要請をもとに派遣スタッフスケジュールを作成			

の伝達が確実である．ルールの変更時や問題解決を図れた場合には着実に更新を行い，混乱や情報過多が生じないように努める．

7．初動手順の共有

災害発生時に JRAT 活動を行政や他の災害医療団体と協働して開始するにあたっての初動マニュアルが必要である．現在 JRAT として地域 JRAT が活動を開始するための初動手順の案が策定されている（表Ⅰ-2）．一方，図Ⅰ-1 に示した通り今後，大規模災害時の保健医療福祉活動に係る体制の整備が進むと現在の案では対応が困難な場合もあるため，自地域における災害医療体制情報を地域 JRAT にて定期的に情報収集し，体制を整えておく必要がある．なお，保健医療福祉調整本部に参画して活動開始・本部立ち上げにおける原則として HeLP-SCREAM（助けてと叫ぶ）がある（表Ⅰ-2）．

表Ⅰ-3　本項のポイント

情報の収集と発信
- 地域 JRAT は発災後速やかに都道府県保健医療福祉調整本部に参集し情報収集する.
- 報道各社からの情報も活用する.
- EMIS なども活用する.
- 情報は地域 JRAT 内にて共有し，必要な情報については JRAT 中央災害対策本部に提供する.

情報の共有化
- JRAT 中央災害対策本部および地域 JRAT 内で重要な情報はホワイトボードなどに掲示して見える化する.
- 支援日程は JRAT 中央災害対策本部と地域 JRAT がクラウドなどを用いて共有する.
- 支援チームに必要な事前情報も提供する.

支援チームの情報共有
- 支援開始後は避難所情報および支援の内容などの情報を記録する.
- 活動についても日々の報告し，次のチームへ申し送る.
- 我が国では「災害診療記録報告書」が策定されている.
- 災害医療情報の標準化手法が国際標準として世界保健機関により採択されている.

情報の体系化
- 情報を体系化して整理する.
- 情報源や項目別に分類することにより，把握しやすくする.

情報の継承化
- 災害支援時には，時系列に記録するいわゆる“クロノロジー”を行う.
- 担当者は交代するため，重要項目を抽出して継承する.

初動手順の共有
- 行政や他の災害医療団体と協働して開始するにあたっての初動手順がある.
- 自地域における災害医療体制情報を平時より確認する本部立ち上げについては HeLP-SCREAM という略語がある.

8. まとめ

本項のポイントを表Ⅰ-3 に示す.

【文献】

1) EMIS：広域災害救急医療情報システム：https://www.wds.emis.go.jp/
2) 厚生労働省：大規模災害時の保健医療活動に係る体制の整備について：http://www.mhlw.go.jp/file/06-Seisakujouhou-10600000-Daijinkanboukouseikagakuka/29.0705.hokenniryoukatsudoutaiseiseibi.pdf
3) 災害時の診療録のあり方に関する合同委員会：災害診療記録報告書：https://jadm.or.jp/od/disaster_standard_karte.pdf
4) Emergency Medical Team Minimun Data Set Working Group：MINIMUM DATA SET：https://extranet.who.int/emt/sites/default/files/Minimum%20Data%20Set.pdf
5) 日本集団災害医学会 監修，日本集団災害医学会 DMAT テキスト編集委員会 編：DMAT 本部運用の基本．DMAT 標準テキスト，へるす出版，2011，pp182-187.

（近藤国嗣）

情報収集，伝達，管理のポイント —熊本地震の経験から

熊本地震において，2016 年 4 月 14 日前震，16 日に本震を経験したことを踏まえ，災害時の情報管理，情報処理の実際について述べる.

1. 情報収集

熊本地震発生時は，JRAT 中央災害対策本部，現地 JRAT 災害対策本部，現場ともに混乱しており情報が錯綜している状態であった．そこでまずは情報収集について述べる．情報収集では，県（熊本県保健医療調整本部），市町村，避難所とに分けて情報を収集することが重要である．さらに JRAT 中央災害対策本部との情報交換も不可欠であった．その情報を縦断的，横断的に整理し発信することが円滑な活動の準備段階となる.

情報収集の際は，情報提供者との連絡方法を確認する必要がある（携帯電話番号やメールアドレ

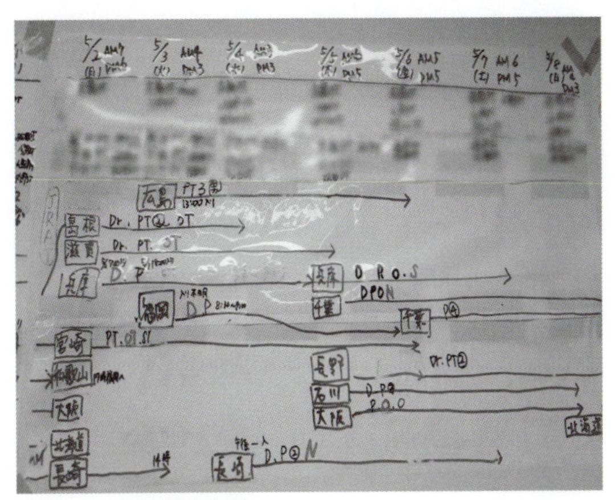
図Ⅰ-6　派遣調整図

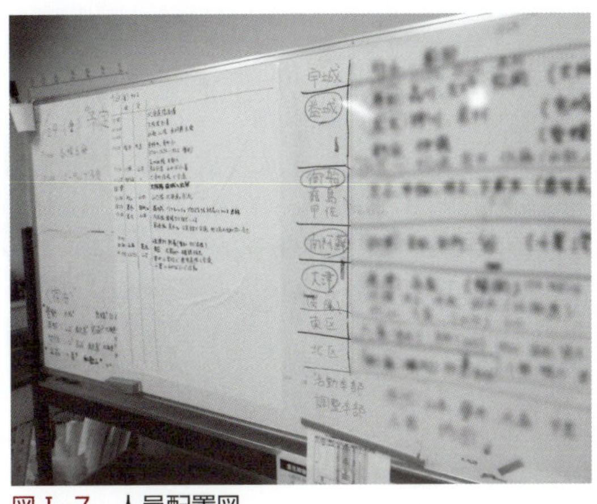
図Ⅰ-7　人員配置図

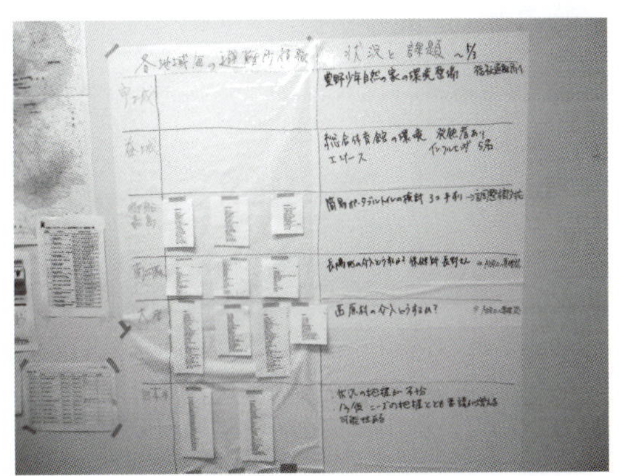
図Ⅰ-8　情報伝達の例

図Ⅰ-9　情報整理の例

スなど）．避難所情報は，NHKのdボタンおよびホームページ，地方新聞のホームページ，市町村ホームページ，広域災害救急医療情報システム（EMIS）などからも行う．集約された情報は本部内で共有して表にするなど「見える化」することが望ましい（図Ⅰ-6〜9）．

1〕情報収集のポイント

以下のことを視野に入れながら情報収集をすることが望ましい．

①被災状況（死者数，負傷者数，建物の倒壊状況など）
②医療状況（病院・避難所などの状況，負傷者の重症度・数）
③危険情報（火災，二次災害など）
④ロジスティクス関連（道路状況，ライフライン，通信，物流など）
⑤支援状況（医療チームの活動状況など）
⑥支援ニーズ

次に情報を整理・集約し「見える化」しながら，双方向に伝達し組織体制や役割分担，マニュアルの作成を行う．さらに医療チーム，県，市町村，避難所のキーパーソンと連携を図ることも重要である．

2〕災害時の情報伝達手段の種類

以下のことを視野に入れながら情報手段を使い分けることが望ましい．

①直接伝達
②伝令
③災害時優先電話（固定・携帯）
④衛星電話

⑤拡声器
⑥無線（特定小電力，MCA，業務用無線）
⑦インターネット（EMIS）

熊本地震において使用した手段としては直接伝達，携帯電話，インターネット（EMIS）であった．

3〕広域災害救急医療情報システム（Emergency Medical Information System；EMIS）

災害時に，被災した都道府県を越えて医療機関の稼働状況など災害医療に関わる情報を共有し，被災地域での迅速かつ適切な医療・救護に関わる各種情報を集約・提供することを目的としているシステムである．内容としては，各都道府県システムにおける全国共通の災害医療情報の収集，医療機関の災害医療情報の収集，災害時の患者搬送などの医療体制の確保，東西2センターによる信頼性の高いネットワーク構成，平常時，災害時を問わず，災害救急医療のポータルサイトの役割がある．

①災害時に最新の医療資源情報を関係機関（都道府県，医療機関，消防など）へ提供
②超急性期の診療情報（緊急情報）を即時に集約，提供
③急性期以降の患者受け入れ情報（詳細情報）などを随時集約，提供
④DMAT指定医療機関から派遣されるDMATの活動状況の集約，提供ができるシステム

情報の例として，病院の被害状況（ライフライン，手術・透析の可否など），病院患者状況（重症・中等症の患者数，転院が必要な患者数など）である．平成26年度EMIS改定により①緊急入力・詳細入力の項目拡大，②医療ニーズ情報の拡大（全病院＋診療所，現場，避難所，救護所），③医療支援情報の拡大（DMAT＋救護班），④医療の指揮系統の明示，⑤医療ニーズと医療支援情報の一元化（地図，一覧表）の機能が充実した．このシステムは熊本地震においても有効活用できたシステムであった．

2．情報伝達

1〕情報伝達のポイント

①情報の流れ：どこに集め，どこに流すか．
②情報の内容：どんな情報を集めるか．
③伝達手段：携帯電話，EMISなど．

災害対応に失敗する最大の原因は情報伝達の不備である．これらを視野に入れながら情報伝達体制を整えることが望ましい．熊本地震の際は，県（熊本県保健医療調整本部），熊本JRAT災害対策本部（調整本部・活動本部）に情報を集約し活動部隊などに配信するという流れであった．伝達手段としては携帯電話，共通のメールアドレスを使用した（表Ⅰ-4）．

表Ⅰ-4　熊本地震における熊本JRAT災害対策本部と活動部隊の情報共有の例（メール文面）

「熊本復興」アドレスを使用します．各自，下記アドレスをご登録ください．登録したうえで，各チームの報告書などは，このメールアドレスに報告してください．下記アドレスから開けば他の人の報告も含め見ることが可能です．マニュアルや共有が必要な情報等は調整本部・活動本部から周知し，このアドレスから最新のものを見ることができます．

・入力する場合の注意事項（連絡をするときは）
1）アドレスに入る
2）タイトルに「日付　文書のタイトル」を入力する
3）文書に「伝えたい方　メッセージ　発信者」を入れる

タイトル例：「20160414　○○チーム　▽月△日の報告」
文書例1：「皆さんご確認ください．……」
文書例2：「活動本部各位ご確認ください．……」

・重要事項は宿泊所（熊本機能病院）の壁にも貼付します．
・道路交通，避難所情報（災害対応機関向け地図）
http://map03.ecom-plat.jp/map/map/?cid=11&gid=590&mid=2890
・J SPEED 閲覧用
https://docs.google.com/spreadsheets/d/1ICOBgrgDAjpyTI-MBDFP02m-N2HY000gnBw59MPA6JQ/edit#gid=244098204

2〕情報伝達が失敗する原因

・情報の欠如（被災地は情報発信が困難である）
・確認の不履行（発信元と時系列を記録する）

・協力体制の非構築（情報共有のための雛形が必要）

上記３点が情報伝達が失敗する主な原因であり，情報伝達体制を整備する際には注意が必要である．熊本地震の際は，情報が錯綜し個人の情報で反応する場合が多く，熊本JRAT災害対策本部，現場ともに混乱する場面があったため指揮系統（伝達体制）を整えることが課題となった．

3．情報管理

最後に情報管理について述べる．情報を管理するうえでの必要物品としては，携帯電話，PC，コピー機，コピー用紙，マニュアルなどが不可欠である．平時より物品については準備しておく必要がある．熊本地震においては物品不足が２週間ほど続き熊本JRAT災害対策本部が上手く機能しなかったことで現場に迷惑をかけたこともあった．

また情報を管理するうえで役割分担も重要である．報告書の管理，伝達事項の管理，ミーティング時の記録管理，宿泊情報管理，派遣予定者管理などを役割分担し円滑に管理することが望ましい．熊本地震においては，ロジスティクス機能を分担した結果，業務効率につながった．

【文献】

1）EMIS：広域災害救急医療情報システム：https://www.wds.emis.go.jp/

（山本恵仙）

F 災害時のリハビリテーション支援の重要性

「災害対策基本法」では第二条で災害をハザード（風，竜巻，豪雨など）で生じた「被害」と定義している．一方，Gunnの定義では災害を「人と環境との生態学的な関係が広範に破壊され，被災社会がそれに対応するのに非常な努力を要し，しばしば被災地域以外からの援助を必要とするほどの規模で生じた深刻かつ急激な出来事」としており[1]，人と環境の関係性を記述している．リハビリテーション医療の目的が「リハビリテーションは，能力障害や社会的不利の状態の影響を減らすこと（中略），能力障害や社会的不利をもった人達を，環境に適合するように訓練するばかりではなく，障害を持った人達の社会的統合を促すために，身近な環境や社会において間をとりもつことをも含んでいる（WHO，1981）」のであるならば，リハビリテーション医療はまさに人と環境との関係性を扱う医療分野である．被災者はハザードによって能力障害や社会的不利を被る．リハビリテーション医療の目的は災害復興の目的そのものであり，この点だけでも災害時にリハビリテーション医療の考え方や手法が重要であることが理解できる．

災害医療は，被災地で発生する健康問題や人道問題を予防し，もし発生すれば対処し，そこからの復旧・復興を図る医療分野であり[1]，究極的には災害による被災地域の住民死亡を撲滅することを目的とする．

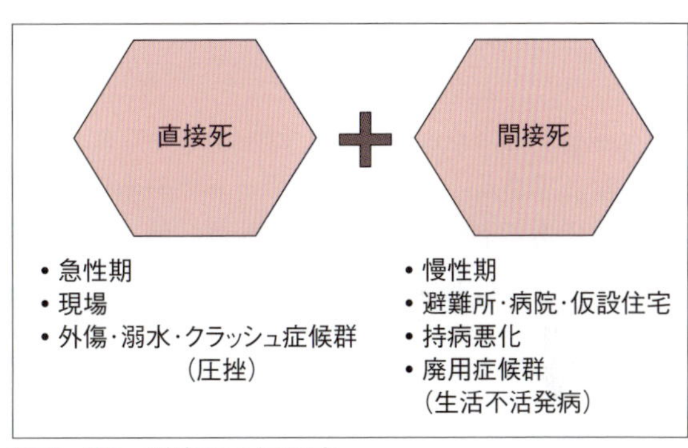

図Ⅰ-10　災害による死亡

災害で住民が死亡する場合，大きく分けて２つの死亡がある．直接死と間接死である（図Ⅰ-10）．直接死は災害を引き起こしたハザードそのものによる死亡である．例えば津波にのまれて溺死した，倒壊した家屋に潰され圧死した，などである．それに対し間接死は，発災後の暮らしの中で死亡したもので，かつその死亡に対して災害による影響があると考えられるものである．例えば，医療が中断し原疾患の悪化で死亡した，不十

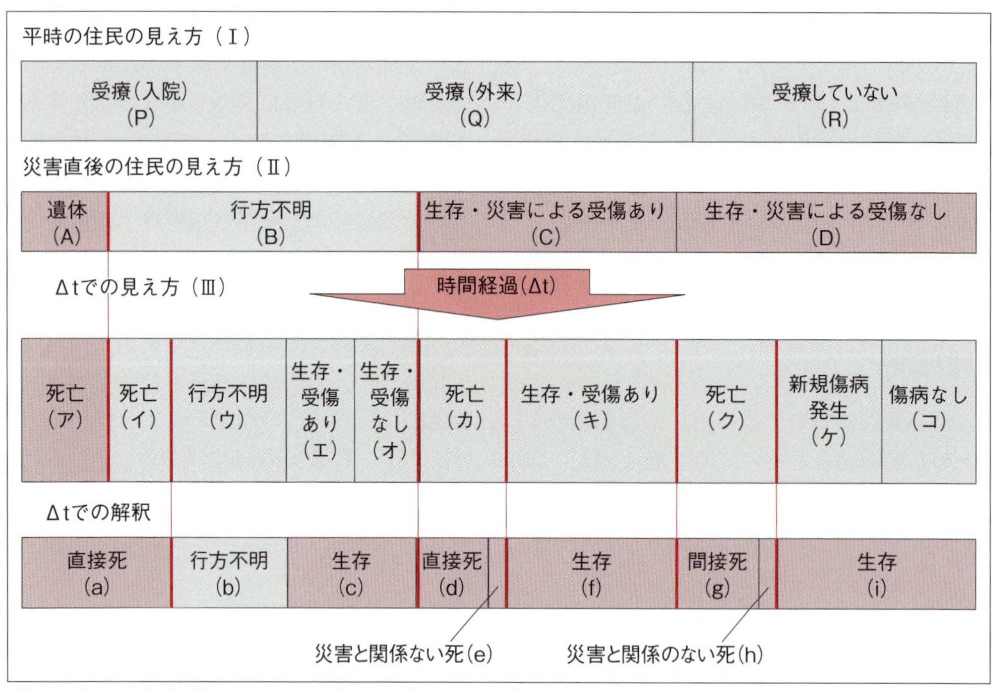

図Ⅰ-11　健康状態からみた平時と災害時の住民の分類

分な避難環境から生活不活発病になって死亡した，などである．直接死はハザードそのものによる死亡であるから，ハザードが地域に襲いかかっている急性期に発生し，その後，直接死が発生することはない．一方，間接死は，急性期以降に発生し，ハザードで変化した環境が住民に影響を与える限り発生し続ける．「震災関連死」は間接死の1つである．「災害弔慰金の支給等に関する法律」に基づき，遺族が災害弔慰金の支払いを申請，市町村が認定したものが震災（災害）関連死として計上される．遺族が申請しなければ，真に災害に関連がある死亡でも，震災（災害）関連死として社会に認識されないことに注意を要する．

図Ⅰ-11は，健康状態からみた平時と災害時の住民の分類を示している．平時，住民は医療を受けている群と医療を受けていない群に分けられる．医療を受けている群は入院中の群（P）と外来受診をしている群（Q）に分けられる．医療を受けていない群（R）の中には，医療を受けるべき群（例えば著しい高血圧症であっても内服していない，など）を含有している．発災直後，これらの人々はハザードにより概ね以下の4通りの状態になる．(A) 災害を引き起こしたハザードで死亡し，遺体として発見される，(B) 行方不明となる，(C) ハザードで受傷する，(D) 受傷なし．

それぞれ3通り，4通りあるので，組み合わせは12通りとなるが，救命や生活機能改善という観点では遺体（A）と行方不明（B）について，医療としてその時点では成せることがほぼないので，6通りとなる．例えば，入院中（P）かつハザードによる受傷（C）であれば，入院となった原疾患の治療に加え，新たに生じた外傷の急性期治療が必要となる．リハビリテーション医療の視点では原疾患のリハビリテーション治療に加え，新規外傷に対するリハビリテーション治療が必要となる．また医療を受けておらず（R）かつ受傷がない（D）場合，もともと医療は必要なく，けがをしていないので直接的な医療介入は不要であるが，自宅の倒壊などから自宅を離れ，避難所や宿泊施設，親類・知人宅で暮らす可能性がある．リハビリテーション医療の視点では，環境変化に対する環境調整や予防的リハビリテーション医療が必要となる．

災害全体の死亡を減らすためには，直接死と間接死の総数を減らす必要がある．直接死を減らすためには，ハザードの発生を防ぐ，ハザードが襲来しても対応できる強い社会を作るなどの方策があろう．具体的には警報・避難指示の精緻化，堤防や砂防ダムの建設，住宅の耐震化や強靱化，地域コミュニティの強化，住民の迅速な避難，救助体制の整備，災害時救命医療の充実などが挙げられる．一方，間接死を減らすためには，災害時医療提供体制の整備，避難生活の環境整備などが挙げられる．東日本大震災ではけがをした人が約6,000人，一方で避難生活を余儀なくされた人が最大で約47万人いたとされる．避難所での多くの住民はけがをしていない群（D）である．この群から将来の間接死が発生する（図Ⅰ-11）．災害全体の生活機能低下を抑えるためには，けがをした人々に対する早期リハビリテーションに加え，けがをしていない人々への対応も重要である．これを怠れば間接死の増加を招き，災害全体の死亡を増やすこととなる．我が国における2020年からのCOVID-19によるパンデミック（コロナ禍）では，各地の医療機関や高齢者施設がクラスターとなった．COVID-19による肺炎で亡くなる患者がいる一方で，感染から回復したもののADLの低下をきたし，食べられない，動けない状態となった高齢者も多かった．また隔離など感染制御の徹底から，感染は免れたもののADL低下をきたした高齢者のケースも経験した．コロナ禍という災害から住民を守るためには，感染制御の視点に加え，リハビリテーション医療の視点も重要であることを実感した．同様のことは2011年の東日本大震災および原子力発電所事故でも経験された．放射線防護の視点に加え，リハビリテーション医療の視点が必要だったのである．リハビリテーション医療はあらゆるハザードの災害で必要とされる．

災害医療の難しさはGunnの定義から明らかなように，①広範な被災から資源と需要のアンバランスが生じ，対応の優先順位決定を必要とすること，②被災者および被災社会が急激に変化した新たな環境に適応しなくてはならないこと，③外部支援者と被災地域の摩擦などである．これらの課題をリハビリテーション医療の文脈でどのように解決していくか，リハビリテーション医療は災害医療の要であり，災害リハビリテーションが機能しなくては災害医療の目的は成し遂げられない．

【文献】

1）Gunn SWA：Dictionary of Disaster Medicine and Humanitarian Relief, 2nd ed, Springer, 2013.

（小早川義貴）

G 災害時のリハビリテーション支援の役割

災害時のリハビリテーション支援の役割を表Ⅰ-5に示す．平時に行っていたリハビリテーション医療を守ることを最高の目標としながら，避難所など異なった生活環境での廃用症候群や新たな障害の発生を起こさないよう，最大限の努力を迅速に行うことが重要である．

東日本大震災での被災地医療の1カ月では救急救命や感染症予防・治療が主であり，リハビリテーション医療ではもっぱら1）2）が行われた．

東日本大震災での2カ月目，心のケアとともに，リハビリテーションニーズが飛躍的に高まり，リハビリテーション専門職の役割がますます大きくなった．

表Ⅰ-5　災害時のリハビリテーション支援の役割

1）平時に行っていたリハビリテーション医療を守ること
2）避難所などでの廃用症候群を予防すること
3）新たに生じた各種障害に対応すること
4）異なった生活環境での機能低下に対する支援をすること
5）生活機能向上のための支援をすること

（上月，2012，文献1を改変）

1. 平時に行っていたリハビリテーション医療を守る

被災直後は，着の身着のままで自宅より避難所に退避してくる人が多い．薬・義肢装具・酸素・電源などの供給を速やかに行う体制が必要になる．

在宅酸素療法患者に対しては自宅での予備酸素ボンベの備蓄や酸素業者からの遅滞ない酸素の供給を，人工呼吸器装着患者に対しては，停電でも対応できるように自家発電の準備を自宅で事前に行ったり，自家発電のある病院や避難所へ収容する必要がある．車椅子，福祉用具，褥瘡予防マットの提供，心のケアにも心を配る．

リハビリテーション医療を守るためにも，病院・施設や診療所でのライフラインの確保や必須物資の備蓄が必要である．

被災した障がい者が病院・施設や診療所に来ても困らないだけの十分な医薬品，食料，水，電源などの備蓄を行う．

東日本大震災では，病院の厨房設備が被災したことと食料物資不足のため，入院患者に対して，当初は1日800 kcalの非常食しか支給できず，回診のたびに患者さんが痩せていくのを見るのが忍びなかった．ましてや，嚥下補助食など特殊な食事の供給が十分でなかった．緊急時でやむを得ないこととはいえ，このような食事の備蓄にも気をつける必要がある．

東日本大震災におけるリハビリテーション支援では，ガソリンの枯渇が一番の足かせになり，医師であっても「緊急通行車両証」がなければガソリンを入れてもらえない状態が震災後ほぼ3週間続いた．今後，リハビリテーション医療に携わる施設ではガソリンの備蓄も必要になろう．また，今後は電気自動車の普及が進むことから，自家発電整備の充実や電気自動車への充電設備の設置も必要になる．

被災直後は，ライフラインが断たれることが多く，被災した家屋に障がい者が取り残されていないかどうかの調査や，障がい者がどの避難所に退避したかの調査を速やかに行う必要がある．

残念ながら，日本は地震大国である．震度5以上の地震は東日本大震災後の11年間だけでも，東北一帯，関東甲信越（茨城，栃木，千葉，長野），北海道（函館，十勝地方），九州（熊本），中国（鳥取）などで何度も起きている．今後も，東海，東南海地震をはじめ，様々な地震の発生が予想されている．日頃から障がい者マップを作成しておくとともに，避難所に来た障がい者やリハビリテーション支援の必要な患者のニーズの情報を一元化するとともに，共有することが重要である．

リハビリテーション医療福祉関係者は，自分の施設の被災状況や職員の安否の確認を行うとともに，可能な限り緊急の診療を行う．余裕があれば，周辺の避難所の巡回診療も活発に行い，リハビリテーション医療を守ることが重要である．

医療福祉施設自体が被災してリハビリテーション患者への適切な対応ができない場合は，適切な対応のできる医療機関への移送を速やかに考慮すべきである．

東日本大震災の被災地である宮城県には県ごとのリハビリテーション科医師会のような組織がなかったために，リハビリテーション科医の派遣などを組織的に行えなかった．これを反省に，宮城県では「東日本大震災宮城県リハビリテーション協議会」と「宮城県リハビリテーション医会」が発足し，宮城全県でのリハビリテーション医療の供給を考える体制が組織された．「宮城県リハビリテーション医会」は現在も存続し，メールによる連絡網の形成と，年に1回の総会・講演会を開催している．また，「東日本大震災宮城県リハビリテーション協議会」はJRAT-MIYAGIとして再編成され，年1〜2回の総会・講習会を開催したり，被災地支援を行っている．

また，全国レベルでのリハビリテーション患者の受け入れネットワークがなかったために，被災したリハビリテーション病院での入院患者の引き取り先を探すのに難渋した病院があった．これを機会に，日本リハビリテーション医学会でネットワークを構築した．また，リハビリテーション医療を支援しようとされた日本リハビリテーション医学会会員の適切な受け入れ場所を迅速に決定できなかった．これに関しては様々な試行錯誤があったが，東日本大震災リハビリテーション支援10団体（後にJRAT）が発足したおかげで一本化されつつある．

2. 避難所などでの廃用症候群の予防

避難所のライフラインなどの環境を整えておく．

東日本大震災の際も，避難所ではライフラインを完備していないところが多く，寒さや空腹感，1人あたりのスペースが十分でないところが多かった．避難所では肌寒いうえに床が固いので背中が痛くて眠れない．興奮状態の1日目とはうってかわって，2日目からは口数が少なくなり，低カロリー，寝不足，心労からか，四六時中床の上で仰臥位や側臥位になって閉眼している人が多くなった．廃用症候群を予防するための体操などを行う必要がある．

東日本大震災では当初，ボランティア主導でラジオ体操が行われたものの，避難所生活が長期化するにつれ，避難民のなかのリーダー格の人々が率先してラジオ体操を呼び掛け，独自に行うようになった．ボランティアも学生であれば授業が始まったり，社会人であれば年休を使い切ったりすると，地域への介入は減ってしまうわけであり，日頃から，避難民や地域住民独自で運営するように指導していくことが重要である．また，東日本大震災では，深部静脈血栓症・肺塞栓症予防のストッキングの配布が積極的に行われ，新潟県中越地震（2004年）の際に比較して肺塞栓症の発症数は少なかった．

3. 新たに生じた各種障害への対応

リハビリテーション患者のみならず，被災による外傷や疾患により新たに障がい者になる人が増加する．また，廃用症候群の予防に努めても，運悪く褥瘡が生じたり，下肢静脈血栓症や肺塞栓症などが生じたりすることもあり，適切な対応が必要になる．

またインフルエンザ・感冒などの集団感染が加わることがあり，手洗い，咳エチケット，汚物の管理に心を配る．2020年よりCOVID-19が加わった．インフルエンザに比べ重症化しやすいため，三密を避けながらワクチン接種率を上げることで罹患率・重症化率の低下に努めることが基本である．現時点では，収束に向かうのか再拡大するのかは不明であり，推移を見守りながらその時点での最適の対応をしていく必要がある（詳細はp93，V-Iを参照）．

配給される保存食は一般的に塩分過多であることが少なくなく，心不全の悪化や潜在的な心不全が顕性化しやすい．可能であれば個別的な既往歴や現病歴を把握し，早めに対応を行う．

重症者が1人生じると，その患者の対応に時間をとられて，多くの避難民への対応の妨げになることがある．その患者に十分な医学的対応ができない場合は，適切な対応のできる医療機関への移送を速やかに考慮すべきである．

4. 異なった生活環境での機能低下に対する支援

バリアフリーでは自立していた人達でも，避難所や仮設住宅に段差や坂があるだけで自立を阻まれてしまうことが多い．可能な限りバリアを取り除いたり，福祉避難所の集約化を行ったりして，異なった生活環境での機能低下に対する支援をすることが重要である．

バリアを取り除くことが困難な環境下の場合は，廃用症候群をつくらないように，毎日ラジオ体操を行う，避難民自身が可能な限り避難所の様々な運営（運搬，配給など）に参加するなどの工夫を促し，異なった生活環境での機能低下に対する支援を行う．

5. 生活機能向上のための対応

まず，被災者が現在困っていること，望んでいることを優先した対応を行う．

生活機能向上に様々な方法があると考えられても，物資の不足や環境の不安定さから日頃のリハビリテーション医療における理想的な支援とは程遠いものしかできないことも少なくない．このようなときには，あえて最善を目指すのではなく，不完全であっても応急処置的にできることを優先して行動する．

災害により家族を失った方，家や財産を失った方，避難所暮らしの方などがたくさん生じる．災害直後では失ったものが多過ぎ，また，それを冷静に受容できない方も多い．

さらに，被災者一人ひとりにじっくり話を聞いたり，生活機能評価を完璧に行ったりするほどの時間や心理的余裕が医療者側にも被災者側にもないことが多い．

生活機能評価のニーズはこれからじわじわと増えるとは思うが，この段階であまり明確にすることは，失ったものを際立たせることにもなりかねず，注意が必要である．

話したがらない被災者にはこちらから詳しく問いかけることは慎んだほうがよい場合も少なくない．しかし，被災者が自発的にする話を傾聴することは重要であり，被災者はそれだけで自らのストレスを減らすことができる．

医療者側は，「何かお手伝いできることはありませんか？」「何かして欲しいことがあれば，今はなくても，あとで思い浮かんだら，連絡してください」として，医療者あるいはボランティアのコーディネーターの連絡先を伝えることが望ましい．

6．まとめ

災害は不意に発生する．そのためどんなに周到に準備しても，予想外のことは発生する．そのため，災害時のリハビリテーションの役割を忘れずに，しかもその時々に柔軟に対応していくことが要求される．

【文献】

1）上月正博：被災直後のリハビリテーションの役割．大規模災害リハビリテーション対応マニュアル（東日本大震災リハビリテーション支援関連 10 団体『大規模災害リハビリテーション対応マニュアル』作成ワーキンググループ編），医歯薬出版，2012，pp89-92.

（上月正博）

災害リハビリテーション支援の基本原則

1．組織的な活動のポイント（表Ⅰ-6）

1〕支援のための平時の準備

災害が発生し，人的，物的被害が生じると，それに関連した様々な団体による支援活動が開始される．JRAT に限っていえば，発災直後の被災混乱期よりもその後の各フェーズが活動の中心となる．つまり，活動開始にあたっては，若干の時間的余裕があるが，支援活動を開始すれば，長期にわたる可能性がある．このような経過をたどるうえで，JRAT としての活動の継続性を担保することは重要である．

表Ⅰ-6　組織的な活動のポイント

- 発災後，速やかに現地 JRAT 災害対策本部を立ち上げ，指揮系統を確立する
- 現地 JRAT 災害対策本部は全体像を把握し，継続可能な支援計画を策定する
- 支援チームは，本部の Command & Control（指揮・統制）の下で活動する
- 各チーム間で支援内容を引き継ぎ，支援内容の継続性を意識する
- 復興期においては，地域リハビリテーションへの継続を考慮する
- 継続性を担保するには，ロジスティクスが重要である

発災後，被災地 JRAT は，速やかに現地 JRAT 災害対策本部を立ち上げ，支援の必要性について，できるだけ迅速に判断し，被災地 JRAT のみでは，対応不可能と判断されれば，JRAT 中央災害対策本部に支援要請を行う．ここで重要なのは現地の指揮系統（Command）の確立であり，そこで情報収集，分析がなされ，受援・支援計画が作られる．これに応じて，支援者は現地に赴き，現地の指揮系統に入る．ただし，被災混乱期においては，現地での受け入れ体制も混乱している可能性がある．特に大規模災害においては，現地スタッフおよび施設も被災している．このような状況で支援者が勝手に押し掛けるようなことがあっ

てはならない．逆にいえば，受援側の準備が整って，はじめて災害支援活動は開始されるのであって，まずは現地の受け入れ体制そのものを支援する必要が想定される．

現在，JRATでは，JRAT-RRT（初動対応チーム）が養成されている．このJRAT-RRT隊員は，専門的な研修を受け，被災混乱期の地域JRATの支援，現地JRAT災害対策本部の立ち上げ，運営での一定の役割を担う．また，地域JRATも平時より現地JRAT災害対策本部の運営スタッフとして，ロジスティクス隊員を養成しておく必要がある．受け入れ体制が整うと，本格的な支援が開始されるが，この時期になると支援者派遣体制の整備が必要となる．熊本地震においては，熊本JRAT災害対策本部が避難所支援活動など派遣された人員の活動を指揮し，JRAT中央災害対策本部がそれに応じた人員派遣調整を担った．被災地以外のJRATメンバーは，派遣要請が来たら即応できるように準備し待機しておく．そして，災害支援活動は，最終的には現地スタッフのみでの災害支援へと移行し，平時の状態に戻る．このように，状況は常に変化し，現地状況の変化に対応した，災害支援を継続させることが重要であり，それが支援者側の都合で中断することがないように，平時から準備をしておく必要がある．

2〕支援のための心がけ

支援における共通理解として，「被災地・被災者のために何か役に立ちたい」という「支援への思い」を優先するのではなく，「被災者，現地の支援者を含めた，現地のニーズに合わせる」ことが重要である．被災者，現地スタッフを含め，被災することは初めての経験であることが多い．受援者は，受援に不慣れであり，支援者に要望などをどう伝えていいのかわからないこともある．また，支援者に対する感謝の気持ちから，「わざわざ，遠くから来てくれたお客様」と思ってしまい，支援を遠慮されることがある．また，そっとしておいてほしいなど，複雑な心理状態にある．つまり「受援側の思いをくみ取る」ことが，支援者に求められる．また，支援活動は，復旧期，復興期へと継続される．常日頃，支援者が活動している状況と被災地域のリハビリテーション資源などの状況が必ずしも同じとは限らない，現地の地域リハビリテーション状況を念頭に置いて，現地の復興に混乱が生じないようにしなければならない．

もう1つ重要なことは，各支援チームの活動は，長い支援活動期間の中の3～4日であることを自覚する必要がある．支援活動を前のチームから引き継ぎ，次のチームに繋ぐことが重要であり，前後のチーム間で活動内容にできるだけ差が出ないように考慮する．何か新しい活動を行う場合には，現地JRAT災害対策本部に報告し，許可を得る必要がある．

このように組織としての統一性をもつことは，対外的視点からも重要である．JRATも多くの医療班の一員として，県や市町村などの現地JRAT災害対策本部の指揮系統で動いている．そして，その指揮系統に沿って現地JRAT災害対策本部の指揮下で活動している．災害支援の現場は被災者同士，被災者と支援者，支援者同士，初めて会う者の集まりであり，個人としての信頼関係ではなく組織間の信頼関係で支援活動が許されている．災害対策本部からある案件をJRATに依頼されるとき，そこには，JRATならばこういう行動をとってくれる，こう対処してくれる，という組織間の信頼関係が成立している．チームが変わるのは我々の都合であり，被災者や他の団体にとっては無関係な出来事である．平時よりJRATとしての共通理解を深め，組織としての統一性をもつことが，支援継続にも重要である．

3〕組織的な支援

災害支援の継続性を担保するもっともよい方法は組織化することである．2020年4月，JRATは，一般社団法人 日本災害リハビリテーション支援協会に法人化され，地域JRATについても，全都道府県において組織化される見通しである．また，2022年7月，厚労省通達により，JRATが正式に災害時保健医療福祉チームのメンバーとして明記された．

JRATは，個人のボランティア活動とは違う．また各病院や各診療科が単独で活動するのではなく，大きな連合体として活動する．JRATのようにリハビリテーション関連13団体が1つにまとまった利点は他にもある．災害リハビリテーション支援の必要が生じたとき，災害対策本部は，13団体分の案件をJRATにまとめて依頼できる．このことは，災害対策本部や行政などの避難所運営サイドにとって大きな負担軽減となる．熊本地震の経験からも，多職種が混在し，連携しなければならない災害支援現場では，今後，ますますJRATのような，関連団体の連合体として支援に向かう体制に移行していくと思われる（Cluster Approach）．

4〕指揮命令系統の継続性

組織化された活動には，Command & Controlが必須である．Commandとは，先に述べたように縦の指揮命令系統を指し，現地JRAT災害対策本部は現場や他団体，行政などから収集された情報や要請を分析，トリアージし，判断を下し，各活動チームに指示を伝達する．そして，各チームは，現場において，Control（統制・調整）された活動を行う．また，現場ではJRAT各チーム間，他団体との連携が重要である．Commandという縦の糸とControlという横の糸がうまく組み合わさって，統一した意思のもとに活動が実践される．この中心となる現地JRAT災害対策本部の役割は大きい．熊本地震では，約3カ月間で，延べ2,800名以上の参加があったが，特に被災混乱期，応急修復期においては避難所数，避難者数に対して，十分な人数だったとはいえない．その中で，現地JRAT災害対策本部は情報を収集し，できるだけ全体像を把握して，支援の優先順位，資源（支援者）配分を検討し，活動継続可能な支援計画を作成した．できるだけ多くの支援者が集まるに越したことはないが，集まった支援チーム数に合わせた，支援計画を策定することが，継続性の担保となる．

（田代桂一）

2．平時と災害時の支援体制

1〕平時の体制

災害はいつ起こるかわからず，また昨今の異常気象を考えると大規模災害だけでなく局地災害はどこでも起こり得ることから，平時より災害に対する危機管理体制の強化に努めることが重要である．

まず勤め先の病院や施設のBCP（事業継続計画）の策定や改訂，そして毎年の防災訓練が必須であることは周知のうえで，地域JRATの整備と災害時支援に向けた訓練が重要である．注意すべき点は，各団体（協会）が別々の動きをして，まとまらない状況を作らない点である．各団体における研修なども大切であることはもちろんではあるが，各団体の機能に応じた災害時の役割や機能を理解し，それを有機的にまとめながら，チームアプローチの実践に努めることが重要である．

a．地域JRATの体制整備

各都道府県の中心となるリハビリテーション科の医師，理学療法士（PT），作業療法士（OT）および言語聴覚士（ST）の三士会，日本看護協会，日本介護支援専門員協会（都道府県によっては福祉チームに含まれる場合がある）および日本義肢装具士協会などの理解をいただいたうえで，各団体より役員を選出し，研修会の開催を行いJRAT隊員の教育や養成などに努める．そのうえで，地域JRATと所属する都道府県との間で協定を締結する必要がある．

これにあたって解決しておくべき問題として，第一に各都道府県医師会との連携，第二に各都道府県の災害担当部署との連携，そして第三に地域JRAT隊員の育成や運営に関する経費の捻出がある．第一については，都道府県医師会に留まらず郡市区医師会および個々の医師へ事前にJRATの重要性を理解いただき，JRAT隊員の養成および出動に協力いただけるようにしておかなければならない．第二については，まず地域JRATの代表者および事務局が，各都道府県の災害対策およびその支援を統括する部門（これについては，都道府県府県によって名称が異なり，一般的には危機管理部や危機管理防災部など）があるが，医療活動支援となると保健福祉部が担当することが多く，実際には下部組織である医療政策室（課），障害福祉課，保健福祉課や長寿社会課など県によって担当する課は多岐にわたっているため，前もってどの担当課と協議するかを決めておかなければならない．第三については，以前より地域リハビリテーション推進整備事業など，国から都道府県あるいは市町村への事業配分があり，どの程度の費用がかかるか検討をしたうえで，県から費用を捻出していただけるよう粘り強く交渉しなければならない．これらを踏まえたうえで，地域JRATと所属する都道府県との協定を締結する（p.45，Ⅱ-B5を参照）．

以上について，地域JRAT体制整備のための重要項目をまとめると，表Ⅰ-7の通りとなる．この中で，組織の役割機能の明確化について概説するが，まず地域JRATの組織を運営するにあたり，各都道府県にこの組織の中心となる機関を指定することが必要である．すなわちさらに重要なのは事務局であり，この機関に事務局を担当する職員を置き，迅速に対応できるような教育も重要となる．

次にこの中心機関が整備されたら，自都道府県の医師会，三士会および看護協会を含む他の団体との連携を行う．これが円滑に動かなければ，地域JRATの派遣は不可能となる．この点がクリアされたら，全国での研修会や各都道府県内でのJRAT研修会を経て，各職種の役割を理解したうえで，被災地への現地派遣および現地JRAT災害対策本部への派遣が可能となる．

表Ⅰ-7　地域JRAT体制整備のための重要項目

- 行政（都道府県）との連携および災害リハビリテーション派遣に関わる協定の締結（防災計画などへのJRATの明確化）
- 都道府県医師会（郡市区医師会も含む）との連携（職員派遣の依頼など）
- 教育研修活動（DMATとの連携，一般災害時支援研修およびロジスティクス研修など）
- 連絡体制の整備（メンバーの緊急連絡先の携帯電話番号やメールアドレスの登録およびLineの活用など）
- 組織の役割機能の明確化
- 災害時リハビリテーション支援マニュアルの作成
- 防災設備や備品の確認〔可能なら衛星電話，ノートPC（携帯WiFi付き）〕など
- 地方のブロック会議の開催および隣県支援体制の整備など

b．地域リハビリテーションの体制整備

東日本大震災における岩手県のリハビリテーション支援活動や熊本地震における熊本市を中心とするリハビリテーション支援活動からも理解できるように，JRATが撤退した後は地域リハビリテーションの資源を活用し，その後の災害時リハビリテーション支援を継続することとなる．したがって，平時から地域リハビリテーシ体制が整備されている場合は県リハビリテーション支援センターや広域支援センター，あるいは同等の医療機関および施設を整備し，さらにお互いの連携を密にし，各地方行政をも巻き込んで良好な関係を築いておくことが肝要である．一方，地域リハビリテーション体制が整備されていない場合には，各都道府県独自の体制を早急に整備する必要がある．

2〕災害時の体制

災害リハビリテーション支援活動は，発災早期から遅くとも1週間以内には開始されるべきで，できればDMATとともに被災地入りし，地域の市町村保健師らと協働すべきである．保健行政職や担当保健師が被災し犠牲になっている場合も少なからずあり，その空白は速やかに埋められねばならない．発災直後から，警察・消防活動とともに市町村保健師によって避難住民を含めた健康調査（一次スクリーニング）や要配慮者の把握と，必要時には医療チームへの引き継ぎが進められていく．この作業は飲料水・食糧の確保，排泄物の管理，住環境の整備，感染対策の実施などの保健業務と平行して行われ，多方面との調整作業の中で進められる．地域JRATは，この時に市町村保健師らと協働して被災者の喪失している特に補装具，福祉用品などをチェックして業者などを通じて手配し供給する．体調と生活不活発度は，リハビリテーショントリアージの対象となる．必要な訓練量も見積もり，必要な数の理学療法士・作業療法士・言語聴覚士を派遣するよう招請し，割り当て，スケジュール表を作成する．これら生活機能を支える物品の供給と，ヘルスプロモーションを目的とした廃用対策などの予防的リハビリテーションは，災害時の各種支援活動の中でもJRATにしかなしえない減災処置である．

一方，現地JRAT災害対策本部は，被災地状況の把握や都道府県ならびに関係団体との緻密な連携のもと，支援者の活動や被災者のデータを管理し，緊急時の早急な判断能力を兼ね備えた本部機能が必要となる．被災地支援の拠点としては，被災地内に設置の可否や被災箇所が広範囲な場合の中核拠点について，宿泊の有無・移動手段・通信方法・物資搬送などを考慮する必要がある．常駐者となる被災地コーディネーターについては，可能な限り被災市町村行政や保健医療福祉に精通した人材が求められ，できれば事前に指名しておくことが望ましい．

3〕被災地からの一時避難転院に対する再入院の取り扱いの考え方

再建が終了した場合，被災地からの一時避難で転院していた患者の再入院が検討されることになるが，ある程度の余裕をもった形で転院を受け入れるべきである．

したがって再入院受け入れのポイントは，以下の通りである．

・一気に再入院を受け入れない．
・数を重視するのであれば，できれば症状の軽い患者から転院をさせる．
・重度の患者の転院であれば，その日の入院は制限することも考慮する．

大切な点は，被災地の職員は日常生活でさえストレスや種々の制限を抱えていることから，病院の管理者は決して無理をしてはいけないということである．

また，受け入れる転院患者が最終的にどこに退院するかを前もって検討する必要がある．自宅退院が可能な場合は大きな問題はないが，たとえば仮設住宅に帰る場合では，住居環境が適切であるかなどの検討をしておく．さらに，介護保険利用による施設入所の場合，その施設が退院の時点でどのような状況であるかを十分に検討しておく必要がある．

4〕事例紹介：避難所支援だけではないJRAT活動

災害時には刻々と変化する状況にどのように対応するか判断することが必要であり，柔軟な考えをもたなければこの苦境は乗り越えられない．

この時間経過・状況に柔軟に対応できる体制の構築の説明にあたり，これまでの災害リハビリテーション支援から1つの例を挙げる．それは，2016年8月30日に発生した台風10号による岩手県岩泉町災害に対するリハビリテーション支援である．

岩泉町では，この台風により河川が氾濫し最大428世帯873名が孤立，同町では9月24日の時点で，被災住宅は全壊356棟，大規模半壊は219棟，半壊148棟，半壊に至らない被害が33棟，非住家の被災は629棟となっていた．9月8日より，いわてリハビリテーションセンターが単独でリハビリテーション支援を開始していたが，24日より岩手県三士会の協力にて，いわてJRATの支援が開始となった．当初は避難所でのリハビリテーション支援を行っていたところ，岩泉町で唯一の介護保険によるリハビリテーション施設である老健・ふれんどりー岩泉で行われていた通所リハビリテーションが施設の被災により中断され，106名の利用者が在宅にて（一部入院・入所，避難所）リハビリテーションの提供がなされずにいることが判明し，町内の保健師からの支援の依頼もあり，町内在住のリハビリテーション専門職と検討を行った．実は，岩泉町では済生会岩泉病院にPT1名と特養百楽苑にOT 1名およびふれんどりー岩泉にPT 3名，OT1名の計6名しかおらず，また通所介護は，町内の社協が経営する3カ所，民間は2カ所しかなく，規模も小さいため，新しい利用者の受け入れが困難という状況となっていた．そこで，いわてJRATとしては，ふれんどりー岩泉が訪問リハビリテーションを提供できる予定としている10月31日まで支援を行うこととした．なぜ訪問リハビリテーションかというと，施設の被害が大きかったこと，利用者は自宅生活でさえ大変な状況であったからである．したがって，まず岩泉町在住PTおよびOTの6名全員をいわてJRATとして登録し，これまでのいわてJRATのメンバーを加えてチームを3班に分け，避難所支援1班（2名），訪問支援班2班（各2～3名）とし，被災前の通所リハビリテーション利用者106名の内84名について訪問リハビリテーションの提供を行った．この中でわかったことは，地元の療法士がいなければ自宅訪問が不可能な場所が多いということであった．すなわち携帯電話の電波が届かない，ナビが使えない箇所が多く，彼らのJRAT参加が結果的に奏功した．そして最終的に10月31日でこの老健が独自に訪問リハビリテーションを開始できることになり，いわてJRATの支援は終了した．

このことから述べたいのは，チームの支援体制を柔軟に考え，また状況に応じて医療から介護への支援も可能と判断するなど，縦横無尽な対応をしなければ，決して被災者の支援にはつながらないということであり，一般的に災害リハビリテーション支援は避難所や仮設住宅（集会場を含む）への支援と考えられがちだが，決してそれだけではないということである．当時の行政からは異論もあったが，すべては被災者のために，という共通の認識が大切であると考えている．

5〕事例紹介：自治体機能を失った災害の支援

東日本大震災により町長を含む32名が死亡・行方不明となった，岩手県大槌町の例をみれば，状況によっては市町村が壊滅的な打撃を受けることがあることは容易に理解できる．特に，支援の開始にあたり大きな影響があるのは，自治体職員の体制が確保できないことである．当然のことながら他県からの自治体職員の応援派遣はあるが，地元のことを理解できるまで時間を要することから，当初よりその困難さを十分に理解したうえで行動すべきである．

このような状況にあって，東日本大震災でわれわれがとった行動は以下の通りである．被災地のリハビリテーション支援開始にあたって，まず関係機関との連絡および調整を事前に行った．この理由としては，資源の少ない地域に突然多くの支援者を派遣しても，現場に混乱を招くことが予想されたからである．したがって，被災地あるいは避難所となっている各市町村の中心となる担当の医師，保健師および療法士を決め，彼らと連携・調整をしてから介入をした．すなわち行政の被害が甚大である場合，少なくともこの中心となる3人の指名を行い，連携をとることが重要である．災害時の支援を事前に取り決めておくことは重要であるが，被災の状況により事前の取り決めがスムーズに動くとは限らない．したがって，その時，その場にて柔軟に対応し，今誰が，何をできるかを，適切に判断できるようなシミュレーションを行うことが理想である．

（大井清文）

3．JRAT撤収にむけての注意点

災害時には急激かつ爆発的にリハビリテーションニーズが増大するため，それに応じて平時以上のリハビリテーション資源が投入されることもある．この状況で支援チームが場当たり的に平時以上のリハビリテーション支援を展開してしまうと，支援チーム派遣終了後に平時のリハビリテーション資源のみで対応できない状況となる可能性が高い．したがって，支援者は平時のリハビリテーション資源を理解したうえで「繋ぎ役」として活動する必要がある．そのために，支援者は派遣に際して事前に厚生労働省の地域包括ケア「見える化」システムなどで被災地の人口，高齢化率，要介護認定率などの基礎データや地域包括支援センター，介護保険サービス事業所などの地域資源を把握しておくことが望ましい．

災害時のリハビリテーション支援は，主に①環境整備，②動作および介助方法の提案，③歩行補助具および福祉用具の提案・調整，④生活不活発病予防，⑤医療保険・介護保険によるリハビリテーション中断者への対応である（表Ⅰ-8）．避難生活が長期化する場合は，そのフェーズによって避難場所が変化するたびに，その時点での平時のリハビリテーション資源の復旧状況に応じた体制を再構築する必要がある．いずれのフェーズにおいても①～②は基本的に1～2回の対応で終了するため，平時のリハビリテーション資源に大きく影響することは少ない．注意しなければならないのは③～⑤である．

③については，支援物資を活用しすぎて被災地の福祉用具事業所などの営業妨害とならないよ

表Ⅰ-8　災害時のリハビリテーション支援と「繋ぎ役」としての注意点

内容	注意点
環境整備	・1～2回の対応で完結させる
動作および介助方法の提案	・1～2回の対応で完結させる
歩行補助具および福祉用具の提案・調整	・現地資源の営業妨害をしない ・被災者のニーズを正確に収集 ・適切な時期に適切な数を要請
生活不活発病予防	・仕組みの提案ときっかけ作り ・被災者が自主的に取り組める内容を提案
医療保険・介護保険によるリハビリテーション	・できる限り医師の指示を仰ぐ ・避難所における個別的な関わりは最低限に留める ・現地資源の営業妨害をしない ・病院・施設・福祉避難所もしくは域外への移動を検討

う，現地JRAT災害対策本部は被災者のニーズを正確に収集し，適切な時期に，適切な数の支援物資の要請を行わなければならない．被災者のニーズや福祉用具事業所などの稼働状況は刻々と変化するため，支援者も現場活動の中で正確に情報を収集し，速やかに現地JRAT災害対策本部へ報告することが重要である．

④については，避難所で定期的にラジオ体操を行うなど，集団体操の仕組みを作る場合に注意が必要である．支援者は現地の避難所などの管理運営担当者と十分に連携し，支援者が直接担当するのではなく，「仕組みの提案」と「きっかけ作り」を行うことが望ましい．きっかけとして導入当初は支援者が直接担当する場合もあるが，「運動の先生が来て運動をやってくれる」という仕組みを作ってしまうと，支援チーム派遣終了後に平時のリハビリテーション資源で対応できずにその活動が途絶えてしまう可能性がある．そのため，軌道にのったら誰がどのようにその活動を引き継ぐのかを想定してから開始することが必要である．特に避難生活の長期化が予想される場合は，フェーズの移行に伴って避難場所が変わっても被災者が自主的に取り組むことができるような仕組み・内容であることが望ましい．

⑤については，支援者が過度に個別に関わることで避難所などにおいて不公平感が生じたり，平時のリハビリテーション医療との齟齬が生じたりする可能性がある．できる限り医師の指示を仰ぎ，継続した関わりが必要と判断される場合は現地JRAT災害対策本部に報告し，病院・施設・福祉避難所への移動を検討することが望ましい．現地JRAT災害対策本部は関連職種と十分に連携し，平時のリハビリテーション資源を見据えたうえで，どの程度病院・施設・福祉避難所で対応できるのか判断し，困難な場合は域外への移動を検討する必要がある．

表Ⅰ-9　支援チーム引き上げを想定した活動の注意点

役割	注意点
現地JRAT災害対策本部	・被災後の新たな地域リハビリテーション体制から逆算した支援活動のビジョンやプロセスの策定 ・フェーズの移行に伴ったビジョンの改変と支援チームへの明示 ・現地資源再稼働時の速やかな移行
支援チーム	・「繋ぎ役」として現地JRAT災害対策本部のビジョンやプロセスに対する自分の立場の理解 ・被災者のニーズおよび現地資源稼働状況の情報収集と現地JRAT災害対策本部への速やかな報告

以上のように，災害リハビリテーション支援活動は被災者のリハビリテーションニーズと被災地のリハビリテーション資源の復旧状況に応じて，その体制を柔軟に改変する必要がある．しかし，支援チーム派遣終了後にどのように平時のリハビリテーション資源へ引き継ぐのかのビジョンやプロセスが明確になっていないと，活動の統制をとることは困難である．したがって，現地JRAT災害対策本部では被災後の新たな地域リハビリテーション体制への引き継ぎから逆算した支援活動を，発災後可及的早期に策定することが重要である．そのうえで現地JRAT災害対策本部はそれを支援チームに明示し，支援チームは「繋ぎ役」として機能するために，その全体のプロセスの中で自分達はどこに位置するのかを理解して活動することが必要である（表Ⅰ-9）．

（坪田明子）

災害時専門職ボランティアの役割と活動

1．ボランティアとは

ボランティアとは「Volunteer（義勇兵）：志願者．奉仕者．自ら進んで社会事業などに無償で参加する人」と記されている[1)]．一般的には「自発的な意志に基づき他人や社会に貢献する行為」として，慈善や奉仕の心，自己実現，相互扶助，互酬性といった動機に裏付けられた行動とされてきた．内閣府では「自分の本来の仕事，学業とは別に，地域や社会のために時間や労力，知識，技能などを提供する活動」と定義している[2)]．

災害ボランティアの類型を表Ⅰ-10に示す[3)]．ボランティアの定義は，ボランティアを扱う団体や機関の性質によって異なっているため，ボランティアに関わるすべての領域を網羅し，明確に確立された定義はないようである[4)]．また災害時におけるボランティアは職能によって，医師や看護師，リハビリテーション専門職など，専門的な技術や知識を活用する専門職ボランティアと生活支援を主とする一般ボランティアに区分される．

2．災害時におけるボランティア活動

「災害発生時に，被災者の生活や自立を支援し，また行政や防災関係機関等が行う応急対策を支援する，自発的に能力や時間を提供する個人または団体の活動」のことを指す[5)]．災害時におけるボランティア活動は，機動性・柔軟性・人海戦術という特徴があり，避難所などにおける生活支援活動，在宅被災者へのニーズ調査や情報提供，中長期的な視点では健康支援活動も期待される．

一方で，活動内容の継続性や質の担保，地区単位での組織活動の統率，安全衛生，感染対策などの課題も抱えている．保健医療福祉関連の資格をもつ専門職ボランティアは，ボランティアの意義と課題を十分に認識しながら効果的に協働していく必要がある．

3．リハビリテーション専門職の専門性と活動目標

災害時の専門職ボランティア活動は，地域の保健師や行政，災害ボランティアセンター（社会福祉協議会）との連携が必須となることを念頭に，チームとして連携を図る必要がある[6)]．平時より相互の専門性や地域における保健医療福祉に関わる社会資源や，公衆衛生活動も理解しておくことが重要である．また専門職ボランティアとして，避難所から応急仮設住宅といった生活基盤となる場所の変化に応じた，数カ月から年単位にわたる「生活」「暮らし」に着目した中長期的な視点で，社会資源の活用も含め様々な方法で支援活動を展開していく必要がある．

表Ⅰ-10　災害ボランティアの類型

		専門性なし		専門性あり	
		経験なし	ボランティア活動（熟練者）	有資格ボランティア	職能
居住地	被災地	・避難所運営 ・ボランティアセンター ・運営補助など	・ボランティアセンター ・避難所の運営 ・コーディネートなど	・保健医療福祉 ・建築技術，建築診断など	被災地職員
	圏内（通勤圏内）	・日中の片付け ・保健福祉活動の補助など			被災地域圏内派遣職員
	圏外（要宿泊）				被災地域圏外派遣職員

（尾島，2012，文献3を一部改変）

4. 災害ボランティアセンター

1995年（平成7年）の阪神淡路大震災以降，被災地域の社会福祉協議会が中心となり災害時に設置される被災地でのボランティア活動を円滑に進めるための拠点として，災害ボランティアセンターが設置され，多様な専門職ボランティアが被災地支援に携わり，コミュニケーションをとりながら，被災者のニーズ調査やコーディネートを行ってきた．

現在では，被災に伴う様々な地域課題の解決を図るために，「被災者中心」，「地元主体」，「協働」を運営の3原則とする協働型の災害ボランティアセンターとしての支援体制が構築されている[7]．

専門職ボランティアの活動や他機関との連携では，広域支援体制を確立し，都道府県域でのネットワークを構築していくことも重要である．複数の支援ネットワークやそれぞれの役割を明確にし，情報通信技術（Information and Communications Technology；ICT）を活用したネットワーク間で業務を共有できる仕組みづくりが期待される．

5. 課題―被災者ニーズの把握と対応

被災者ニーズの把握には，平時の地域活動が大きく影響する．災害時は地域コミュニティの事情などにも配慮し，あらゆる角度から被災地の状況を見立てていく必要がある．被災者ニーズは多種多様であり，介護，子育て，生計，住居など，複数の課題が同時に発生するといった複層性を有している．2011年（平成23年）東日本大震災以降，避難生活の長期化に伴う生活不活発病による要介護度の重度化や災害関連死といった二次被害も顕在化し，災害時要配慮者に対する福祉支援体制の必要性が認識されるようになった．2018年（平成30年）には，厚生労働省より「災害時の福祉支援体制の整備に向けたガイドライン」（厚生労働省・援護局長通知）が示され，災害福祉支援ネットワークの構築と災害派遣福祉チーム（Disaster Welfare Assistance Team：DWAT）の設置に向けた取り組みが進められている[8]．

2016年（平成28年）熊本地震では相次ぐ余震により，多くの指定外避難所が発生し，公共施設や商業施設の駐車場にて自動車を利用した「車中泊」や自宅の軒先での「テント泊」による避難者が多数出た．その中には災害時要配慮者も多く，避難所集約の際には，保健医療福祉専門職ボランティアによる状況把握およびニーズ調査が行われた．また在宅被災者へのニーズ調査や情報提供も重要な課題でありその意義，役割は大きい．

被災後の安定した「生活」「暮らし」の再建，継続のためには，平時より地域課題の解決に取り組むことと，被災をきっかけとした新たな「地域づくり」の視点が必要である．そして支援に携わる際は，支援の成果に固執せず，専門職ボランティアとしての役割を俯瞰するセルフコントロール能力も求められる．

6. 継続的な活動のために

行政や災害ボランティアセンターにおける平時の取り組みとして，事前に専門職ボランティアの募集登録，様々な職能団体との災害時支援協定を締結しておくことで，一般ボランティアとは異なる確実性のある支援活動を担保することができる．専門職の役割や活動内容，動員可能な人員，そして活動期間および活動場所を事前に登録しておき，災害発生時には活動要請から受付，情報提供などの手続きを明確にして地域防災計画に位置付けている自治体もある[9]．

また災害ボランティアセンターと専門職ボランティアとのネットワークづくりも必要である．専門職ボランティアが被災地内での活動を行う際には，「後方支援」や「支援者支援」の視点も常に考えておかなければならない．災害ボランティア全般における安全衛生上のモニタリングとして，一般ボランティアおよび災害ボランティアセンターへの助言，活動中の一般ボランティアや専門職ボランティアの健康管理，けがをした際の応急処置，復興期における医療・介護相談などを総合防災訓練や避難所開設訓練時にシミュレーションしておくことも重要である．

【文献】

1）新村 出 編：広辞苑，第7版，岩波書店，2017，p2717.
2）内閣府政府広報室：生涯学習とボランティア活動に関する世論調査．内閣府大臣官房政府広報，1994.
3）尾島俊之：外部支援者・ボランティアの調整．災害時の公衆衛生—私たちにできること—．（国井 修・他編），南山堂，2012，pp249-260.
4）藤原佳典・他：ボランティア活動が高齢者の心身の健康に及ぼす影響—地域保健福祉における高齢者ボランティアの意義—．日公衛誌 **52**（4）：293-307，2005.
5）尾島俊之：災害におけるボランティアの役割．保健医療科 **57**（3）：245-251，2008.
6）下田栄次，隆島研吾：県士会（公益法人）の地域・防災システム構築と理学療法・士の役割．PT ジャーナル **49**：205-212，2015.
7）内閣府：防災ボランティア関係情報：https://www.bousai.go.jp/kyoiku/bousai-vol/index.html
8）厚生労働省：災害時における福祉支援体制の整備等：https://www.mhlw.go.jp/stf/seisakunitsuite/bunya/0000209718.html
9）茅ヶ崎市：茅ヶ崎市災害時保健福祉専門職ボランティア事前登録制度：https://www.city.chigasaki.kanagawa.jp/bousai/1012453.html

（下田栄次）

II 組織体制

A 平時の体制

JRAT 事務局の機能は，本会の事業である以下の「7 つの事業（定款第 4 条）」の円滑な運営支援である．なお，法人運営は「一般社団法人及び一般財団法人法に関する法律」に準拠して行っている．

(1) 発災後の災害リハビリテーション支援活動に関すること
(2) 災害リハビリテーション支援チームの組織化
(3) 災害リハビリテーション支援活動に関する人材育成
(4) 災害リハビリテーションに関する普及・啓発
(5) 関連諸団体との関係構築
(6) 災害関連制度の改善に関わること
(7) その他災害支援に関すること

本会全体の活動としては，上記の項目をふまえた総会の活動計画に沿って，総会，理事会，運営会議など，各種会議の開催，各常設委員会，特別委員会が活動を行っている．事務局関連としては，定款施行規則，各委員会規定，賛助会員規程等諸規定の整備および賛助会員の増加に向けた取り組みなど財務的な整備を進めている．

1．組織体制

JRAT は 13 もの団体で構成されている組織である．各団体の構成員数，予算規模，組織などそれぞれ違いはあるが，災害時は一致協力してリハビリテーション医療の視点で，避難所などを支援することに賛同している団体である．組織の概要は図 I -1（p.5）の通りである．

議決機関として，社員総会と理事会を置き，都道府県 JRAT との連携を図るために運営会議を設けている．その他，顧問とオブザーバーとして，厚生労働省，全国災害ボランティア支援団体ネットワーク（JVOAD），DMAT などにも参画いただいている．

執行機関としては，三役会議，常設委員会として，研修企画委員会，広報委員会，地域 JRAT 組織化支援委員会を，特別委員会として，『災害リハビリテーション標準テキスト』編集委員会，避難所における感染対策委員会，災害時福祉用具等調達普及委員会を設置している．発災時は，代表の指示により JRAT 中央災害対策本部が設置され，現地 JRAT 災害対策本部と連携して，災害リハビリテーション活動を支援することとしている．

2．事務局運営

事務局の業務を機能的に述べると「①総務（総会・理事会・運営会議の事務を含む）・経理・備品の管理等の業務」「②非常時の業務は，中央対策会議の設置，災害被災情報の組織内収集・関係者への発信・備品等の供給・必要会計処理等の業務」などである．

以下に総務と経理の業務の詳細を示す．

1）総務事務業務

①法務，契約事務，定款，規程類の管理に関すること
②公文書・議事録・報告書，業務年報・本会刊行物などの作成，発送・受領および保管に関すること
③各種機関会議・式典に関すること
④会員（正会員・賛助会員）に関すること
⑤不動産・賃貸物件の維持・管理に関すること
⑥常設委員会．特別設員会の事務支援に関すること
⑦パソコンネットワーク・サーバーの維持管理に関すること
⑧各種システムの維持管理に関すること

⑨その他，JRAT 以外の機関に関すること

⑦のネットワークの構築については，RRT 隊員間は LINE，三役会，理事会，運営会議，地域 JRAT とは Chatwork，その他適時 E-mail を用いている．

2〕経理事務業務

①予算・決算に関すること

②会費徴収・事業収益に関すること

③事業支出・管理運営費支出に関すること

④資産・負債の会計管理に関すること

⑤現金預金の管理に関すること

⑥その他，会計・財務に関すること

なお，活動の原資は，構成団体からの拠出金及び賛助会費で賄われている．

3〕備品などの管理業務

①備品（ビブス・感染症対策品）の管理に関すること

3．渉外活動

主な渉外活動は，厚生労働省，内閣府，日本医師会，関連団体などである．活動は三役，常設委員会委員長などが案件により適宜行っている．その成果として，2022 年（令和 4 年）7 月 22 日に発出された「大規模災害時の保健医療福祉活動に係わる体制整備について」の通知において，災害発生時の保健医療福祉調整本部における災害医療支援の団体として JRAT が記載された．

法人化以前の大規災害リハビリテーション支援協議会での活動においては，2016 年の熊本県地震，2018 年の西日本豪雨災害において，JMAT の下で活動を行ってきた経緯がある．今後は先の通達をふまえ，日本医師会との関係の再構築が喫緊の課題である．避難所での活動においては，当該自治体，都道府県医師会，関連団体などと地域 JRAT との連携のための協定などの締結も必要である．

関係団体との渉外活動は，先の医師会の他に日本介護支援専門員協会とは定期的な情報交換会を行っている．また，常設委員会および特別委員会の構成メンバーに災害支援関連団体などから適宜，委員に加わっていただいている．

国との渉外活動の課題として，案件別による窓口の明確化と密な連携，そのうえで，災害救助法，政令および関連通知にリハビリテーションと理学療法士，作業療法士，言語聴覚士の明記がある．

4．災害救助法における位置づけ

災害救助法では，第二章（救助の種類等）第四条において，「第二条第 1 項の救助の種類は，次の通りとする」として，その四項に，医療，助産とある．同法（従事命令）第七条 1 において，「都道府県知事等は，救助を行うため，特に必要と認めるときは，医療，土木建設又は輸送関係者を……救助に関する業務に従事させることができる」とされ，また同条 3 において，「前項に規定する医療，土木建築工事及び輸送関係者の範囲は，政令で定める」としている．災害救助法施行令（昭和 22 年政令第 225 号）をみると，（医療，土木建築工事及び輸送関係者の範囲）第四条「法第七条第 1 項及び第二項に規定する医療，土木建築工事及び輸送関係者の範囲は，次の通りとする」とあり，

一	医師，歯科医師又は薬剤師
二	保健師，助産師，看護師，准看護師，診療放射線技師，臨床検査技師，臨床工学士，救急救命士又は歯科衛生士

と記載されている．

上記の通り，災害救助法の（救助の種類）の中にリハビリテーション医療の記載はなく，災害救助法施行令の従事命令関係者の範囲に理学療法士，作業療法士，言語聴覚士の記載はない．

一方，災害救助事務取扱要領（令和 4 年 7 月　内閣府）では，「第 4　救助の程度，方法及び期間に関する事項　6　医療（1）趣旨　オ」において，「法による医療は，いわゆる応急的な診察であって，予防的ないし防疫上の措置は原則として対象とならないが，避難所生活が相当長期的わたっている場合で，予防的ないし防疫上の措置が必要と認められる場合においては，避難所に限り認められる」とあり，JRAT の活動は避難所が中心となる根拠が示されている．また，(3)の医療の範囲において，法による医療は，次の範囲内に行うこととある．

ア　診察
イ　薬剤又は治療材料の支給
ウ　処置，手術その他の治療および施術
エ　病院又は診療所に収容
オ　看護

(5)では期間を，(6)では基準額，(7)では必要な書類が記載されており，詳細は同要領をご参照願いたい．

上記の通り，法制度における位置づけは明示されていないが，先の通達により，避難所等における，災害時リハビリテーション支援の必要性は社会的に認知されてきている．これを基に，地域JRATの活動の推進と人材育成と活用，そのためのネットワークなどインフラの整備が事務局の課題である．

（中村春基）

災害発生時の体制

1．各団体としての体制

1〕日本リハビリテーション医学会

日本リハビリテーション医学会では東日本大震災を契機に災害対策体制が整備された．地方発災では日本リハビリテーション医学会事務局（東京都）に災害対策本部を設置する．首都圏直下型では1. 名古屋市→2. 仙台市に，首都圏・東海・東南海震災では仙台市に災害対策本部を置く．次にスマートフォンや電子メール・SNSを利用した緊急連絡網を通じて理事会と事務局の安否確認を行う．また，事務局は耐震化されたビルに既に移転し，データバックアップも実施している．

一方，BCP（事業継続プラン）の必要性は認識されているものの，策定には至っていない．災害対策本部は理事長，業務執行理事会，理事長直轄の危機管理委員会，事務局長，次長から構成され，理事会・各委員会，地方会，関連団体・行政機関などとの間のハブ機能を担う．一方，地方発災の場合は被災地の地方会に現地本部を設置して地方会所属の理事あるいは代表幹事を本部長に据え日本リハビリテーション医学会会員の安否確認を行う．また，災害対策本部（東京都）と現地本部は連携し行政機関やJMATあるいはJRATなどと協議しながら日本リハビリテーション医学会会員に被災医療機関や被災地への支援，ボランティア参加を要請する．

（佐浦隆一）

2〕日本理学療法士協会

国内での災害発生時，大規模災害として対応する必要があれば会長を災害対策本部長とする対策本部を立ち上げ，被災地の情報収集ならびに被災者支援などの迅速な対応を行う．大規模災害に該当しない場合は，通常の都道府県理学療法士（協）会への支援，会員支援の範疇で事務局が担当役員の指示のもと以下に示す情報収集や後方支援を迅速に行う．いずれにせよ，災害発生時に本会が行う支援は，JRATならびに地域JRATの初動に応じて，被災地域の都道府県理学療法士（協）会と連携した情報収集と後方支援が主となる．

1. 被災地域の被災状況について都道府県理学療法士（協）会からの情報収集．
2. 被災地域の士会事務局機能にならび会員・会員所属施設の被災状況について都道府県理学療法士（協）会からの情報収集．
3. 被災地域の士会事務局機能の後方支援．
4. 会員に対する経済的支援として，被災証明に基づく年会費減免と見舞金支給．

なお，都道府県理学療法士（協）会の事務局機能が著しく機能不全になった際には，状況に応じ本会事務局職員を一時的に応援派遣し，インフラストラクチャーの復旧・整備，さらには被災地への支援金などの寄付を行うことがある．

（斉藤秀之）

3〕日本作業療法士協会

災害が発生した際には日本作業療法士協会が策定した「大規模災害時支援指針」に沿って対応し

ていく．さらにその指針に基づき，「災害支援ボランティア活動マニュアル」，「災害支援ボランティア受け入れマニュアル」を作成し，災害発生時の作業療法士による支援活動が展開できる準備を整えている．

日本作業療法士協会版「大規模災害時支援指針」の災害発生時の手順を以下に示す．

1. 会長は，災害が発生した場合速やかに災害対策本部を設置する．
2. 災害対策本部は，災害の時期別に柔軟な対応をしていく．想定される時期を，①第1次対応（目安：発生直後～1週間以内），②第2次対応（目安：発生後1週間～1カ月程度），③第3次対応（目安：発生後1～6カ月程度），④第4次対応（目安：発生後6カ月～1年程度），⑤第5次対応（目安：必要に応じて，その後も継続）とし，当該士会とともに資金や緊急に必要な物資の提供，会費免除受付，災害支援ボランティア受付・派遣などを自治体，他団体と連携しながら実施していく．また，被災地では初動から地域JRATと連携をしながら支援を展開している．日本作業療法士協会はJRATの事務局などの役割を担いながら被災地での支援がスムーズに対応できるよう活動を展開している．

一方で，「大規模災害時支援指針」は災害のあり方や複合災害を見据えて，さらに改訂していく必要がある．

（香山明美）

4〕日本言語聴覚士協会

日本言語聴覚士協会では，発災時，災害対策本部規程に則り，協会長を本部長，協会副会長を副本部長とした災害対策本部を設置し，本部長指揮の下，協会事務所との協働により，以下を実施する．

1. 関係機関・他団体との連携・連絡調整，情報収集，活動記録作成，支援物資手配など，本部立ち上げに伴う事務および，都道府県士会を通じた会員の安否確認，被災状況収集，非被災都道府県士会との連絡調整を行う．
2. 支援要請の受け入れ調整，派遣ボランティアの募集，派遣者へのオリエンテーションなどを行う．
3. 被災地へのお見舞い，会員へのお知らせ（協会活動経過報告，被災会員への各種免除，募金依頼など）を行う．

1～3の連絡調整，およびJRATなどへの人員派遣調整は，副本部長，および災害対策部が担う．

（深浦順一）

5〕日本リハビリテーション病院・施設協会

日本リハビリテーション病院・施設協会は東日本大震災，熊本地震においては，当協会の会員施設からも東日本大震災リハビリテーション支援関連10団体，JRATとして災害リハビリテーションチームを派遣した．2017年度から協会会長（当時，現名誉会長）がJRATの代表を務めている．

JRAT運営については，当協会からJRAT内の各委員会に委員を派遣し，活動に参加している．災害発災時はJRATおよび会員などからの情報（被災状況）を事務局が収集して三役会議および理事会にて対応を検討する．あわせて，被災施設に緊急支援物資発送体制を整えているJRAT中央災害対策本部が立ち上がった場合には，必要に応じて人員を含めた本部への支援ならびに会員への情報発信を行う．さらに災害リハビリテーションチームの派遣が決定された場合には，会員施設に対して派遣登録に関する情報発信およびJRAT中央災害対策本部への登録窓口的機能を担う．また，会員施設などから得られた被災地域の情報を随時JRAT中央災害対策本部に提供し，組織的活動の支援の一翼を担う．

（近藤国嗣）

6〕回復期リハビリテーション病棟協会

回復期リハビリテーション病棟協会は東日本大震災，熊本地震においては，当協会の会員施設からも東日本大震災リハビリテーション支援関連10団体，JRATとして多くの災害リハビリテーションチームを派遣した．平時においては，JRATの役員を協会役員が務めている．また，総務委員会がJRATの担当窓口となっており，総務委員会委員がJRAT内の各会議および活動に参加している．また，当協会内でも緊急連絡網を整えており，災害発災時はJRATおよび会員などからの情報（被災状況）を事務局が収集して常任理事会および理事会にて対応を検討する．また被災した施設に対しては，緊急支援物資発送体制を整えている．JRAT中央災害対策本部が立ち上がった場合には，必要に応じて人員を含めた本部への支援ならびに会員への情報発信を行う．さらに災害リハビリテーションチームの派遣が決定された場合には，会員施設に対して派遣登録に関する情報を発信する．あわせて会員施設などから得られた被災地域の情報を随時，JRAT中央災害対策本部に提供し，組織的活動の支援を行う．

（近藤国嗣）

7〕全国デイ・ケア協会

通所リハビリテーション事業所は，病院・診療所・介護老人保健施設・介護医療院を母体としていることから，介護保険サービスの中でも医療的側面が強いサービスである．そのため，災害時には医療的ケアを求める地域住民の避難先として支援する役割が求められる．

全国デイ・ケア協会では，災害発生時には会員へ被災状況の確認を速やかに行い，必要に応じて支援物資の確保・搬送を実施している．スムーズな指示命令がなされるよう，災害担当理事を配置し，事務局を中心に情報収集を行っている．また，平時の段階から当協会として支援することを会員に周知することで，速やかな連携がとれるように運営している．直近の災害では幸いにも会員事業所に大きなダメージは見受けられていないが，今後予想される大災害に備えて支援を強化していくとともに，通所リハビリテーションとして求められる役割を遂行できるよう研鑽を深めていきたい．

（近藤国嗣）

8〕日本訪問リハビリテーション協会

災害発生時は会長を本部長とする災害対策本部を協会事務所に設置し，会長が指揮をとる．会長が被災した場合は副会長が災害対策本部長を代行する．

災害対策本部長はJRAT中央災害対策本部と連絡をとり活動方針を決定する．必要に応じて財政的支援，JRAT中央災害対策本部への人員派遣を行う．

対策本部は被災地を中心とした現地JRAT災害対策本部と緊密な連携をとり，情報収集を行い本部長に報告する．状況を把握し，当会会員よりボランティア支援を募集し派遣を行う．

（宮田昌司）

9〕全国地域リハビリテーション支援事業連絡協議会

2016年に地域リハビリテーションの定義・推進課題が改訂された．当面の課題として介護予防に関する活動に積極的に関わっていくことが求められ，これらの活動が災害などによる避難生活で生じる生活機能の低下にも活用すべきとして，災害時のリハビリテーション支援も活動指針に明記された．また，これまでの災害時のリハビリテーション支援では地域リハビリテーションの支援体制が有効であったといわれている．つまり，地域リハビリテーションの考え方や平時の活動における推進課題として掲げられている事項（①リハビリテーションサービスの整備と充実，②連携活動の強化とネットワークの構築，③リハビリテーションの啓発と地域づくりの支援）が災害時のリハビリテーション支援に応用できる．

当連絡協議会は，組織の性格上，災害発生初期には対応困難であるが，平時の地域リハビリテーション活動推進（特に，上記の②と③）や支援体制の整備とともに，地域JRATの組織化や組織化に向けた啓発を積極的に推進している．

（松坂誠應）

10〕全国地域リハビリテーション研究会

全国地域リハビリテーション研究会は，多様な職場に所属する200名ほどの多職種が，それぞれ個人で参加している小さな組織である．また，会員の多くは，他のJRAT構成団体にも併せて所属しており，災害時には，職場や職能団体からの派遣が優先されることから，支援者派遣を当会員の立場で行うことは困難である．一方，当研究会には，地方自治体に所属する医師，保健師，理学療法士，作業療法士などもいるため，JRAT活動としては，平時に自治体の防災計画などにリハビリテーションの視点の必要性を働きかけたり，災害リハビリテーションの必要性を啓発することや，災害時に国や自治体の被災や支援情報を把握することが可能である．さらに，災害時支援のあり方，具体的には福祉避難所の運営や廃用症候群予防，災害支援の他団体（DMATやDHEATなど）との連携などについて，地域リハビリテーションの視点から研究することも，当研究会の役割と考えている．

（柳　尚夫）

11）日本介護支援専門員協会

日本介護支援専門員協会では，災害が発生した場合，会長を責任者にした災害対策本部（東京）を設置し，状況に応じて現地対策本部を開設して支援体制をとる．

被災地の都道府県支部を通じて，ケアマネジャーおよび利用者の安否確認，必要な支援内容，避難所・福祉避難所の状況把握を進める．これらの情報は厚生労働省に随時報告する．

全国支援・広域支援が必要な場合は災害支援ケアマネジャー（当協会認定）やケアマネジャーボランティアを派遣する．

日常的には災害対策特別委員会のもと，災害支援ケアマネジャー養成や災害机上訓練を実施している．

（笠松信幸）

12）日本義肢装具士協会

日本義肢装具士協会（以下，JAPO）は義肢装具士による職能団体であり，2017年現在の正会員数は約2,300名である．本部の下に北海道，東北，東日本，中部日本，西日本，南日本の各支部を置く．平時におけるJRAT本部との連絡は上記6支部により構成される大規模災害・地域多職種連携委員会を窓口とし，必要に応じて常任理事会（会長，副会長，常任理事）と調整を図りながら，他の理事および各支部長への情報提供がなされる．また地域JRATとの関係を構築するため，各都道府県に1名ずつ協力員を配置しているが，その連携は発展途上である．

災害発生時には，JRAT中央災害対策本部からJAPO大規模災害・地域多職種連携委員会委員長が連絡を受け，JAPO常任理事会に連絡，同時にJAPO内に災害本部を立ち上げる．その後被災地域を管轄する支部長，大規模災害・地域多職種連携委員会委員および協力員と連絡をとり現地の状況を把握する．加えて，日本義肢装具学会および日本義肢協会の各理事長と連絡を取り合い，JRATのスキームで義肢装具関連団体として可能な支援について協議する．

福祉用具，特に義肢装具の供給については，現地JRAT災害対策本部より具体的なニーズの報告を受けた後，JRATの委員会である災害時福祉用具等調達普及委員会と連携を図りながら，JRAT策定の「災害時福祉用具等調達支援マニュアル」に基づいて必要な物品の調達方法の提示を行う予定となっている．

（根岸和諭）

13）日本義肢装具学会

日本義肢装具学会は医師，義肢装具士，理学療法士，作業療法士，エンジニアなど義肢装具に関連する多職種で構成されている学会であり，会員数約2,200名である．本学会は災害対策を含む様々な項目で，日本義肢装具士協会，日本義肢協会と連携して活動を行っている．本学会にはJRAT委員会があり，発災時の義肢装具や福祉用具提供体制の整備，義肢装具士や義肢装具に精通した医師の派遣，各都道府県における義肢装具関連職種の地域JRATへの参加促進など，発災時にJRATと協働して義肢装具や福祉用具に関する対応が迅速に進められるように活動している．

（菊地尚久）

14）日本リハビリテーション工学協会

日本リハビリテーション工学協会は，生活するうえで何らかの障害がある当事者と様々な職種の会員で構成されている．会の特性から災害時の支援は補助器具などの機器や使い方といった具体的な対応が中心となる．また，発災前の生活に戻るため，さらに新たな生活を拡大するために，長期間にわたる展開が活動期間となる．

東日本大震災直後から「復興支援に関する専門委員会」を立ち上げ，日本車椅子シーティング協会，日本福祉用具・生活支援用具協会，日本福祉用具評価センターと協力体制を構築し連携して機器支援の活動を進めてきた．

発災時に要配慮者への対応が迅速に行えるよ

う，現在は「災害対策委員会」を常設としている．発災後は被災地である地域支部会員を中心とした情報収集，初動活動の検討，具体的なニーズのとりまとめを行う．その後，理事会，支部，分科会の協会リソースを活用し，関係団体と協力して補助器具や住環境整備などの支援活動を展開する．

発災直後の会員の安否確認を含めた情報収集は，電子メールとSNSを活用する．

（河合俊宏）

2．JRATとしての体制

JRATとしては，2014年の広島県土砂災害，11月の長野県神城断層地震，さらには2015年9月の鹿児島県口永良部島火山噴火で情報収集・集約を行った．また，2015年9月関東・東北豪雨水害時には，茨城JRATとして茨城県災害対策本部に参加し，県内で茨城JRAT災害対策本部を機能させながら，支援活動を行った．

こうしたJRATの活動を教訓に，2016年1月に「組織化等検討プロジェクト」を設け，被災都道府県における現地JRAT災害対策本部の立ち上げの他に，被災地の活動を支援するJRAT中央災害対策本部の機能を記載した暫定版簡易マニュアルを作成した．そして，2016年の熊本地震では，JRATとして初めて，全国からの支援を含めた組織的な活動を行った．その経験をふまえ，簡易マニュアルを「現地JRAT災害対策本部およびJRAT中央災害対策本部手順（p.11，表Ⅰ-2）」に改変した．

本項では，JRATとしての災害発生時の組織体制を，2016年熊本地震以降の実際の活動をふまえながら，暫定版簡易マニュアルに基づいた初動および外部組織との関わりを中心に記載する．

1〕初動の動き

(1) 中央（平時JRAT事務局）の動き

①情報収集の開始

災害発生を受けて，気象庁・内閣府・災害発生都道府県防災情報等の情報取集を開始するとともに，JRAT代表あるいは事務局長の判断の下，②項の連絡と現地の情報の収集を行う．

②被災地の地域JRATへの連絡

災害の発生している地域のブロック代表者ならびに被災都道府県の地域JRAT代表者・事務局代表に連絡をとり，速報的に被害状況の確認を行う．

③連絡網の構築

現地の状況に応じて，情報収集の開始とあわせて，連絡網（Chatworkのグループチャットなど）を構築する．連絡網には，JRAT理事会メンバーおよび被災都道府県の地域JRAT代表者，災害の発生している地域のブロック代表者，場合によっては常設委員会委員，DMAT・JMAT・DPAT関係者や省庁管轄部署（厚生労働省老健局老人保健課）なども含める．

④情報共有の開始

前項連絡網に基づき，内容を取捨選択のうえ，情報共有開始する．

⑤JRAT中央災害対策本部の立ち上げ

「自動準備基準（DMAT待機基準に準じる）」あるいはJRAT代表の指示により，JRAT中央災害対策本部を立ち上げる．JRAT中央災害対策本部の設置場所は，事務局の所在地を基本とする．ただし，大規模災害に該当しない局地災害においては，平時事務局にて，現地情報の収集，地域JRATとの連携，役員との意見交換を通じて，情報集約を継続する．情報コントロールが困難になる，あるいは支援が長期化するなどの状況が発生した際には，代表あるいは事務局長の指示下にて，JRAT中央災害対策本部を設置し，後方支援を行う体制を整える．

(2) 地域JRATの動き

各ブロックおよび都道府県ごとに異なるため詳細はⅡ-B4（p.43）を参照する．

①活動開始（災害モード）

被災地域JRAT代表者の判断あるいはJRAT中央災害対策本部からの依頼により活動を開始する．

②災害モードの報告

活動の開始（災害モードに入ること）をJRAT事務局へ報告（宣言）する．

③都道府県庁災害対策本部への参画

各都道府県庁におかれる災害対策本部傘下の保健医療福祉調整本部会議に参画する（令和4年7

月22日の厚労省通知で大規模災害発生時は，保健医療福祉調整本部会議が招集され，そこにJRATも出席することとなった）．

④現地 JRAT 災害対策本部の立ち上げ

現地JRAT災害対策本部の立ち上げをJRAT中央災害対策本部およびJRAT事務局へ報告する．

⑤情報収集

都道府県庁に設置された災害対策本部の会議および保健医療福祉調整本部会議のミーティングに参加して，避難所の情報収集や訪問避難所の決定，連携を開始する．あわせて，他の団体の活動について情報を収集し，協働の可能性を模索する．

⑥本部要員の確保

県内での本部人員のリクルートを行う．また，災害の規模や被災都道府県の情報を考慮したうえで，JRAT代表あるいはJRAT中央災害対策本部長，ブロック代表者などの判断，もしくは現地JRAT災害対策本部の要請により，本部要員の先遣隊を派遣することもある．先遣隊としては，近隣都道府県の地域JRAT関係者や過去の本部経験者からリクルートする．さらに，本部立ち上げ後も県外からの支援が必要な際は，国際医療技術財団（JIMTEF）が主催する災害医療研修修了者・JRAT-RRT隊員など，一定の水準を満たした者を中心に派遣調整を行う．

⑦現地 JRAT 災害対策本部の設置

保健医療福祉調整本部を確認し，連携がとれる病院・施設に現地JRAT災害対策本部を設ける．必要に応じて，被災地の近隣にJRATの避難所支援の拠点となるJRAT活動本部を設置する．

現地JRAT災害対策本部は，被害の大きい地域，避難所の多い地域へのアクセスに便が良い場所に設置することが好ましいが，施設の被災状況や二次災害の可能性を十分に考慮しなければならない．また，それぞれの本部には，本部長1名，副本部長2名に加え，記録や連絡通信，物品調達などを行う業務調整員数名の配置が必要とされる．

2〕支援活動開始

(1) 人員の確保

①JRAT 中央災害対策本部（図Ⅱ-1）

JRAT中央災害対策本部は，現地JRAT災害対策本部の状況に応じて，被災県外からの支援者を募集する．避難所を支援する直接支援チームは基本的に地域JRATを経由してチーム単位，現地JRAT災害対策本部要員はJRAT参加団体を通して個人単位で確保をする．他にもJRAT中央災害対策本部の人員は，本部長，副本部長，業務調整要員（連絡調整，記録など）で構成され，運営される．この本部員は，各団体を通じて人員を募集し，派遣を行う．原則としては，本部長は原則としてリハビリテーション科医師とする．

②現地 JRAT 災害対策本部（図Ⅱ-2）

保健医療福祉調整本部の決定の基づき，該当都道府県内で募集，派遣を行う．都道府県内で人材を十分に確保できない場合，JRAT中央災害対策本部を通じて依頼し，継続的な活動を可能にする

図Ⅱ-1　JRAT 中央災害対策本部の様子

図Ⅱ-2　現地 JRAT 災害対策本部の様子

ための人員を確保する．人材には直接支援チームと現地JRAT災害対策本部のロジスティクス要員が含まれる．これらは，現地JRAT災害対策本部の要求に応じて，JRAT中央災害対策本部にてマッチングし，派遣を決定する．

(2) 派遣コーディネート（マッチング）

①JRAT中央災害対策本部

災害規模により，県外からの支援が必要な場合，JRAT中央災害対策本部が人員派遣のコーディネート機能を担い，支援者のコントロールを行う．県外からの派遣を要請するにあたり，地域JRATが成立している都道府県では，医師を含む理学療法士・作業療法士・言語聴覚士などが地域JRATでチームを編成して登録する．JRATへのチーム登録が療法士だけの場合は，本部で他のチームとのマッチングが必要となる．登録されたチームとその活動期間の情報をもとに，現地からのニーズに合わせて，派遣日程を決定（マッチング）する．ここでは派遣チームの登録状況や派遣手続きの進捗状況について，現地JRAT災害対策本部と共有化を行い，リアルタイムでニーズ把握を行うことが重要である．派遣日程が確定次第，派遣チームへの日程連絡および派遣依頼および被災地や準備物に関する情報提供，派遣要請公文書の発行，現地JRAT災害対策本部への情報提供など，各方面へ派遣決定の連絡を行う．

熊本地震でのJRAT活動はJMAT傘下で行われ，JMAT登録（保険加入も含む）も合わせて行う必要があったが，西日本豪雨災害時の支援では，JRAT単独での支援となり，それぞれ対応に違いがあった．したがって，状況に合わせた対応が求められる．

②現地JRAT災害対策本部

被災地都道府県内で，避難所チームおよび現地JRAT災害対策本部運営のための，要員募集とマッチング行う．他都道府県からの応援が必要な場合，人員，期間などについて要請を行う．避難所の状況により，必要人員は変化するため，JRAT中央災害対策本部とは密に連絡をとる必要がある．

(3) 情報収集・集約・整理・発信

①JRAT中央災害対策本部

JRAT中央災害対策本部は，現地JRAT災害対策本部と参加団体や他都道府県地域JRAT，現地派遣予定・派遣後の支援チームの他に，厚生労働省や日本医師会をはじめとした関連団体とのハブとしての役割を担い，情報収集・発信の窓口となる（図Ⅱ-3，表Ⅱ-1）．

現地情報あるいは外部団体からの情報を集約

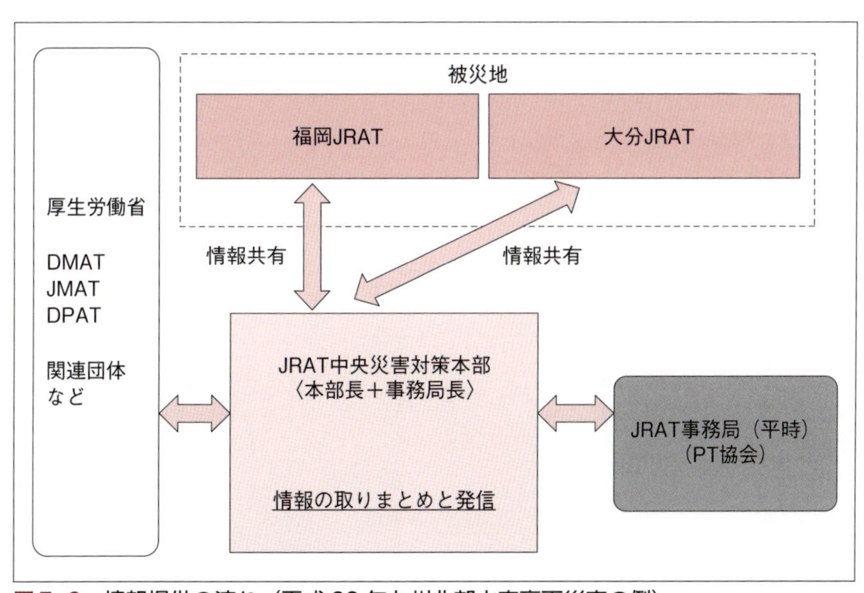

図Ⅱ-3　情報提供の流れ（平成29年九州北部水害豪雨災害の例）

表Ⅱ-1　被災者健康支援連絡協議会　構成団体一覧

［令和5年2月1日現在23組織（43団体）］

1	日本医師会
2	日本歯科医師会
3	日本薬剤師会
4	日本看護協会
5	全国医学部長病院長会議
6	日本病院会
7	全日本病院協会
8	日本医療法人協会
9	日本精神科病院協会
10	日本栄養士会
11	日本災害リハビリテーション支援協会 ①日本リハビリテーション医学会 ②日本理学療法士協会 ③日本作業療法士協会 ④日本言語聴覚士協会 ⑤日本リハビリテーション病院・施設協会 ⑥回復期リハビリテーション病棟協会 ⑦全国デイ・ケア協会 ⑧日本訪問リハビリテーション協会 ⑨全国地域リハビリテーション支援事業連絡協議会 ⑩全国地域リハビリテーション研究会 ⑪日本義肢装具士協会 ⑫日本義肢装具学会 ⑬日本リハビリテーション工学協会
12	全国老人保健施設協会
13	日本慢性期医療協会
14	チーム医療推進協議会 ①日本医療ソーシャルワーカー協会 ②日本医療リンパドレナージ協会 ③日本栄養士会 ④日本救急救命士協会 ⑤日本言語聴覚士協会 ⑥日本作業療法士協会 ⑦日本臨床細胞学会細胞検査士会 ⑧日本歯科衛生士会 ⑨日本診療情報管理士会 ⑩日本診療放射線技師会 ⑪日本理学療法士協会 ⑫日本臨床工学技士会 ⑬日本臨床心理士会 ⑭日本臨床衛生検査技師会 ⑮日本視能訓練士協会 ⑯日本義肢装具士協会 ⑰日本精神保健福祉士協会
15	日本救急救命士協会
16	日本診療放射線技師会
17	日本病院薬剤師会
18	日本赤十字社
19	日本臨床心理士会
20	日本精神神経科診療所協会
21	日本社会医療法人協議会
22	全国保健所長会
23	日本柔道整復師会

※下線＝重複団体

関係省庁

厚生労働省	文部科学省
復興庁	環境省
総務省	

し，的確に情報を選別したうえで，関係者へ速やかに配信する必要がある．この情報配信には，事前に登録された連絡網（JRATではChatworkのグループチャットを使用）を使用する．今後の運用についてはクラウドサービスやSNSの他様々な検討も必要である．

さらには，広域災害救急医療情報システム（EMIS）の他，テレビや新聞，ラジオなどの各種報道機関より情報を収集し，現地JRAT災害対策本部や支援チームに避難所状況や交通情報など様々な情報を伝達することもJRAT中央災害対策本部の重要な役割の一つである．また，医師会が主催する，被災者健康支援連絡協議会を通じての情報発信は，JRATの普及，啓発の意味で重要である．

対外的な広報媒体として，JRATではホームページを利用し各種情報を配信している（http://www.jrat.jp/）．主には，現地での活動チームやその活動場所，支援人数などを適時公表している．

(4) 物品の調達

特に混乱期（発災後早期）は，被災地では物品の供給が停止し，医療品や事務用品，生活用品を含め，支援に必要な物品が手に入りにくい状況が続く．そこで，JRAT中央災害対策本部では，現地JRAT災害対策本部からの要請も加味しながら，可及的速やかにPCやプリンタ，携帯電話などの電子機器，クロノロジーなどを掲示するための記録用紙や文房具，ユニフォーム（ビブス），その他，食料品などを調達し，現地へ供給する（表Ⅱ-2）．

表Ⅱ-2　現地JRAT災害対策本部　保管物品一覧

	備品名
電子機器類	ノートPC
	プリンター
	FAX電話機
	TV
	ポット
	携帯電話（計6台）
活動備品	ビブス（緑）
	ヨガマット
	長靴
	靴
	サンダル
	フットポンプ
	工具セット
	鉄工やすり（キット）
事務用品	コピー用紙（A3・A4）
	ノート（B5・A4）
	フラットファイル
	クリアホルダー（A4）
	名刺用紙
	粘着テープ
	ゼムクリップ
	アルカリ乾電池（単1・3・4）
	ファックスインクフィルム
	プリンタ　インクカートリッジ
	スティックのり
	ホッチキス針No.10
	付箋
	ブロックメモ
	ホワイトボードマーカー（黒・赤）
	油性ボールペン（赤・黒）
	色鉛筆（12色）
	カラーペン（12色）
生活用品	シュラフ（簡易寝具）
	アルミマット
	枕
	毛布

(5) 要配慮者への福祉用具の調達支援

避難者における高齢者や障がい者の福祉用具についても，JRAT隊員は災害医療支援面から，要配慮者へ適切にアドバイスを行う．調達に際しても多職種連携のもとにそれぞれの窓口への助言を行う．

3〕本部閉鎖

支援の縮小に伴い，支援活動の収束に向けて主に以下の作業を行う．

- 必要書類の整理：活動期間中に使用した公文書や報告書などの書類を取捨選択し，保管書類はファイリングする．
- 活動結果のとりまとめ：支援実績や活動記録などをとりまとめ，データ化して報告する．
- 関係各所へ活動終了連絡：理事会メンバーおよび参加団体事務局，厚生労働省，DMAT，

JMAT，DPAT，地域JRAT代表者へ活動終了を連絡・報告する．

・対策本部閉鎖：本部の備品などを処分，保管場所へ搬送する．

・支援者への費用弁済：災害救助法の適用となる活動を行った際は，それに応じて費用支弁を行う．

・閉鎖後の取材や問い合わせへの対応，活動費用のとりまとめ，費用弁済への対応，書類管理，報告書作成などの事務は，原則，地域JRATで行うが，2カ所以上の地域JRATにまたがるものは，JRATの平時事務局が行う．

【文献】

1）大規模災害リハビリテーション支援関連団体協議会（JRAT）：熊本地震災害リハビリテーション支援報告書：http://www.jrat.jp/images/PDF/pdf_20171106.pdf

2）東日本大震災リハビリテーション支援関連10団体『大規模災害リハビリテーション対応マニュアル』作成ワーキンググループ（企画・編集）：大規模災害リハビリテーション対応マニュアル，医歯薬出版，2012.

3）『災害リハビリテーション標準テキスト』企画・編集大規模災害リハビリテーション支援関連団体協議会．医歯薬出版，2018.

（古澤文夫）

3. JRAT-Rapid Response Team (JRAT-RRT)

2015年（平成27年）9月関東・東北豪雨，2016年（平成28年）熊本地震，2018年（平成30年）西日本豪雨の活動を振り返ると，いずれも初動活動が難しかったという声があった．そこで，JRAT研修企画委員会において，「発災後早期に被災地で活動できる人員とそれを派遣する仕組みの必要性」について議論を重ね，JRAT-Rapid Response Team（JRAT-RRT）を創設するに至った．

JRAT-RRTの出動基準として，現地に行かなくても遠隔で状況が把握できるように地震の震度，避難者の数，DMATの派遣状況の3つ（地震以外の場合は2つ）の値を用いて，Early Warning Score（JRAT-EWS）を決めた（表Ⅱ-3）．この基準値を参考に，JRAT本部の判断や現地JRATからの要請に基づいて，JRAT代表がJRAT-RRTの派遣を都度決定するということとした．

JRAT-RRTは事前にトレーニングを受け，登録した隊員（R-スタッフ）により構成される．また，この時点では，JRATの活動に対して，災害救助法が適応されるかどうか不明なため，JRAT-RRTの活動に係る費用および身分保障は，R-スタッフが所属する施設が負担することとした．

表Ⅱ-3　JRAT-EWS（Early Warning Score）

災害の規模（震度），被災状況（避難者数），支援状況（DMAT）の3つのパラメーターで，スコアを出し，合計点数により，およその RRT の人数を概略する*.

スコア	0	1	2	3
震度	5以下	6弱	6強	7以上
避難者	1～99人	100人～999人	1,000人～9,999人	10,000人以上
DMATの派遣	なし	都道府県内の派遣	都道府県を超えた派遣	ブロックを超えた派遣

合計スコア	派遣するRRTの人数	想定される主な活動
0～2	0人	なし
3～5	3～5人	現地視察・地域JRATの支援
6以上	6人以上	現地視察・地域JRATの支援 現地JRAT災害対策本部の立ち上げ，県庁へリエゾン派遣

＊JRAT中央災害対策本部の判断，地域JRATの支援要請があれば，派遣を考慮する．

2019 年（平成 31 年）に，第 1 回の養成研修会を大阪府高槻市の愛仁会リハビリテーション病院にて開催（8 時間のプログラム）し，53 名の R-スタッフが誕生した．その年に，3 度の JRAT-RRT の出動があり，円滑な初動活動に貢献した．

しかし，コロナ禍における令和 2 年の熊本水害において，他県からの応援が不可能となり，それぞれの自県内に R-スタッフの養成が必要であると認識し，2022 年度（令和 4 年度）から，R-スタッフの養成研修を再開した．コロナ禍ということもあり，オンラインで 8 時間（オンライン講義 5 時間，オンライン演習 3 時間）で開催し，1 年間に 75 名の R-スタッフが誕生している．次年度以降も同様に開催する予定である．

（冨岡正雄）

4. 各ブロックの体制

1〕北海道・東北・新潟ブロック

北海道・東北・新潟ブロックは，全国知事会のブロック知事会の 1 つである北海道東北地方知事会を構成する道・県が北海道，青森県，秋田県，岩手県，山形県，宮城県，福島県，新潟県であったことから，このブロックでリハビリテーションコーディネーター連携推進委員会が組織された．2016 年 7 月 2 日に東北大学医学部星陵会館で第 1 回北海道・東北・新潟ブロックリハビリテーションコーディネーター連携推進委員会（通称，北海道・東北・新潟ブロック会議）を開催した．2022 年 7 月 30 日には第 7 回本ブロック会議を秋田大学が主催し，Zoom を用いて Web 上で開催された．最後に秋田県災害リハビリテーション連絡協議会（秋田 JRAT）が組織化され，北海道・東北・新潟ブロックではすべての道県に JRAT が組織化されている．

当ブロックでは，情報共有ツールとしての Dropbox を作成し，各道県での災害リハビリテーションに関する研修会や作成された災害時の連携体制構築の情報，マニュアルなどを共有し，活用している．

また，各道県の事務局が災害などで機能しなくなった場合は各道県間で，以下のような相互援助を行うことになっている．

北海道：◎青森県，新潟県，宮城県
青森県：◎北海道，秋田県，岩手県
宮城県：◎岩手県，北海道，福島県
岩手県：◎宮城県，青森県，秋田県
秋田県：◎山形県，岩手県，青森県
山形県：◎秋田県，福島県，新潟県
福島県：◎新潟県，宮城県，山形県
新潟県：◎福島県，山形県，北海道

補足：県内の施設で支援が行えない場合，◎の県が主に援助し，難しい場合には，2 番手，3 番手の道・県が援助する．

（木村慎二）

2〕関東ブロック

関東ブロックは，関東地方に山梨県を加えた 1 都 7 県から構成される．

2016 年 1 月に関東ブロックリハビリテーションコーディネータ連携推進委員会が開催され，JRAT 企画委員会の里宇明元委員長（当時）から JRAT の活動状況についての報告，ブロック会議の目的などについて説明があった後，各都県から地域 JRAT の整備状況が報告された．

2016 年 4 月発災の熊本地震に際しては，JRAT からの各地域 JRAT に対する派遣要請を受けて，群馬県，埼玉県，千葉県から各県の地域 JRAT が取りまとめて熊本に複数のチームを派遣した．

2020 年からブロック長の任期制，隣県との連携など関東ブロックの構成ルールを新たに定めて活動している．地域 JRAT の組織化が進み，すべての都県で代表，事務局が設立された．しかし，組織の進捗状況はまちまちで，規約があるのは 3 県にとどまり，定期的な会議が開催されていない都県もある．理学療法士，作業療法士，言語聴覚士の三士会の活動が主体である地域もあり，リハビリテーション科医師の会，回復期リハビリテーション施設の会，県医師会，看護協会，ケアマネジャー団体の会などを含めた多職種での組織構成を有している都県は少ない．また人口の多い都県では都県全体を包括した活動が難しい現状がある．会議では有事の際の隣県との連携，JRAT から提供された感染対策用具の配布について検討を重ねている.

なお2023年1月末の段階で，山梨県と千葉県では県と地域JRATとの間で協定締結が達成されている．今後も関東ブロック内での情報交換を通して各地域JRATの活動を活発化していきたい.

(菊地尚久)

3) 中部ブロック

中部ブロックは，富山県，福井県，石川県，岐阜県，長野県，三重県，愛知県，静岡県の8県から構成され，2016年より年1回のブロック会議を開催してきた．COVID-19の影響により，ここ2年はWeb会議となっており，2022年3月10日に静岡がホスト県となってWebブロック会議が開催された.

中部ブロック内では2019年10月の長野豪雨災害と2021年7月の熱海土石流災害が発生し，それぞれ県内のJRATが活動した．長野JRATは，組織的な対応が困難な状況の中，JRAT本部と連絡を密に取りながら対応した．静岡JRATは局地災害への支援において，県との連携がいかに難しいかを体感した.

特にこの中部ブロックでは，南海トラフ大地震の発災が，迫り来る現実として想定されており，災害対応の機運は高まっている．中部ブロック会議ではしばしば,「支援」とともに「受援」という単語が出ることが，この意識の現れと思われる.

さらに中部ブロックにはRRT隊員（受講中も含む）が着実に養成されており，愛知県7名，三重県3名，富山県・静岡県が各2名，石川県・岐阜県が各1名の計16名がR-スタッフ養成研修を受け，災害発生に備えている.

また，この地区では大規模な防災訓練も多く，2022年10月1日内閣府主催の大規模地震時医療活動訓練に，RRT隊員を中心に愛知県・三重県・静岡県のJRATが参加し，11月26日に石川県で行われた中部ブロックDMAT実働訓練に石川JRATが参加し，自治体との災害対応の中枢との連携を深めている.

2020年初頭の新型コロナ感染症の出現により，災害派遣や避難所運営の基本が，大きく変わりつつある．以前のように被災地・避難所を目指して，遠隔地から多くの災害派遣・ボランティアが集中する状況が変化してきている空気を感じる．これに代わり，被災地での効率的な災害対策と避難所運営と，近隣地区からの限られた人員での被災地支援が重要となろう.

大規模地震災害が予測されるなかで中部ブロックでは,「自力更生」と,「主体性をもった支援と受援」を意識しながら活動している.

(高橋博達)

4) 近畿ブロック

近畿ブロックは，大阪府，京都府，兵庫県，奈良県，和歌山県，滋賀県の2府4県で構成される．年に1回，ブロック代表者・担当者会議を持ち回りで主催し，現状報告(組織化，行政との協定化，研修会の開催，防災訓練への参加）を各府県から行っている．2020年度からは，コロナ禍でありWeb会議としている.

2016年の会議において，災害時のブロック内のカバー体制について決定した（表Ⅱ-4)．また，2020年度には，JRAT隊員事務局からブロック単位で感染防護用品の支給と保管の指示があり，メール審議の結果，以下の3カ所に分散保管することとした.

①兵庫県（社会福祉法人兵庫県社会福祉事業団総合リハビリテーションセンター地域ケア・リハビリテーション支援センター）
②和歌山県（和歌山県立医科大学リハビリテーション医学講座）
③滋賀県（滋賀県立リハビリテーションセンター）

表Ⅱ-4　災害時の近畿ブロック内カバー体制

受援地域	第1支援地域	第2支援地域	第3支援地域
大阪府	京都府	奈良県	兵庫県
京都府	大阪府	兵庫県	奈良県
兵庫県	京都府	大阪府	滋賀県
奈良県	大阪府	京都府	和歌山県
和歌山県	奈良県	大阪府	京都府
滋賀県	京都府	奈良県	大阪府

(冨岡正雄)

5〕中国・四国ブロック

中国・四国ブロックは，南海トラフ地震への備えが喫緊の課題である太平洋岸地域をもつため，四国地方での危機意識が強かったが，広島県・岡山県・愛媛県での豪雨災害などの局所災害に見舞われ，JRAT が本格的に活動を展開し，地域 JRAT の組織化が進んだ．

2016 年に県との協定が締結された愛媛県は，県からの要請で県の総合防災訓練に参加するなど災害医療体制の一員として位置付けられていた．2018 年の豪雨災害時には直後から県災害対策本部・現地対策本部・現地保健医療調整本部と連携し，発災から48時間以内にチームを被災地に派遣し，県内から 16 チームが約 5 週間にわたって支援をした．

中国四国 9 県のうち，遅れていた山口県・香川県においても組織化が進んでいる．徳島県を除いた各県は，地域 JRAT として標準的な体制となっている．徳島県は，県の防災体制整備の一環として組織化され，県がリハビリテーション分野を担当する災害医療コーディネーターとして 2 名の医師（県医師会常任理事）と，災害リハビリテーション体制整備の実務を担当する災害時リハビリテーション圏域リーダー（療法士）を圏域ごとに数名ずつ任命している．この枠組みは受援には有用であると思われるが，支援する際には県の医療支援チームの一員としてでしか参加できないため，JRAT の支援には別の枠組みを作る必要がある．

中国・四国 9 県は，災害発生時の広域支援協定を結んでおり，このなかで中国地方内，四国地方内および中国地方⇔四国地方（鳥取県⇔徳島県，岡山県⇔香川県，広島県⇔愛媛県，島根県・山口県⇔高知県）のカウンターパートが決まっている．今後，災害リハビリテーションにおいてもカウンターパートがお互いの情報をもちあうことにより，被災県の災害リハビリテーション本部機能の破綻に備えている．

（加藤真介）

6〕九州・沖縄ブロック

ひと昔前は，九州・沖縄で災害が起こったときにリハビリテーション医療に関わる者が支援を行おうとしても，各県，各施設もしくは各関係団体が単独で行うことがほとんどであり，それぞれの枠を超えて協力し合うということはほとんどなかった．2011 年の東日本大震災の際，九州・沖縄からも支援を行ったが，やはり独自に活動する例が多く，継続的な支援としては改善すべき点が多々あった．

2013 年に全国災害リハビリテーションコーディネーター養成研修会（東京）が開催された後，官公庁との組織づくりを行うなど，地道に活動を行っていた（例：口永良部島の爆発的噴火に対する鹿児島 JRAT の対応，2015 年）．しかし，基本的にそのスタンスは変わらなかった．この状況を大きく変えたのが 2016 年に発生した熊本地震である．九州・沖縄の JRAT チームにとって，1 つの指揮系統の下で活動した初めての災害となった．

この経験をもとに，第 1 回 JRAT 九州会議（佐賀，2017 年）を開催した．会議では熊本地震での反省点をもとに今後の課題，各県間の協力体制について討議が行われた．また，各県における JRAT 活動の進捗状況について報告が行われ，今後も定期的に会議を開催することを確認した．

今後の課題として，①各県での JRAT 組織体系の確立，②JRAT 関係団体での継続的な研修会開催，③一般市民への広報活動などが挙げられる．

また，JRAT が正式に災害時医療保健福祉チームのメンバーとして明記（2022 年 7 月）されたことから，平時において，地域医師会 JMAT，行政機関の災害対策担当部署との連携構築を図るとともに，災害発生時におけるブロック内での隣県支援体制を設定した．

（田代桂一）

5．連携の成果と課題

1〕JRAT 中央災害対策本部としての連携

(1) 発災直後から災害支援開始まで

①被災地の地域 JRAT との連携

災害が発生したら，被災地の地域 JRAT 代表または事務局と連絡をとり，調整会議などで収集した詳細な情報の集約・発信を依頼する．状況によっては近隣県の医師を含めた少数チーム（RRT

メンバー含む）を派遣し，情報収集・集約・発信の任に当たる（熊本地震時には宮崎県，鹿児島県より医師および理学療法士が支援に入った）．

②日本医師会チーム（JMAT）本部（担当常務理事）との連携

JRAT 代表が直接，日本医師会災害担当常務理事・担当事務職に連絡をとり，JRAT のもつ情報を伝えるとともに，災害派遣が必要と考えられる状況の場合には，JRAT 派遣体制について情報を提供する．原則，JRAT は JMAT との強固な連携の下で活動する．

③DMAT 本部との連携

災害が発生したら，現地 DMAT または DMAT 事務局からの情報がJRAT役員に発信されることが多く，その場合には早々に現地地域 JRAT 事務局との情報共有化を図る．

(2) 被災県外からの派遣

以下に，被災県外からの災害リハビリテーション支援チーム派遣の手順について概説する．

①原則，被災県保健医療福祉調整本部において県外からの支援要請が決定される．

②被災地の地域JRAT代表は調整本部の決定に従い，JRAT 中央災害対策本部と協議を行い，派遣規模（近隣県，ブロック単位，全国規模など）を決定する．

③JRAT 中央災害対策本部では速やかに支援派遣のための派遣可能な名簿を集約する．

④JRAT 代表から派遣指令を発出する．

その際，支援チームの名簿は JMAT 本部・事務局および厚生労働省老人保健課窓口に報告する．原則，JRAT 支援は JMAT との強固な連携の下で派遣ということになる．

なお，JRAT 中央災害対策本部に派遣チームを登録する場合には同時に県医師会にも報告として情報を提供することを推奨している．

他県からの災害リハリハビリテーション支援チーム派遣および撤退の時期に関しては原則 JMAT 中央対策本部との協議を行ったうえで決定するが，JRAT 撤退時期がJMAT のそれよりも遅くなるという支援時相のずれが存在することが熊本地震災害時の支援で明らかとなった．このときは JMAT 中央対策本部との協議の結果，JRAT 撤退をもって JMAT 活動の終了という配慮がなされたが，これは今後の課題である．

2〕被災地地域 JRAT の連携

発災直後，県庁などに災害対策本部の下，保健医療福祉調整本部が設置されるため，地域 JRAT 代表は他の災害支援関連団体（DMAT，JMAT 以外，たとえば日本栄養士会，日本社会福祉士協会，日本歯科医師会など）とともに早期から参画することで，調整本部の要請に基づいて，他の支援団体および行政との連携をとりながら支援活動を開始する．なお，現地地域 JRAT 代表・事務局は JRAT 中央災害対策本部との情報交換・協議を行うことが重要となる．

3〕避難所における連携

JRAT は他の支援団体とともに，保健医療福祉調整本部の支援方針および要請の下で支援を開始する．具体的な避難所支援は現地 JRAT 災害対策本部（地域 JRAT 代表）の差配に従って展開することとなる．

避難所における重要な連携対象は①保健師，②行政職員，③救護班（JMAT など）などであり，避難所に行ったら最初にコンタクトすべきは，これら他団体の支援者である．十分な情報交換を行い，現地状況を把握，避難者および避難所環境の評価を行い，問題点・改善点（リハビリテーション医療支援機器・福祉機器などのニーズも含む）について保健師，行政職員に提案する．また避難者のうち，要介護者は可能な限り速やかに介護保険サービスに繋ぎ，健常・要配慮者は生活不活発の予防策を提案する．ことに健常高齢者は被支援者でなく支援者としての活動に参加していただくように関わることが推奨され，避難者による避難所自主運営を目標として支援することが望まれる．

4〕連携に関する課題

(1) JRAT の課題

①国レベルの連携

国の災害関連担当は内閣府が集約することになっている．従来，災害医療支援は厚生労働省医政局が担当し，DMAT などを所管するが，種々の交渉・協議の結果，JRATの担当は老健局老人保健課が窓口の役割を担い，必要に応じて関連部署（医政局，健康局，振興課など）に呼びかけを行い，協議していくということになった．このため理事会や運営会議には老人保健課からオブザーバー参加が得られている．

なお，災害発生時，JRAT活動を実施する場合には適時，JRAT本部より活動に関する情報などを老人保健課に伝達することが肝要である．

②保健行政や保健師との連携

現地では，支援の場所や内容が保健行政や保健師と重なることが多い．行政（保健所）保健師は被災直後から情報収集，避難所への誘導，避難所の環境整備などフェーズに沿って重要な役割を果たす．県外からの保健師（および保健所医師）の支援も加わり，避難所の管理や避難者への対応などが行われる．保健師が多職種との協働のもとで適切に従事できるように，内・外の支援者を采配するコーディネーターの存在が望まれることもあり，前述のDHEATの育成と登録が始まった．災害時の公衆衛生行政（保健所）の機能強化を主目的として，被災地の保健所を当該地域外から速やかに支援し，保健所機能を維持することが基本となっている．

発災直後からは救命を中心とした医療活動が注目されるが，災害に遭遇したそのときから（避難したそのときから）健康危機ははじまるので，早期から災害フェーズに沿った効果的な健康危機への対応とその体制づくりの重要性が認識されるようになった．このように災害リハビリテーション支援の目的と共通する点が多いことから，保健行政との連携は必須である．

③達成された課題

・2020年に念願の法人化を達成したことで，公の組織として認知された．

・2022年7月22日の厚生労働省からの通達により，災害に伴って設置される保健医療福祉調整本部の一員として日本災害リハビリテーション支援協会が明記されたことで他団体および県行政との関係構築が容易となった．

④残された課題

・災害救助法や関連法令などに「リハビリテーション専門職名」が記載されていないため，今後も明記されることを要望する．

・地域JRATの成熟化．

(2) 地域JRATの課題

①県レベル

地域JRATは県行政および医師会との連携が非常に重要である．ことに県行政では国の縦割りと同様に災害医療支援は医療政策担当部署，リハビリテーションは介護保険・福祉などが担当部署となっているのが通常である．そこでJRAT活動に関する県行政との連携には両方の部署の担当者が一堂に会した場を，まずもつことが望まれる．そして協議を行い，担当窓口が設置されることが重要である．平時には各種防災訓練へのJRAT参加や発災時の保健医療福祉調整本部への参画が容易になっていくことが大切であり，このためにも協定締結を行うことが期待される．さらには各県で作成される医療計画の「災害医療」の項目にJRATが記載されることが望まれる．

②災害時健康危機管理支援チーム（DHEAT）および保健所との連携

DHEATは熊本地震を教訓に災害時の公衆衛生行政（保健所）の役割を明確にし，被災自治体本庁および保健所に設置される健康危機管理組織の指揮・調整機能などを補佐することを目的として派遣されるチームであり，幅広い視野で種々の支援団体の調整機能も有する．そのため地域JRATにはDHEATおよび保健所との積極的な連携が望まれる．

③地域JRAT組織化推進

・協定締結：都道府県行政との強固な連携のための協議・協定締結が望まれる．

・協力機関体制：災害リハビリテーション支援チームを結成・派遣するためには，リハビリテーション専門職などが勤務する医療機関（回復期リハビリテーション病棟開設病院や老人保健施設など）の管理者の理解・協力が必須となる．このため地域JRATに協力機関などを位置づけることも一案である．なお，災害リハビリテーション支援チームの組織化には県外へのチーム派遣も考慮すると共に他県からの受援体制もまた視野に入れておくことが望まれる.

④地域住民との協働

避難所自主運営を目指した避難所体験訓練などを実施することが推奨される.

(3) ブロック単位での体制づくり

定期的なブロック会議を通して互いの情報交換・研鑽を行うとともに隣県同士の支援協力体制の構築が望まれる.

熊本地震におけるJRAT活動により, JRATはDMAT, JMATに留まらず, 内閣府, 厚生労働省など行政レベルで（公的に）充分に周知・認識されるようになった. JRATの活動が適時・適切かつ効果的に実施されていくためには平時から他団体との強固な連携を構築していく努力（コミュニケーション・信頼関係の構築）が必要である.

（栗原正紀）

6. JRAT中央災害対策本部のあり方

1〕JRAT中央災害対策本部の役割および概要

一言で述べると, 現地JRAT災害対策本部の後方支援である. 支援の内容は, 情報のネットワークの構築, 情報の収集と適時, 適切な発信, 国および関係団体との調整, 派遣チームのコーディネートおよびそれに関する事務一般, 備品の調達, ビブスなどの発送, 各種書類の共有, 整理および保管, 支援終了後の費用の求償および入金などである.

2〕JRAT中央災害対策本部の設置

現地JRATからの情報, 平時JRAT事務局からの情報を基に, 三役で検討し設置となる. しかし, 多くの被災地において受援についての検討がなされておらず, 支援の機会が遅延した経験をしており迅速な対応が必要である. 現地JRAT災害対策本部の設置支援については, RRT隊員が担うことになっている. なお, RRT隊員の派遣費用はJRATが負担する.

表Ⅱ-5 JRAT中央災害対策本部構成団体別人員派遣状況（2018/4/15〜6/3）

日本リハビリテーション医学会	50名
日本理学療法士協会	82名
日本作業療法士協会	68名
日本言語聴覚士会	31名
日本デイ・ケア協会	22名
日本訪問リハビリテーション協会	16名
回復期リハビリテーション病棟協会	86名
合計	355名

3〕JRAT中央災害対策本部員の構成

本部の組織は, 本部長, 副本部長, ロジスティクス, クロノロジー（chronology）で構成される. それらの要員は, 構成団体からの派遣で構成している. 表Ⅱ-5に熊本地震における各団体からの派遣数を紹介しておく.

(1) 本部長

基本的に医師が担い, その役割は本部の統括, 関係文書の承認, 日報の確認, 関係省庁および団体との連絡調整, 派遣調整の最終確認, 引継ぎ事項の確認などである.

(2) 副本部長

本部長の補佐を行う. 基本的には医師がその任に当たるが, 不在の場合, 全体の動きを把握できる人材を適時あてる.

(3) ロジスティクス要員

JRAT中央災害対策本部には多くの情報や問い合わせがある. その情報の受信・返答の時間, 発信者と受け手の氏名, 内容を逐次記録する. これは情報の共有と対応漏れおよび継続的な課題, 引継ぎなどの基礎資料となる. これに当たる人材育成は, JRATおよびJIMTEFの研修会が開催されている. JIMTEFでの研修修了者は各団体により登録されており, 要員必要時には構成団体に派遣依頼を行っている.

4〕通信手段・備品の確保

JRAT中央災害対策本部が機能するためには, 通信インフラの整備および場所の確保は必須である. 通信機器としては, 携帯電話, E-mailおよびChatwork, Gmailなどを活用するためのPCが必須である. また, 記録の保存と情報確認のためのプリンターも必要である．携帯電話については，契約から納品までの期間は，個人もしくはJRAT中央災害対策本部設置場所の構成団体から支援をいただいている．PCは要員数必要であるが，当会所有のPCは仕様が旧式であり，今後はレンタルでの運用が望まれる．

5〕JRAT中央災害対策本部の運用

速やかにJRAT中央災害対策本部を設置し，早期から現地JRAT災害対策本部による支援を行うことが重要である．熊本地震および西日本豪雨災害においては，県との協定書に基づく運用を行ったが，県との折衝，受援体制の構築，JRAT中央災害対策本部と現地JRAT災害対策本部との業務確認と役割分担など多くの業務が双方の本部に課せられる．これらの作業をいかに効率的に進めるかが，設置当初の活動のポイントとなる．

業務としては，1）ネットワークの構築，2）備品の整備を含めた環境整備，3）継続的な運用のためのマニュアルの整備，4）緊急時対応マニュアルの整備，5）継続的運用のための重なりのあるシフト，5）活動のまとめと，翌日の作業と課題の引き継ぎ記録作成などである．

本部運用スキルの観点でみると，JRAT中央災害対策本部および現地JRAT災害対策本部ともに，各要員は初めての経験であることが多く，重複の問い合わせ，確認不足，対応の遅れ，漏れなどは発生しても当然という認識で，現地JRAT災害対策本部と密なコミュニケーションをとり丁寧な対応が必要である．

熊本地震の3カ月間をみると，発災当初から2週間は朝9時から午後11時ごろまで，その後も早くても午後9時ごろまでの活動となっている．また，その間，土曜日，日曜日なしでの活動となるため，多くの本部要員には負担を強いた．したがって今後の本部運用においては，健康管理をふまえた，1日および長期間のシフト作成が必要である．また，災害時は，関係者皆が精神高揚状態にあり，心身両面での負担をふまえた運用が肝心である．

（中村春基）

7．現地JRAT災害対策本部の設置と役割

1〕現地JRAT災害対策本部の設置

現地JRAT災害対策本部の機能は，災害が起こった地域の状況を可及的速やかに，かつできる限り詳細に把握し，JRAT中央災害対策本部と連携して被災者支援の体制を整えることである．地域JRAT事務局を中心に，本部常駐者の選出と合わせて現地JRAT災害対策本部を設置する．設置する場所は，派遣想定地域から可能な限り近く，ライフラインや交通・通信機能の復旧が早い地域が望ましい．また，現地対策本部長（災害リハビリテーションコーディネーター）や業務調整員（ロジスティクス要員）が常駐可能な場所を設定する．最近の災害では，スピード感を優先するため，まずはIT環境が整っている地域でリモートによる実質上の本部を立ち上げ，状況を確認しながら被災地近隣地域に移動することが多くなった．

また，被災地域が広域（複数）の場合は，地域ごとに現地JRAT災害対策本部を設置したほうが良い場合もある．平成28年熊本地震においては，交通が寸断され，かつ熊本市から距離がある阿蘇および南阿蘇地域への支援の供給に課題を残した．

2〕現地JRAT災害対策本部長およびロジスティクス要員の選出と派遣

現地JRAT災害対策本部長やロジスティクス要員は，被災県市町村行政や保健所，医師会などとの面識がある被災地勤務者が理想的である．しかし，大規模災害の場合は，被災地勤務者は自らも被災していることが想定され，状況に合わせて被災地域周囲勤務者からの選任を検討する．

被災地が複数で地域ごとに現地JRAT災害対策本部を設置する場合は，各地にコーディネーターを配置し，地域の実情に応じた差配をする．

輪番制派遣・引き継ぎについては，計画的に継続した情報や活動が途絶しないよう，また，状況の変化に応じて見直しを図りながら引き継ぎを行う．そのためには，現地JRAT災害対策本部長・ロジスティクス要員それぞれにマニュアルまたは引き継ぎ様式などを作成する．

3〕現地 JRAT 災害対策本部の役割

(1) 行政・避難所などとの連絡調整

現地 JRAT 災害対策本部設置後は，JRAT が活動開始することを広く周知するために，県庁や被災地保健所などに設置される保健医療福祉調整本部に対し，本部設置の報告と支援内容についての周知を行う．この周知により，被災地での活動における関係団体との連携を円滑にすることができる．そして，保健医療福祉調整本部会議に出席し，JRAT の活動状況を定期的に報告し，ニーズとのマッチングや他の支援団体などとの役割分担の再調整を繰り返し，被災者へのより良い支援へと繋げていく．そのためには，できれば保健医療福祉調整本部内に JRAT のリエゾンを配置し，被災地全体の支援状況を俯瞰的に確認できることが望ましい．

(2) 状況把握と派遣調整

初期は被災地状況の情報収集や現地視察，派遣要請することを前提に地域 JRAT 登録（協力）施設の被災状況や派遣可能か否かの確認を行う．被災地におけるリハビリテーションに関わる事項は窓口を一本化するよう努力する．

各県の地域防災計画や医療救護支援のスキームなどに従い，避難所などへの支援の差配を開始する．被災地域から収集した情報や地域 JRAT の体制などを総合的に勘案し，JRAT 中央災害対策本部と連携して，県内支援，ブロック単位支援，または全国に対して派遣要請するかを判断する．被災混乱期での判断は大変困難だが，JRAT-EWS (Early Warning Score) も参考にしながら，「大きく構えて小さく収める」心づもりで臨むとよい（EWS の詳細については p.42，表Ⅱ-3 を参照）．

(3) マニュアル作成・記録・報告

派遣隊に対して，支援マニュアルを作成，オリエンテーションを行う．記録は現状把握・引き継ぎ・今後の方向性決定・費用支弁などに関連する大変重要な作業である．過去の事例などを参考に，記録方法を統一し，データ化も視野に入れた記録を行う．また，行政が主催する各関係団体との連絡調整会議には必ず出席して，足並みをそろえた支援が行えるよう調整する．

(4) 費用支弁・保険などについて

支援者の本来の業務を欠した部分への補償については，会員所属施設の理解が前提となるが，費用支弁されたときに備え，活動記録などは詳細に記録する．

支援者の活動中の事故などへの対応は，所属施設や所属活動団体の理解のもと，出張扱いやボランティア保険などへの加入を徹底する．また，日本医師会の理解のもと JMAT 配下で活動することが費用支弁・保険対応のうえでは重要である．

4〕可及的速やかな現地 JRAT 災害対策本部設置と支援開始のために

災害規模や状況により現地 JRAT 災害対策本部のあり方は様々である．日頃から災害有事に備え，地域や規模を想定した現地 JRAT 災害対策本部立ち上げのシミュレーションを各県レベル・ブロックレベル・全国レベルなどで行っておく必要がある．現地 JRAT 災害対策本部となる可能性がある施設には日頃から管理者などへ理解を求めておく．

（三宮克彦）

災害時のロジスティクス

災害医療分野におけるロジスティクス

1. 災害とロジスティクス

災害時には，被災者支援のために，被災地域外から被災地へ，物資・サービス・情報・人的資源などを動員し，被災状況と支援ニーズに基づいて，資源が分配される．このような資源作業を行うことを，軍用語で兵站（logistics，ロジスティクス）とよぶ[1)]．

2. 災害医療分野における ロジスティクス

災害医療分野におけるロジスティクスとは，主に医療活動を適切に行うための情報収集，情報整理，人員招集，物資調達，安全管理，通信の確保，活動記録などに関する活動をいい，言い換えれば，医療活動以外のすべてが，ロジスティクスであるととらえられている．

東日本大震災時に DMAT のロジスティクスに関する課題が明らかになり，厚生労働省は，「災害医療等のあり方に関する検討会報告書(平成 23 年 10 月)」で，「DMAT 事務局及び DMAT 都道府県調整本部等に入るロジスティック担当者や，病院支援，情報収集等を担う後方支援を専門とするロジスティック担当者からなる専属のチームの養

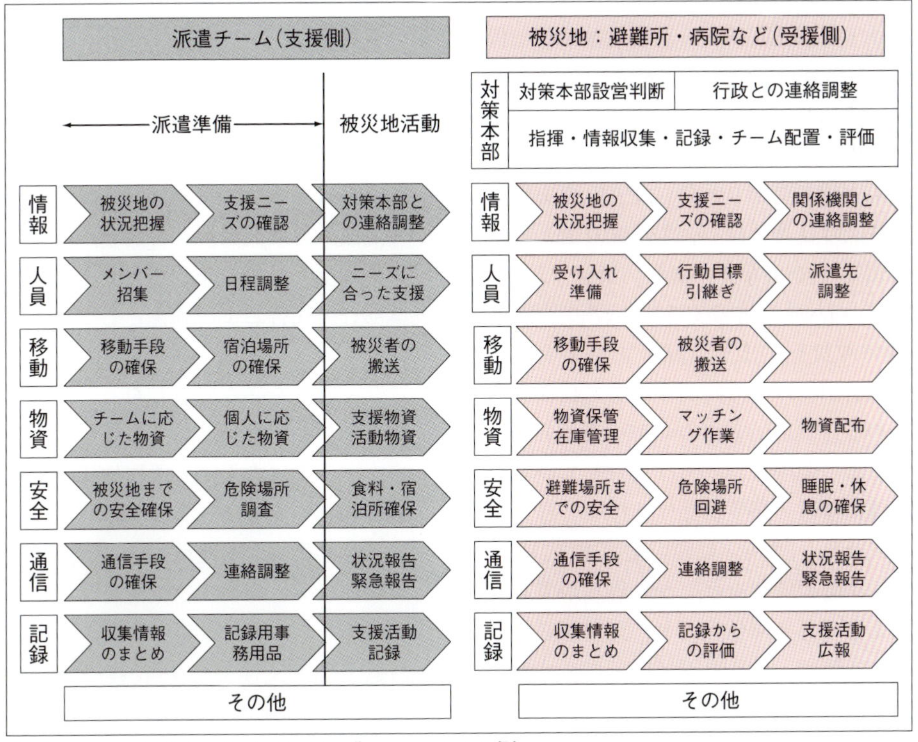

図Ⅲ-1　災害医療分野におけるロジスティクスの例

成を行うべきである」と報告している[2]．全国から支援チームを動員し，資源を被災地へ送る団体組織についても同様に，後方支援を担当するロジスティクスチームの養成が必要である．被災地においては，効率的で効果のある支援でなければ，受援側にとって，負担を増やすことになりかねない．

図Ⅲ-1に，情報・人員・移動・物資・安全・通信・記録に分けて，支援側，受援側におけるロジスティクスの例を示した．

【文献】

1）田中重好：災害社会学のパースペクティブ．災害と社会Ⅰ　災害社会学入門（大矢根淳・他編），弘文堂，2007，pp48-49．

2）厚生労働省：災害医療等のあり方に関する検討会報告書（平成23年10月）：http://www.mhlw.go.jp/stf/shingi/2r9852000001tf5g-att/2r9852000001tf6x.pdf

（原田浩美）

B　JRATのロジスティクス

1．JRAT中央災害対策本部におけるロジスティクス—熊本地震の活動をもとに

JRATは，2015年9月関東・東北豪雨災害の後，「発災時の初動について簡易マニュアル（案）」を作成し，2017年2月18日のJRAT戦略会議に上程された段階で，熊本地震が発災し，簡易マニュアル（案）に規定されたJRAT中央災害対策本部の立ち上げと運営が実践された．

発災により，各関連団体の「災害対策本部（仮称）」が設置され情報収集がなされる．そして，JRAT事務局でも速やかな情報収集活動が開始され，JRAT中央災害対策本部はJRAT代表の指示のもとに立ち上げが決定される．JRAT中央災害対策本部立ち上げと運営に，企業活動などと同様に活動資源としての「人員，物品，資金，情報」が必要となる．「人員」，すなわちJRAT中央災害対策本部運営人員を，まずは確保する必要があり，JRAT参加団体から48時間をめどに招集することから始める．次に用意するのが「物品」で，ロジスティクスの戦略を作り上げ実行していくための場所，通信手段，必要物品の確保など様々な物品が必要になる．「資金」についてはまさに「お金」であり，活動の原資をどこから得るかで，災害の規模に応じて各種関係機関との調整が必要となる．そして「情報」は，ロジスティクスにおいて最重要なことである．熊本地震では前震の段階で，地域JRATのみの活動で対応可能ではとの情報収集を行っていたが，本震発災により単独での災害リハビリテーション支援活動は困難であることが推測され，全国からの支援の準備を開始した．その後も情報収集，情報発信，情報蓄積，報告書作成と様々な情報に関する活動がJRAT中央災害対策本部で行われた．

以下に熊本地震の際に，JRAT中央災害対策本部で行われた活動を列記する．

1〕熊本地震JRAT中央災害対策本部での活動

(1) 人員

①JRAT中央災害対策本部要員確保

・最低限の人数である本部長（1名），副本部長（2名），事務（3名）の合計6名を常時確保した．本部長（医師）の役割は対外的に発信する文章の決裁，日本医師会との調整，本部長確保のための調整，日報の確認などである．副本部長は本部長の代行および補佐として全体の動きを把握できる人材を適時調整した．事務にはクロノロジー要員を必ず配置した．

・JRAT中央災害対策本部支援員への依頼文書・公文書作成（本人宛，所属施設長宛）．

②地域JRAT支援チーム員募集

・都道府県代表者へ地域JRAT派遣調整依頼とその確認（メールおよび電話）．

・支援チームのマッチング作業．

・地域JRAT支援チーム員への依頼文書・公文書（本人宛，所属施設長宛）．

・マッチング調整し現地JRAT災害対策本部へ連絡．

③現地 JRAT 災害対策本部支援員募集

・現地 JRAT 災害対策本部支援員（ロジスティクス要員）の募集依頼（各団体は，JIMTEF 研修修了者を対象に募集）．
・現地 JRAT 災害対策本部支援員への依頼文書・公文書（本人宛，所属施設長宛）．

(2) 物品

①メーリングリストの整備（修正・追加）

②JRAT 中央災害対策本部の環境整備

・固定電話，コピー機，コピー用紙，PC，その日の記録を確認するための「どこでもシート」，筆記用具，ファイルケース，現地の地図なども必要．
・規模が大きくなり，専用電話とFAX回線(JRAT支援員派遣応募の確認のため必須）も契約し運用した．Eメールの送受信，記録などのためのPCは使用頻度が高く，JRAT 専用の PC も 1 台購入し運用した．

③地域 JRAT 支援チーム用資料作成および送付

④ビブスの発送，追加注文

(3) 資金

・日本医師会との登録調整（JMAT 登録に関するやり取り）．
・JMAT 登録用紙作成および JMAT 登録．
・活動費用弁済手続きのための準備．

(4) 情報

・活動方針(声明文)および活動報告の HP 掲載．
・情報収集（DMAT 事務局から情報提供を受ける）と，その発信．
・JRAT 構成団体内の情報伝達と共有．
・国レベルでの行政と災害医療関連団体との情報伝達と共有．
・災害医療対策本部での行政・他の災害医療関連団体との情報伝達と情報共有．
・現地対策本部との情報共有，調整．
・質問に対する応答内容の確認と，その発信．
・取材申し込みに対する応答内容の確認と，その発信．

（船越政範）

2. インターネットで行う JRAT 中央災害対策本部の可能性

これまでの JRAT 中央災害対策本部（以下，本部）の活動は，本部長以下が本部に参集し活動を行ってきたが，COVID-19 の感染拡大など，参集しての活動が不可能な場合を想定し，インターネットで行う本部活動について言及する(図Ⅲ-2)．

インターネット化にあたっては，各要員が PC を通して，分散した環境の中で，あたかも集合した本部として機能することが必要である．例示として，次の業務を想定した．

1〕派遣のための募集と派遣者調整および現地 JRAT 災害対策本部への情報提供

遠隔での協働作業のためには，取り扱う情報の電子化が必要となる．派遣要員の募集，集計は Google フォームの活用により電子化が可能である．マッチングは，過去には，複数人でライティングシートに集計結果を記載し調整していた．この作業は，細部の確認が必要で複数人での作業が望ましく，担当者間での同時情報共有と同時会話の環境が必要となる．これについては，Zoom などの Web 会議，メールなどのツールの活用によりインターネットでの運用は可能である．なお，当会では Chatwork（中小企業向けビジネスチャットツール）での運用を検討している．最終的には，派遣者氏名，所属，連絡先，派遣期間などを Excel 表で情報提供することになる．なお，これらは本部での作業であったが，インターネットで行うことで，より現地 JRAT 災害対策本部と一体的運用が可能と予測される．

一体的運用でより密な情報共有が可能となり，かつ，個々の報告の手間が省ける．派遣者への必要情報(保険の加入，災害支援車両の申請手続き，携帯品，宿泊先，現地対策本部の場所，集合時間，連絡先他）の提供も本部で担っていたが，これも同様な情報共有が可能となる．

これらを機能的に遂行するためには，事前に，現地 JRAT 災害対策本部の代表者，事務局代表者，連絡者を常に平時事務局で把握しておき（ネットワークの構築），発災時は必要とされる支

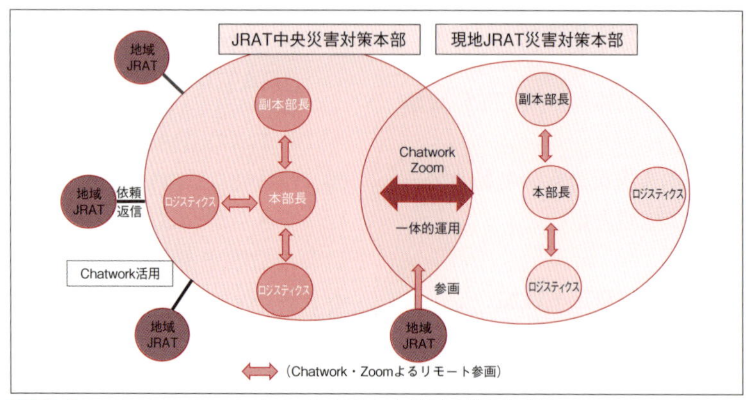

図Ⅲ-2 インターネット上の JRAT 中央災害対策本部と
現地 JRAT 災害対策本部の連携スキーム

援内容を速やかに把握することが重要である．なお，派遣募集については，三役会での決定に基づき上述の作業を行う．

2〕現地 JRAT 災害対策本部の支援

相互の対策本部が立ち上がり，派遣支援が開始されてからも，時期により支援内容，要員数も変化するため，それ合わせた調整が必要となり，現地からは，電話，メールなどで本部に問い合わせが入る．本部では，その内容と対応をライティングシートに，クロノロジーの手法を用いて記載し（図Ⅲ-2），かつ，それを PC に転載していた．

現地からの連絡を基本的に Chatwork に変更することで情報が電子化され，共有化と分散対応が可能なことからインターネットでの運用は可能となる．かつ，Chatwork の記載をクロノロジーの手法で行えば同様の効果と効率化が図られる考えている．また，支援活動上の相談や確認，マスコミ対応など迅速に対応が必要な事柄については，LINE を活用するとことで，即自対応と同時に記録として活用できると考えている．したがってこの工程においてもインターネットでの運用は同様である．

日報，活動報告は本部ごとに別々に作成し交換を行っていたが，情報を 1 カ所に集約・共有することで，それぞれが必要時に閲覧ができるようにし，対面での情報交換が必要な場合は，Web 会議での対応が可能と思われる．

（中村春基）

3．支援チームにおけるロジスティクス

ここでは支援チームを都道府県内外へ派遣する際に必要な準備について記す．

1〕都道府県内の支援の場合

自身の都道府県内における局地災害の場合は，現地での取り決めに基づいて，第一義的には当該都道府県内での対応とする．活動は最小限とし，通常の診療・介護サービス提供体制や地域リハビリテーション支援体制へ速やかに導きたい．長期化や拡大が予測される場合は情報を集約している JRAT 中央災害対策本部に支援などについて打診する．

県内でも大規模災害の場合は現地 JRAT 災害対策本部を立ち上げ，支援者派遣と受援の双方の準備が必要となるので，現地 JRAT 災害対策本部の項（p.49，Ⅱ-B7）を参照されたい．

2〕都道府県外の支援の場合

JRAT 中央災害対策本部から派遣準備要請が発令されるとその条件などを確認し，地域 JRAT 事務局では速やかに派遣準備にとりかかる．地域 JRAT を構成する職能団体や協力機関へ派遣協力要請を発信し，48 時間以内に第一次報告を集めその中から派遣隊を組織する．

派遣要請発信後地域 JRAT 事務局では JRAT 中央災害対策本部との情報交換の下，対策本部機能など県内での体制強化を行いつつ情報収集と備品などの準備を行う．情報収集は，現地情報（被害

概要，交通・道路，滞在，生活インフラ，流通，治安・安全，行政機能，医療・保健・介護に関わることなど），備品準備，車両手配，交通・燃料など移動に関わること，各種インフラ情報など滞在を含めて必要と思われる情報を収集する．

派遣準備が具体化してくると派遣者とともに準備を進める．現地活動では能動性や積極性が求められるので，災害の状況を事務局とともにイメージしながら，その土地の気候風土や成り立ち，人々の気質や歴史から医療・保健・介護・福祉関係の情報も入手し，現地の状況を少しでも具体的にイメージしたい．

最も気になるところは現地での活動内容であろう．現地状況と情報は刻々と変わるので，事務局ではタイムリーに情報を集め，派遣者オリエンテーションに反映する．現地の基本的な活動は災害フェーズに沿った流れであるため，どのフェーズでの派遣になるのかを確認しておく．フェーズの変化に時間的統一性はなく，現地では隣接している地区でもフェーズが違うということは珍しくないため，フェーズを柔軟にとらえることが重要である．活動に際しては現地主義を重んじ，現地のJRAT活動本部の指揮命令に基づき活動する．

3〕派遣者へのオリエンテーション

派遣先が決まったら，その地域の基本情報をインターネットなどで収集し，現地の気候・風土や気質，背景を含めた土地柄について理解に努める．現地の医療・保健・福祉に関わる情報も把握しておく．地域の医療・保健・リハビリテーション関連の資源や医療圏，保健圏域などの区割り・区分は地図とともに事前にイメージをつかんでおく．

派遣者には現地情報や自分での準備事項を伝達し，心配，不安，恐怖などネガティブな面と，やる気，元気，興奮などポジティブな面とのバランスに注意し，冷静，平穏でニュートラルな状態維持など感情的なことにも配慮したい．

オリエンテーションに際しては以下のことに留意する．

①派遣に際しては事前準備を可能な限りぬかりなく行う（状況，衛生，治安，リスクなど）．
②災害リハビリテーション「チーム心得」を理解し，実践する．
③現地の担当者など主な人物とは実際に会って話すというコミュニケーションを意識し，行動する．
④核となる現地活動本部への連絡・報告・相談は密にする．
⑤現地主導であることを忘れず，過剰な対応・介入は厳に慎む．
⑥自己の労働安全衛生には十分注意する（怪我，腰痛，メンタルヘルス，その他）．
⑦避難所の把握や状況など情報収集の記録は，現地での指定のものを使用する．書式整備を含めて支援活動であるため現地の実情に合わせた書式など記録に関する整備を手伝う．必要な書式は持参する．
⑧活動に際しては前後の記録が重要となる．地元での報告が必要であるため報告書式を持参するが派遣先に書式があればそれを利用する．
⑨種々の変更事項は，あって当然との認識のもと柔軟に対処する．思考や態度などのしなやかさを忘れないようにする．
⑩滞在に関する情報（宿泊，食事，衛生面など）を得る．

派遣後の記録は必須となる．現地の書式にしたがって報告書を提出する．

4〕派遣前後に注意したいこと

災害支援は非日常的な活動であるため，気負い，興奮，使命感，感情移入，逆転移，焦燥，不眠など災害支援関連ストレス状態になり自律神経失調症状を呈することもある．興奮，自責や縄張り意識，他者非難，自己有能感，研究関連活動，通過的対処など災害支援症候群ともいうべき特殊な心理状態になる事項は少なくない．このような予測されることは，派遣者の所属機関の責任ある立場の者と共有し，派遣前準備から派遣後のケアを含めて一連のものとして対応したい．

派遣者の意識づけの一助として，心得を条文化し，意識づけしている例がある（表Ⅲ-1，長崎災害リハビリテーション推進協議会の場合）．

5〕事務局と指揮

派遣者側の事務局でも情報収集と整理，受信・

表Ⅲ-1 長崎JRAT災害リハビリテーションチーム心得10カ条

①心身共に健康であること（セルフ・マネジメントの問題）
②礼節を重んじ，接遇には十分気を配ること
③あくまでも避難所入所者および現地支援者が中心であること
④決して出過ぎないこと（自己満足の禁）
⑤現地での指示が絶対であること
⑥報告・連絡・相談を着実にすること（コミュニケーション）
⑦毎日のカンファレンスを実行し，記録をしっかり行うこと
⑧飲酒などによる大騒ぎなど破廉恥な行為は絶対に禁
⑨長崎に残っている仲間のことを忘れないこと
⑩自信と信念を持ってことにあたること

派遣者の想いを一つに，一丸となって！

発信，指示や指揮などは整然と遂行されなければならない．多くの場合，派遣者側は当事者県ではないため，ライブ感が伝わりにくいことが多い．誤解や想像で混乱することも少なくない．このような中で事務局や地域JRATの本部を運用することとは冷静な行動が求められる．

さらにフェーズが変化するにつれて医療活動の状況が変わってくるため，救命医療→リハビリテーション医療→生活機能向上というように優先順位を考えて活動していく．事前オリエンテーションの内容も状況変化に合わせて変化させていくが，英国の災害医療の標準的教育プログラム（MIMMS）において重視されている「CSCA」の部分は優先順位や情報量に差こそあっても，その本質は変わらない．リハビリテーション支援ではその特性を生かして「CSCARIC」と表現されるため，フェーズ展開を含めて理解したい．常にリハビリテーションのセンスを意識して活動したいところではあるが，指揮命令系統が機能していないと組織的支援は成り立たないことを忘れてはならない．

（淡野義長）

4. 受援体制におけるロジスティクス

活動組織体制を確立したうえで組織の「受援」体制が必要となる．

災害時，被災地で活動するためには被災地内のみでなく被災地外からの「支援」も必要であることがある．しかし，「支援」を円滑に行うには「受援」体制が必要である（図Ⅲ-3）．

発災直後，JRATが活動するためには被災地の状況を把握する必要が求められる．被災地JRATのスタッフがCSCAIRCのAに当たる被災状況（現状分析として被災数や被災病院，ライフライン道路状況など）や避難所の状況（避難所数や避難者数），リハビリテーションに関わる病院・施設の状況などの情報を集める必要に迫られる．しかし，被災地の地域JRATのスタッフは被災者であり，自分の家が倒壊・半壊したり，家族が避難所に避難したり，自施設の病院が被災し院内の対応に被災地の地域JRATのスタッフが追われている場合も考えられる．そのような状況の中で活動する被災地の地域JRATスタッフは，非常に疲弊している状況が考えられる．そのためにJRAT中央災害対策本部は被災地外から支援に当たるJRATスタッフの派遣を試みるが，被災地の地域JRATが受け入れる体制がとれない状況が考えられる．したがってJRAT中央災害対策本部はRRTを派遣し，現地JRAT災害対策本部の立ち上げとシステムの構築など受援体制を確立し被災地域外からのJRATスタッフの受け入れを行う必要がある．

RRTは①リエゾンとしての役割，②現地JRAT災害対策本部の確立が求められる．①のリエゾンとしての役割として災害対策本部もしくは保健医療福祉調整本部を担っている県庁もしくは市町村の会議体に赴き，行政組織（県及び市町村）やDMAT，DPAT，DWAT，その他の各組織支援団体と連携を構築し，CSCA，METHANE Report（表Ⅲ-2）情報を現地JRAT災害対策本部に提供する必要がある．②の現地JRAT災害対策本部の確立については，①から得られた情報を基にJRAT中央災害対策本部ともに現地JRAT災害対策本部が必要とするチーム数やスタッフ構成，派遣されたJRATの活動場所を検討し決定する必要がある．

現地JRAT災害対策本部では集めた情報から現

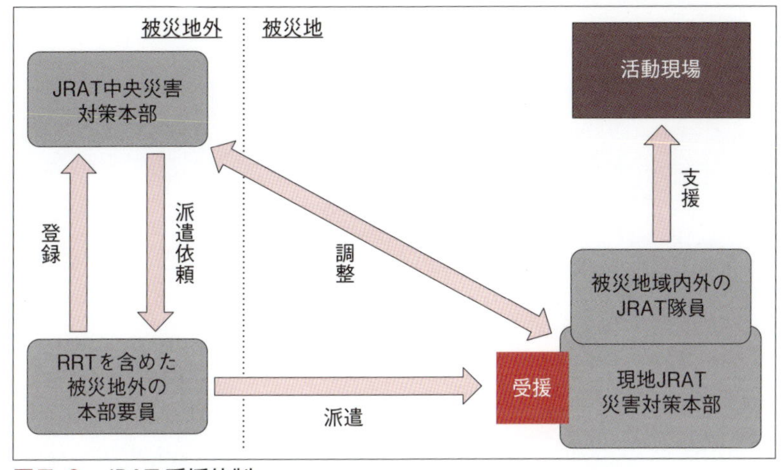

図Ⅲ-3　JRAT 受援体制

発災が起きると JRAT 事務局と JRAT 支援者の間で登録・派遣依頼が交わされる．現地 JRAT 災害対策本部は被災地外からの JRAT 支援者を「受援」し，その後活動現場に出向いてもらう．

表Ⅲ-2　災害時に収集すべき情報
METHANE Report

Major incident：大事故災害，「待機」または「宣言」
Exact location：正確な発生場所，地図の座標
Type of incident：事故・災害の種類 鉄道事故，化学災害，地震など
Hazard：危険性，現状と拡大の可能性
Access：到達経路，進入方向
Number of casualties：負傷者数，重症度，外傷分類
Emergency services：緊急対応すべき機関 —現状と今後必要となる対応

(MIMMS Advanced course)

状分析を行い，活動方針を計画しなければいけない．フェーズもしくは情報の変化とともに繰り返し現状分析の実施，活動方針を行っていく必要がある．

現地 JRAT 災害対策本部に参集したチームは，受援体制を確立した現地 JRAT 災害対策本部で受付（チーム構成，チーム数，資機材など）をし，現在までの活動状況や今後の活動方針などの報告を受け，活動に臨むことになる．

（浅野直也）

Ⅳ フェーズ別の対応

A フェーズ分類

1．４つのフェーズと医療支援

災害が発生した場合，発災直後からの経時的状況変化に対応した支援の構築が求められる．これは災害に共通した変化で，そのスピードは災害の規模や範囲，行政の被災状況など諸事情により変化する（図Ⅳ-1）．

フェーズ分類では被災地の状況変化を第１期から第4期までに分類し，その特徴を表Ⅳ-1に示す．

これらは当然ながら被災範囲が広いほど，復興までの時間経過は地域ごとに異なるので，被災地全体からみればこれらのフェーズが混在して変化していくような様相を呈することとなる．

現在，我が国においては「災害救助法」に則り，救命・救助を目的としたDMAT，その後を受けて日本医師会によるJMATなど（その他，日本赤十字病院や国立病院機構・大学病院・自衛隊など）が主な医療チーム（救護班）として，またJRATがリハビリテーション支援チームとして組織化されている．さらに保健行政関係では，災害時健康危機管理支援チームDHEATが組織化され，2016年の熊本地震から機能するようになった．

その他，DPAT〔災害派遣精神医療チーム（心のケアチーム）〕や各種団体による独自の専門職ボランティア〔日本薬剤師会，日本歯科医師会，社会福祉協議会，日本栄養士会，日本理学療法士協会，日本作業療法士協会，日本言語聴覚士協会，全国災害ボランティア支援団体ネットワーク（JVOAD）など〕が存在する．これら被災地における団体の動きはフェーズによって異なり，撤退の時期も団体によって異なる．

2．災害リハビリテーション支援

災害時のリハビリテーション支援は，その時期や周囲の状況によって優先事項が変化してくるので，常に柔軟かつ俯瞰的な見方や思考は忘れない

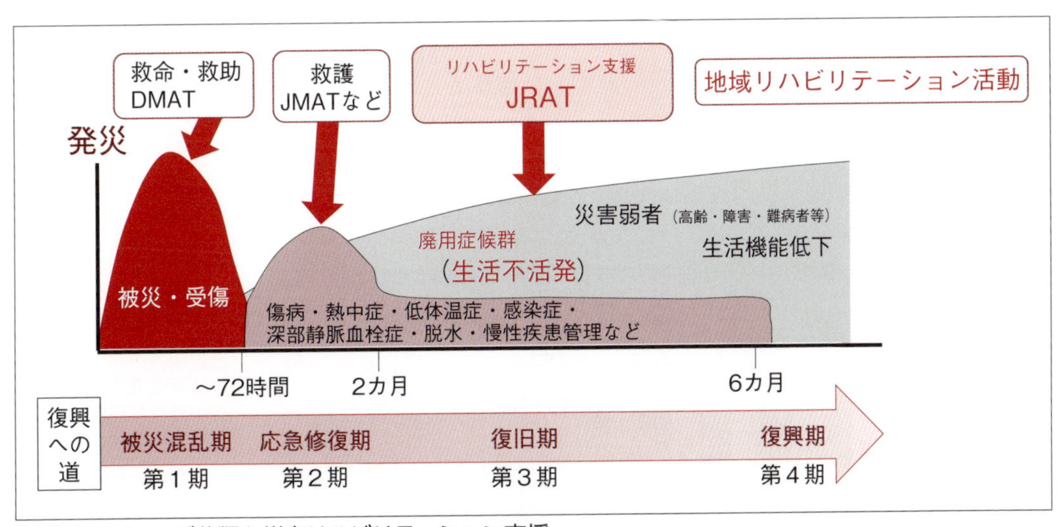

図Ⅳ-1　フェーズ分類と災害リハビリテーション支援

表Ⅳ-1　災害フェーズ分類

災害フェーズ	第 1 期	第 2 期	第 3 期	第 4 期
期間	発災～72 時間	4 日目～1 カ月	2 カ月目～6 カ月	6 カ月以降
復興への道	被災混乱期	応急修復期	復旧期	復興期
被災地状況	ライフライン破綻 交通手段破綻 情報・通信網破綻 行政機能混乱 食料・物資不足 医療機能混乱 医療機器不足 薬品不足 避難場所 一次避難所	ライフライン復旧 主要幹線道路回復 情報・通信網復旧 行政機能集約・部分復旧 備蓄品配給 支援物資流通・確保 一時避難所管理運営 避難者帰宅・在宅避難 仮設住宅設置開始・移行	一次避難所集約化 二次避難所・福祉避難所移行 仮設住宅充足へ	避難所閉鎖 仮設住宅孤立化警戒 復興支援住宅への移行 新生活への模索

災害医療	救命・救護	救護	仮設診療・巡回診療 地域医療再生	地域医療の 再建・充実・適正化
現地スタッフ	病院・診療所医師，看護師，PT，OT，ST など			
支援チーム	DMAT，JMAT など	JMAT，JRAT など（その他の医療チーム）		地域医療再建・充実 適正化支援
スタッフ	医師，看護師，業務調整員（コメディカルスタッフ，事務職） 救命救急士，消防士，警察官，自衛官	医師，看護師，薬剤師，PT，OT，ST，事務職など 救急隊員など，消防士，警察官，（自衛官）		
任務内容	救命・救助 トリアージ 後方搬送 感染予防・衛生管理	避難所診療機能（巡回診療や往診）		医療的自己管理推進 自律神経機能調整

日本災害リハビリテーション支援協会（JRAT）

災害リハビリテーション	初動対応	応急対応	生活始動， 地域生活再建	地域リハビリテーション活動
現地スタッフ	医師（リハビリテーション科医など），看護師， PT，OT，ST（現地関連職能団体など）			リハビリテーション科医，看護師，PT，OT，ST 現地関連職能団体，地域住民
コーディネート	災害医療コーディネーター 保健所（所長，保健師） DHEAT	地域リハビリテーション支援センターなど	協議会 地域リハビリテーション広域支援センター 地元のリハビリテーション関連団体（医師やセラピストなど）	行政機関（保健所，老年・障害・福祉関連部署）
支援チーム	JRAT		地域 JRAT→地元リハビリテーション関係者による地域リハ活動	
支援スタッフ	リハビリテーション科医，PT,OT,ST を先行派遣	リハビリテーション科医など，看護師など，介護福祉士，PT，OT，ST，管理栄養士，歯科医師，歯科衛生士，SW，CM，その他医療・介護・福祉専門職	左記に加えて，訪問系サービス，通所系サービス	
任務内容	状況把握 情報収集・集約 後方移送 避難所環境整備 （リハビリテーショントリアージなど）	要配慮者把握，リハビリテーション対象者把握（リハビリテーショントリアージ） 二次的合併症予防 廃用症候群（運動，臓器など機能低下）対応 生活不活発対策 現地病院・施設リハ機能支援 現地従事者支援 障がい児・者対応 在宅避難者孤立対策集落孤立対策 訪問・通所リハビリテーションサービス		介護予防，体力づくり 生活機能向上 地域リハビリテーション活動 仮設住宅生活者支援 自宅生活再建者支援 帰宅者孤立防止 集落・コミュニティ支援 地域生活再建 生活不活発予防 廃用症候群対応 生活環境支援
福祉用具・機器	移動用具（杖，車椅子，歩行器，簡易設置手すり），義肢装具， ベッド（簡易を含む），ポータブルトイレ，その他の福祉用具			制度を含めた適正化
活動組織	県内を基本とした，医師会，歯科医師会，看護協会，PT，OT，ST など，関連職能団体			
心のケアなどのチーム	DPAT，精神科医，看護師，OT，公認心理師など			
ボランティア	県社会福祉協議会，JVOAD やその他の NPO など			

ように心がけたい．特に現地では多くの情報に翻弄されるので，現場の温度感や空気感を大事にしつつも，冷静な思考・対応と自分自身のメンタルコントロールが求められてくる．

発災から早い時期では，避難所への関わりが主となる．避難所の場所・規模・環境や管理者など基本的事項から，内部の衣食住を中心とした環境の評価は重要となる．全体の評価と避難者個別評価に可能な範囲で関わり，時間的な迅速性を含めて関わる頻度を決めていかなければならない．発災時における具体的な怪我などは医療支援チームによる対応となるので，必要時にはそちらのサポートを行いつつ，リハビリテーション支援では生活不活発やそれに伴うであろう深部静脈血栓症（DVT）などの予防活動が主となってくる．

一方で，現地でのリハビリテーション支援に関わる組織づくりも大きな役割である．現地の地域JRAT構成機関の代表者による合意で速やかに現地JRAT災害対策本部を設置し，JRAT中央災害対策本部との連絡を密にしたい．現地の被災状況，医療，行政，交通，ライフラインやインフラ全般などに関わる情報を入手し，整理・発信することは重要な任務である．同時に現地の関係団体との情報交換を意識し，状況把握に努めたい．地元医師会との連携は重要で，それらを通して都道府県の災害対策本部や救護班からの情報を入手する（状況によりその場への同席依頼）．都道府県地域リハビリテーション支援センターや地域リハビリテーション広域支援センターが機能しているところでは，それらとの連絡は必須である．

時間とともに状況は変化するため，意識的・意図的な情報収集に努める．現地の被災医療機関・介護保険サービス事業所の情報，民間避難者や在宅要配慮者の情報など，時間経過とともに明らかになる情報もあるので，収集した情報の更新を行う．

（淡野義長・三宮克彦・栗原正紀）

B 第1期「被災混乱期」

1．被災地の状況

被災混乱期は，時期として発災直後からおおむね72時間までを目安とする．この時期は救命・救助・避難が最優先となり，様々な団体も入り一時騒然となる．ライフラインや主要な交通網・情報網が機能せず，状況把握は不十分となる．避難所は次々と開設されるが，機能的な運営になるまでには時間を要する．水・食料や生活用品は持参・備蓄品などで当面はしのぐことになる．

2．被災者の状況

台風など被災までにある程度時間的な見込みがつく場合は多少の準備ができるが，突然発災した場合は，まずは安全確保，次に避難となり，多くは着のみ着のままで避難することとなる．外傷による感染や持病の管理，季節によっては低体温症や熱中症など課題は多い．食料や水も十分ではないが，一方で排泄物の処理も不十分となり，衛生や感染の課題は大きい．

避難者は当面の生活の場を整えなければならない．災害規模や行政の被災状況などわからないことが多い時期となるが，自助・互助は必然的に発揮され，それは負傷者や生活弱者などへの配慮にも繋がっていく．

3．医療の状況

DMATに代表される医療チームや消防，自衛隊などの救助隊は，速やかに活動開始となる．さらにJMATや日赤救護班，DPATなどの活動も始まる．これらの医療関連情報は都道府県保健医療福祉調整本部や各保健所レベルでの保健医療福祉調整本部に集約される．

被災地の医療機関では自力で踏ん張る時期となる．職員の被災状況の把握とともに，内部では設備・備品，医療機器や医薬品など，医療機関としての残存機能・能力を把握しつつ事業継続計画（BCP）に基づいて迅速に対応する．一方，近隣住民・施設へ避難要請が生じる場合も念頭に入れる．

4．災害リハビリテーション支援

地域JRATは現地JRAT災害対策本部立ち上げの判断を速やかに行う．判断が困難な場合は，JRAT中央災害対策本部の指示を仰ぐ．立ち上げが決定された場合には，現地JRAT災害対策本部立ち上げと合わせて，都道府県保健医療福祉調整本部に参集し，行政，他の災害医療団体との連携，情報収集に努め，今後の対策を検討する．

（淡野義長・栗原正紀）

C 第2期「応急修復期」

1．被災地の状況

応急修復期は，期間としてはおおよそ発災4日目から1カ月までを目安とする．最も被害が大きい被災中心地の周辺から，破綻したライフラインや主な交通網・情報網から徐々に復旧してくる．行政や各支援機関などの指示・命令系統が整備され，災害に関する情報が定期的かつ正確になってくる．

しかし同じ被災地でも，中心部と周囲部，ライフラインの復旧度合い，平時の環境や人口，保健・医療・介護・福祉資源の状況などでその程度は異なる．徐々に水・食料・生活用品などの救援物資が届き始める一方，仕分けや配送などが一部の避難所に偏るなどの課題もみられてくる．

また被災規模や交通網・情報網などの状況によって，行政が指定している指定避難所以外にも大きな避難所ができることがある．さらに避難所だけでなく，自宅や車中で混乱を避けて生活する避難者が存在する場合がある．

2．被災者の状況

避難所では，行政保健師やボランティア団体などが入り，名簿作成に合わせて要配慮者の確認や区画整理，衣食住に必要な物品などの整理が行われる．避難所ごとの自治組織ができ始め，運営ルールなども作られ始める．

被災者それぞれの状況に応じて，住居の片づけや職業に復帰する人がみられてくる一方で，高血圧・糖尿病などの持病悪化による健康問題が発生してくる．さらに，身体だけでなく精神に障害をもった被災者や，避難によるストレスなどによる体調不良者など，避難所での生活が困難な人も出てくる．また，特に大きな避難所ではプライバシーが阻害される，多くの地域からの避難者で平時の近所付き合いが遮断される，感染症が蔓延しやすいなど多くの課題への対応が求められる．

3．医療の状況

被災地の周辺から徐々に被災中心部に向かって被災した病院などの医療機能が復活し始めるが，被災中心部は医療に関する需要と供給のアンバランスが生じており，外部からの支援が必要である．

基本的にDMATは，発災から72時間の救命・救急活動に従事するが，その後も被災規模や状況に応じて被災した病院機能の復旧，避難所での医療・保健・福祉などを支援する．DMATの活動に続き，JMATなどによる医療支援が開始される．また，DHEATによる健康危機管理支援やDWATによる福祉支援も始まり，被災混乱期を過ぎたこの時期では，被災対象者には総合診療的視点が望まれる．

JRATはこれらのチームと協力して避難所アセスメントに参画し，そのうえで保健師（避難所管理者と情報共有し，必要に応じた公的スペースや避難者それぞれの個別スペースの環境調整，集団体操やニーズに合わせた個別指導等を行う．詳細は次項「4．災害リハビリテーション支援」にて述べる．

さらには日本赤十字社救護班やJADM，PCAT，JDA-DAT，その他多くの災害支援チームが現地で活動を開始している（図Ⅳ-2）．

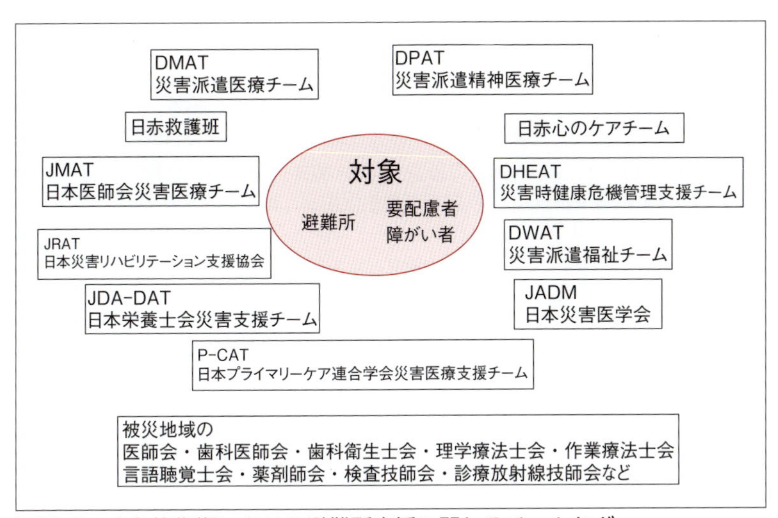

図Ⅳ-2　応急修復期における避難所支援に関わるチームなど

4．災害リハビリテーション支援

応急修復期におけるリハビリテーション支援活動は，避難所の環境整備，自立したセルフケア，深部静脈血栓症などの二次的傷病などへの対応支援が求められる他，在宅高齢者，障がい児・者のリハビリテーションニーズの把握およびリハビリテーション支援などが求められる．

1〕活動の許可

各避難所での活動は，まずは責任者（もしくはそれに準ずる人）を訪ね，JRATの活動内容を認識してもらう．災害時のリハビリテーション支援として何ができるかを説明し，避難所の状況に合わせたニーズを共有した支援が大切である．避難所の区分や組織状況などの情報を得るとともに，原則として活動の許可を得て活動する．被災混乱期からの避難所の変化は著しく，情報が混乱している場合が多いので責任者や同時期に活動する他の団体との連携を密にし，できれば共通の目標や役割分担を決めて取り組むことが望ましい．

2〕ライフラインの確認

電気，上下水道，ガス，通信，水，防暑防寒，ライフラインなどの確認を行う．

3〕避難者の生活状況の把握と対応

まずは避難者のセルフケア（食事，排泄，更衣，清潔，睡眠）が確保されていること，特に初期は水分補給，排泄場所の確保，休養（睡眠）が不十分でもとれる状況にあるかが重要で必要な対処を行う（表Ⅳ-2）．また，従来から集団生活となる避難所では，感染性胃腸炎やインフルエンザなどへの対策は重要であったが，2020年1月以降，COVID-19の世界的感染拡大により感染症が強く意識されるようになっており，十分な対策が必要である．避難所の整備にあたっては，共有スペース・個人スペースにかかわらず，現地責任者への報告・連絡・相談は密に行う．また，できる限り公平性を意識しながら，優先度を考慮した対応も必要である．

4〕生活不活発病への対応

機能低下による弊害を避難所それぞれで広報し，体操指導を行うなど避難者全体に対し啓発し意識を高める．また生活不活発が予測される要配慮者を把握し，個々に合った指導を行い継続的に確認や修正を行う．さらにバイタルサインの重要性を広報・啓発し，自己計測を指導・自己管理の習慣化を促す．

5〕避難者の心理的ケア

避難者の心理的な変化にも対応が必要である．身体的には疲労しているが，心理的には使命感に満たされているなど身体的活動性と心的活動性が一致していない場合が多いため，特に傾聴姿勢を意識する．また疲労感・倦怠感は痛みや他の身体

表Ⅳ-2　セルフケアに関する留意点

項目	検討・留意事項
食事	①食糧，飲料水の状況を確認，②水分摂取促進，特殊食形態の必要性を把握，③摂食用具の確保，④誤嚥リスク者の把握，吸引の必要性を把握，⑤義歯の有無，必要性を確認し対応する（歯科医師・歯科衛生士との連携）
排泄	①排泄場所（数，男女比）の確認，②便器の種類（洋式・和式・立便器），③衛生状況（臭気含む），④手すりなどの確認，⑤障がい者への配慮・対応，⑥おむつや生理用品，尿器などの必要性，在庫の確認，⑦尿便の処理（上下水道，他の手段），⑧自動ラップ式トイレ
更衣	①衣類の確保，②毛布・ひざ掛けなどの確保，③更衣室の確保，④衣類の衛生状態の把握
整容	①洗面所の確保，②タオル・石鹸・シャンプーなど関連用品の確保
清潔（入浴）	①タオル・石鹸（清拭用品）・シャンプーなど（水のいらないもの含む），②下着程度の簡易な洗濯場所の確保，③アルコール手指消毒剤などの確保，④歯ブラシなど口腔衛生用品の確保 ＊初期段階では上下水道不通，入浴（シャワー含む）不可能な場合も想定する
睡眠	①スペース配分や寝具類の在庫の確認，②簡易ベッド（段ボールベッド）・簡易衝立（間仕切り）の検討（埃を考慮し床面から30 cm以上を目安に），③アルミやウレタン製シートによる床からの冷気対策，④アイマスクや耳栓，むくみ防止の下肢挙上など，⑤防虫対策
移動	①避難所内外の動線を確保する（歩行者や車椅子にも配慮），②土足域との区別をつける，③できる範囲で不整地の整備，必要箇所へ簡易手すりなどの設置（転倒リスクの排除），④避難者の被災前の移動手段の確認，⑤避難時の怪我や痛みなどによる移動能力低下の確認，⑥靴や杖・車椅子・歩行車などの確保，⑦避難所出入りのバリアの確認と検討，⑧夜間移動時の照明の確保，⑨追加避難時の動線の確保（2方向以上），⑩空気入れやパンク修理キット・簡易工具などの手配

被災地でのライフラインやインフラの復旧の程度により，物資や避難所の状況が刻々と変化する．物資が不足している場合も多く，不十分でもできる範囲で，そこにあるもので対応するアイデアを要する場合も多い．避難所で必要な物資やその数量などについては，スフィアプロジェクトによるスフィアハンドブックが参考になる．

的症状にも繋がりやすい．身体的ケアも念頭におき，必要に応じて仮設診療所などの他の医療班の受診を勧めることも念頭においておく．

6〕多職種ミーティングなどへの出席

現地に関わる医科歯科の医療救護班，仮設診療所，地元医療機関，行政による関わりなどの状況を把握するため，多職種ミーティングなどには必ず出席する．

7〕継ぎ目のない支援

常に次に繋げる意識をもって対応にあたる．被災地支援は被災地の人間でない限り短期時限的である．初期の被災混乱期から応急修復期，応急修復期から復旧期へと支援が継続するような関わりを行うべきであり，先遣隊から得た情報や活動を変化に合わせて対応し，次の派遣隊へ確実に繋げ，被災者にとって継ぎ目なくスムーズに，ストレスを与えることなく支援していく．

（三宮克彦・栗原正紀・淡野義長）

第３期「復旧期」

1．被災地の状況

復旧期は期間としてはおおよそ発災後２カ月から６カ月を目安とする．復旧期になると，被災地域でのライフラインや主要な交通網・情報網の修復・復旧が進み，社会生活や経済活動も徐々に元の状態へ戻っていく．地域外からの公私にわたる物・人の援助も質量ともに進み，復旧に向けての活動もスピードが上がっていく．しかし，被災の大きかった地域では，甚大な被害を受けて損傷・倒壊した住居・施設が，まだそのままの状態で残っており，被災した住居の修復・再建は見通しが立たない状況であり，被災者も長期の生活再建見通しが立たず，行政サービスのみならず身体的・精神的にもサポートが必要な状態である．この時期は都道府県，市区町村，保健所などの行政機能は回復してきているが，増大する被災処理業務のため十分には現場の要求・要望に対応できていない状況にあり，特に被災の大きかった市区町村においては外部からの人的援助により対応しているが，まだ混乱がみられることが想定される．

2．被災者の状況

ライフラインや交通網・情報網の修復・復旧が進み，指示・命令系統も復活・整備され，多くの指定避難所や臨時避難所から自宅へ帰宅して生活再建を開始する被災者も増えてくる．また，県外や非被災地域へ避難していた住民が帰還してくるが，被災した住居の修復・再建は進んでおらず，親族宅や仮設住宅，みなし仮設住宅での生活再建となる場合が多く，新たな地域でのコミュニティづくりや必要な医療・介護・福祉サービスも新たに構築していくことになる．

避難所の集約化が始まるとともに二次避難所・福祉避難所への移行や仮設住宅，みなし仮設住宅への移行が開始される．避難所の被災者も，日中は仕事や，被災した住居の片づけや修復などで出かけ，日中避難所に留まるのはフレイルな状態の高齢者や障がい者が目立つ．このため避難所の集約化や仮設住宅，みなし仮設住宅への入居に伴い交流の機会や場づくりによる全く新しい地域コミュニティづくりが望まれる．要支援・要介護者や障がい者などの生活弱者に対する医療・介護・福祉サービスは，これまでのサービス提供体制が使える元々の自宅住居復帰者は比較的維持されている．しかし，行政サービスや医療・介護・福祉サービス提供体制がうまく機能していない場合には，新たな地域で仮住まいを開始する被災者へは十分にサービスを提供できていない状況もみられる．また，避難所では食事や飲料水の提供があるが，仮設住宅，みなし仮設住宅への入居になると購入できる店なども限られることもあり，高齢者や障がい者などの要配慮者には特にきめの細かい配慮が必要である．

3．医療の状況

被災した医療機関や福祉施設も少しずつ診療・支援体制を取り戻し，入院・入所患者への診療だけではなく仮設住宅などを含めた在宅診療・サービスなどの通常の業務を再開してくる．しかし，建物の被災のみならず職員も被災しており，通常の業務と並行して自身の生活再建を行っている場合も多く（被災住居の補修や再建，仮設住宅での生活，転居による環境変化など），身体的・精神的疲労も蓄積してきている．また，被害が大きかった地域では，業務を再開できていない医療・介護機関が残っており，支援を継続していく必要がある．

被災により手術や治療を受け県外転院していた被災者の帰還や入院・入所していた被災者の退院も増えてくるが，損傷・倒壊により自宅復帰が困難であったり，仮設住宅やみなし仮設住宅の供給が間に合わなかったり，療養病院や介護・福祉施設も入院・入所者で埋まり，生活拠点の確保が難しく，退院・退所支援が困難な状況がみられる．

一方で，JMAT などの医療支援チームによる避難所や仮設住宅への巡回診療などは必要に応じて継続されるであろう（なお，災害救助法適応は原則発災から2週間以内とされているが被災県知事の要望により延長される）．慢性疾患の治療・管理や整形外科疾患・下肢深部静脈血栓症対策，衛生管理（感染，食中毒，熱中症，低体温症などの予防・治療）などが継続して行われるが，これらを現地での医療体制の回復状況に合わせて徐々に移行していく．最終的に現地医療従事者を中心とした医療支援地への引き継ぎを念頭におきながら支援業務が行われる．

4．災害リハビリテーション支援（地域医療再生，生活始動～地域生活支援）

1〕地域医療再生支援

被災した医療機関や福祉施設が少しずつ通常業務を再開してくる．地域におけるリハビリテーション提供機関（病院，診療所，介護老人保健施設，通所リハビリテーション，訪問リハビリテーション，訪問看護ステーションなど）も，入院・入所者や仮設住宅などを含めた在宅利用者へのサービスを再開してくるであろう．しかし，施設の損壊や職員不足などの診療・サービス提供体制の低下や，被災の大きかった地域では再開できていない場合もある．基本的にはこの時期になると，被災県内でも被災を免れた・被災の影響の少なかった地元のリハビリテーション提供機関が支援の主体となっていくことが望まれるが，新たな医療・介護サービス提供システムが整備され，その体制に移行できるまでは，どうしても外部からの支援体制による補完が継続されることが望まれる．地元での各施設からの支援や外部からの支援を，現場ニーズとマッチングしながら系統的・組織的に調整していく仕組み〔行政（都道府県，市区町村，保健所，地域リハビリテーション支援体制など），団体（JRAT，医師会，病院・施設の協会，職能団体など）〕の中で各機関・各団体間で密接な連携・協力を行い進めていくことが重要である．地域包括ケアを見据えた種々の取り組みが重要であり，その過程では元気高齢者など地元人材資源を生かした再構築計画へ繋がるようにしていきたい．

2〕地域生活支援

地域生活支援は，被災住居の修復・再建を行いながら自宅復帰を行う場合と親族宅や転居，あるいは仮設住宅，みなし仮設住宅へ入居し新たな地域での生活再建を行う場合では異なってくる．しかし，どちらにせよ物的・人的環境は被災前とは大きく異なっており，互いに支え合う，新たなコミュニティづくりが必要になる．地域生活の主役は被災住民であり，新たなコミュニティづくりも主役である被災住民が主体になり進められるべきである．ここでも当事者による当事者のための活躍を意識し，生活不活発になる前から何らかの繋がりがもてるように，また虚弱になった被災住民などの状況把握が速やかにできるような支援を行いたい．その際には住民が当事者意識をもって能動的に活躍できるような配慮や場の提供が必要となろう．

復旧期～復興期の災害リハビリテーションは，環境調整や福祉用具導入を含む個別対応だけでなく，特にこの新たなコミュニティづくり・街づくりに対して地域リハビリテーションで培ってきたノウハウを生かして活動していく必要がある．帰宅者の孤立化対策，集落の中での孤立化対策を行い，コミュニティ参加を通して社会参加が進む体制作りが必要である．県外からのJRAT支援から地元でのJRAT活動へ，そして従来からの地域リハビリテーション支援体制，地域リハビリテーション広域支援センター活動（二次医療圏域活動にとらわれず生活圏域を支援）へと日常生活に密着した活動について長期計画を見据えて行っていく．このためにも，平時から地域リハビリテーション支援体制の構築，そして積極的なリハビリテーション職などの地域リハビリテーション活動が重要である．

（栗原正紀）

第４期「復興期」

1．被災地の状況

復興期は期間としてはおおよそ発災6カ月以降を目安とする．被災地ではライフラインや交通網・情報網などの応急整備が済み，地域外からの公的・私的な援助の大半は終了している．保健所を含む行政の機能は十分とはいえないまでも，一通りの基本的な業務が再開されている．経済活動もほぼ復旧している．甚大な損傷・損害を被り，いまだ復旧に至っていなかったり，復旧を断念せざるを得ない建造物や機関も残っているが，それらにより低下した機能は地域内の他の機関や人材がカバーしている．医療・介護・福祉の体制は地域全体としては必要最低限の機能を取り戻している．

2．被災者の状況

すべての避難所が閉鎖され，被災者はそれぞれ生活の場を確保している．自宅への帰宅を果たし災害前とほぼ変わらない生活を取り戻している被災者がいる一方で，いまだ仮設住宅や親族宅などの「仮の住まい」や新たなコミュニティでの慣れない環境に長期間身をおいている被災者もいる（災害の種類や規模により状況が異なる）．要介護者・障がい者をはじめとする生活弱者に対する医療・介護・福祉サービスは，仮の住まいで生活する者に対しては十分に行き届いていない場合がある．自宅復帰者についても，長期の避難生活や生活環境の変化（同居者の変化，住宅の損傷など）によりサービス内容の見直しや新たなリハビリテーション支援を必要としている場合がある．

3．医療の状況

災害医療チームはほぼすべて撤退し，大半の医療機関は平時の診療体制を取り戻している．しかし，職員の受傷や避難による人員不足や職員自身の被災生活（例：自宅の損傷，仮設住宅生活，転居による長時間通勤）などのため，現場職員の疲労が蓄積し，健康上の問題や業務上のアクシデントやインシデントが起こりやすい状況にある可能性がある．また，物的・人的被害が甚大だったために診療再開に至っていない病院や診療所が残っていることもある．

4．災害リハビリテーション支援（地域医療再生支援，地域生活支援）

1〕地域医療再生支援

地域医療の提供主体は（災害医療チームではなく）地域内の医療機関であり，リハビリテーション医療領域においても，地域内のリハビリテーション機関（病院，診療所，通所リハビリテーション，訪問リハビリテーションなど）が提供主体である．地域内の医療やリハビリテーションサービスが問題なく機能していれば，地域医療やその再生に対して，外部から支援を行う必要はない．しかしながら，施設の損壊・破損や職員の欠員による診療・サービス提供機能の質的・量的低下があれば，何らかの方法で補充・補完しなければならない．そのためには施設間の自発的な連携・協力や組織的な調整が必要である．組織的な調整は，行政主導（市区町村，保健所など．地域リハビリテーション支援体制も含む），団体主導（医師会などの職能団体，病院・施設の協会など）が考えられる．

2〕地域生活支援

地域生活の主役は言うまでもなく被災者たる地域住民であり，彼らが主たる支援対象である．被災者に対するリハビリテーション支援の考え方は，地域リハビリテーションの定義[1)]がほぼそのままあてはまる．しかし，仮設住宅入居者のように復興期においても「住み慣れたところ」にいまだ復帰できない被災者がいる．これら「住み慣れないところ」を「住み慣れたところ」に変えていくことに関してリハビリテーション医療が貢献できることは多い（環境調整，福祉用具，コミュニティづくり，街づくりなど）．このように，復興期のリハビリテーション支援の対象は仮設住宅など新たな生活環境に身をおく人々が優先される．一方，自宅復帰者に関しても前述のように種々の理由で質的・量的なサービス低下がみられたり，新たなリハビリテーションニーズが生じている場合があるため，注意を要する．

この時期においてはJRATなどの「災害リハビリテーションチーム」による組織的介入はすでに終了しているため，平時に準じた地域リハビリテーション活動が支援体制の基本となる．地域リハビリテーション支援体制が構築されている都道府県なら，このシステムを最大限に活用し，地域リハビリテーション広域支援センター，保健所，市区町村，医療・介護・福祉機関，関係職能団体，ボランティア組織などの連携・協働により，支援活動を継続する．復興期の地域リハビリテーション活動においては，二次医療圏域にとどまらず，日常生活に密着した地域包括ケア圏域をより強く意識する．

なお，平時から行政機関と良好な関係性を構築することで，復興計画策定のところから何らかの形で参画できることが望ましい．

3〕支援活動の振り返り

復興期はやがて平時あるいは「予防期」「準備期」と呼ばれるフェーズに移行していく．時期を見計らって様々な形式での報告会開催や報告書の作成・発行などを計画する．それら振り返りのプロセスは，組織の強化，研修体制のブラッシュアップ，関係者・関係団体との連携強化などのきっかけとなり，次なる災害への備えに繋がっていく．

【文献】

1）浜村明徳（特別講演）：2016年版地域リハビリテーションの定義，推進課題，活動指針について．日本リハ病院・施設協会誌 **159**：12，2017．

（大仲功一・栗原正紀）

被災混乱期・応急修復期の対応

〈被災混乱期・応急修復期の対応の概要〉

実施項目	JRAT 中央災害対策本部の対応	現地 JRAT 災害対策本部の対応	被災地（勤務先・避難所など）での対応
指示系統の確立と安全確保	本部立ち上げ（リモート・事務局） 現地あるいは現地までの交通状況確認	本部立ち上げ（リモート・現地近隣） 現地あるいは現地までの交通状況確認 保健医療福祉調整本部参画 JRAT 活動開始宣言 JRAT 中央災害対策本部との連絡調整（RRT 要請の検討）	自身と近親者の安全確保 勤務先の被災状況の確認 避難所での安全確保
情報の収集と共有	情報収集・集約 被災地外の地域 JRAT 支援要請準備	情報収集・集約 ・避難所数・情報 ・地域リハビリテーション広域支援センター ・JRAT 協力施設 医療保険福祉調整本部，JMAT などとの情報共有	勤務先での BCP 的情報収集 （可能であれば）避難所管理者との情報共有と発信
アセスメントとリハビリテーショントリアージ	情報集約 EWS の確認 RRT 派遣の検討（現地からの要請前提）	被災県のみでの対応可否の検討 避難所アセスメント	勤務先での BCP 活動 （可能であれば）避難所アセスメント リハビリテーショントリアージ
災害リハビリテーション支援	RRT の派遣 支援チームの編成・派遣 現地とのマッチング	避難所支援差配 物資調達	環境調整支援

被災混乱期・応急修復期における支援活動の原則と留意点

1．被災混乱期・応急修復期の指示系統

組織レベルで活動するときは，いかなる場合も指示系統が重要である．そしてそれは，災害の規模や支援規模，状況により異なる．最も大規模な災害の場合，JRAT 中央災害対策本部を立ち上げ，全国の地域 JRAT を差配する．災害規模が小さければ，ブロックレベル，地域 JRAT レベルと状況に合わせて規模が小さくなる．報道などで被害規模を想定するとともに現地からの情報を加味して，支援規模を決定する．

2016 年の熊本地震においては，全国規模でのリハビリテーション支援が行われた．JRAT 中央災害対策本部では被災県以外の地域 JRAT からの支援を現地の要望に合わせて調整し，JMAT へ登録して現地熊本に派遣した．現地熊本においては，熊本県庁内の医療救護調整本部内に JRAT 調整本部を置き，行政や DMAT，JMAT，その他の支援団体と連携調整され，それらの特性に応じて役割が分担され効率よく支援が展開された．さらに市区町村や避難所レベルでは，熊本 JRAT 災害対策本部から指示を受けた避難所支援チームが避難所

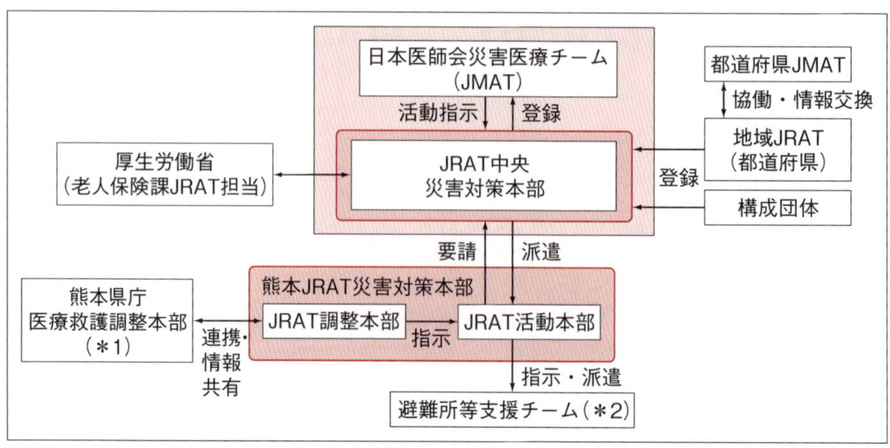

図V-1　熊本地震における JRAT 避難所等支援チーム派遣に係る指示系統

＊1：熊本県庁内医療救護調整本部では，災害医療コーディネーターを中心に行政と各支援団体間での情報共有と役割分担が図られた．

＊2：避難所等支援チームは，活動本部の指示で派遣し，各市区町村や避難所責任者の指示下に入り活動した．

（大規模災害リハビリテーション支援関連団体協議会，2017，文献 1 を改変）

管理者や保健師を中心とした指示命令系統下で活動した（図V-1）．

災害の規模が大きいほど多くの支援団体が参画するため，JRAT での活動は行政などの俯瞰的管理・指示下での活動となる．2022 年度下半期からは，厚生労働省からの通達で，行政や DMAT 主導の比較的規模の大きい災害時実動訓練に参加できる機会が多くなった[2]．災害時実動訓練に参加することで，平時から地域 JRAT と JRAT 平時事務局が連携して，地域レベルと全国レベルの活動の両面からの準備と行政・DMAT・JMAT などとの関係づくりを有効に行うことができる．

2. 情報の収集

災害支援を行う場合，情報を一括し集中的に管理できる体制を構築することが望ましい．しかし，災害発生直後の被災混乱期に情報を整理することは非常に困難である．

1〕現地の情報収集

まず，現地 JRAT 災害対策本部の立ち上げを確認する．地域 JRAT 事務局や広域支援センター，災害拠点病院などに現地 JRAT 災害対策本部が立ち上がると予想される．JRAT 中央災害対策本部に立ち上げを報告し，今後の協力体制を確認する．現地対策本部で必要な情報がどの程度収集されているかを確認し，報道などの情報も加味して現地情報を後方支援する．現地の情報が正しいように感じがちだが，現地のインフラなどの復旧の状況次第で情報が乏しい場合も想定しておく．

そして，現状への支援規模を決定する．混乱した状況での判断は困難だが，「大きく構えて小さく収める」イメージで，適宜修正しながら進める．

2〕JRAT 中央災害対策本部の情報収集

大規模災害の場合はJRAT 中央災害対策本部から各地域JRATへ支援派遣準備開始のための情報を連絡し，速やかに支援チームの編成に取りかかる．どの都道府県チームが，どのような職種編成で，いつから現地に入ることができて，いつまで滞在可能かなどの情報を整理する．現地の情報と合わせてマッチングを図り，先遣隊を派遣する．被災地域周辺の地域JRATが地理的にも先遣隊となるのに有利であり，徐々に遠方まで支援範囲を広げるイメージで支援予定を立てる．現地からの情報が十分に得られないと判断される場合には，メディア報道や JRAT-EWS（Early Warning Score）も参考に，現地の状況を確認しながら JRAT-RRT（Rapid Response Team）の派遣も考慮する．JRAT-EWS と JRAT-RRT の詳細は他項

(p.42，Ⅱ-B3）を参照されたい[3]．

3．派遣の原則

JRAT は公式な活動であるため，派遣にあたっては，派遣者の所属長の許可を得る必要がある．

派遣者は，余震などによる二次災害も想定し，安全には十分に注意をはらう．また過労や健康管理に十分留意し，決して無理をしてはならない．発熱・嘔吐・下痢など感染症の可能性がある場合は，避難所への介入は絶対に避けるべきであり，特に注意が必要である．また活動はあくまで現地主義であり，言動に注意するとともに私見に偏った継続性のない対応は慎むべきである．特に避難者への直接的な関わりには最大限の注意と配慮は必須である．

【文献】

1）大規模災害リハビリテーション支援関連団体協議会（JRAT）：熊本地震災害リハビリテーション支援報告書：http://www.jrat.jp/images/PDF/pdf_20171106.pdf

2）厚生労働省：大規模災害時の保健医療活動に係る体制の整備について（令和 4 年 7 月 22 日）：https://www.mhlw.go.jp/content/000967738.pdf

3）冨岡正雄・他：JRAT-RRT の創設．*MB Med Reha* **272**：43-50，2022.

（三宮克彦）

B　被災地側の被災混乱期・応急修復期の対応

1．安全確保

自然災害だけでなく，いかなる状況であっても最も大切なことは，支援者自身とその近親者などの安全確保である．

次に，支援者自身の勤務先の状況の確認である．災害リハビリテーション支援に関わる多くの人は，病院や施設などの職員であり，勤務先の状況によっては入院患者の安全確保が必要な場合もあり得る．各施設とも緊急時対応マニュアルや事業継続計画（Business Continuity Plan；BCP）が策定されており，これらに従った対応が第二の課題である．これらの課題が解決できてから，被災地側の受け入れ体制を確立するための活動を行うことが理想だが，実際は状況に合わせて臨機応変の判断が求められることになるだろう．

2．被災地側の指示系統

指示系統の重要性には論議の余地はない．決定権と責任の所在，体制がはっきりしていなければ現場は動けない．平時から大規模災害を想定した組織図を構築しておき，有事においては，それをもとに現状に応じて適宜更新する（図Ⅴ-2）．また，対外的にも平時より JRAT が行政や各都道府県レベルでの災害医療・救護に関わる組織図の中に組み込まれておくことが必要である（図Ⅴ-3）．

現地 JRAT 災害対策本部設置に関することは，Ⅱ-B7「現地 JRAT 災害対策本部の設置と役割（p.49）」を参照いただきたい．

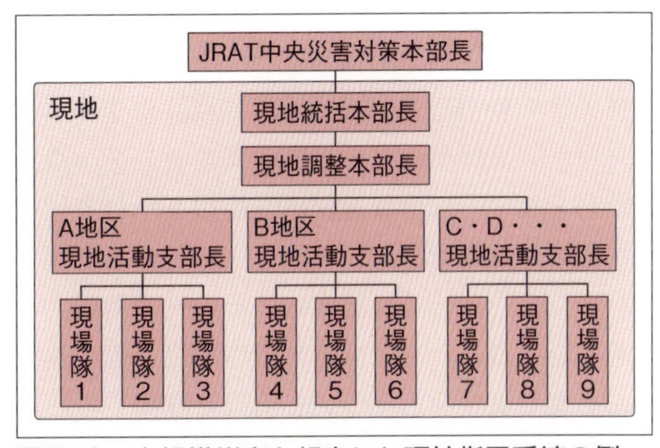

図Ⅴ-2　大規模災害を想定した現地指示系統の例

災害の規模や支援状況により指示系統は変化する．熊本地震においては，全体を差配する統括本部長が JRAT 中央災害対策本部との連絡調整を行い，現地調整本部長が他の支援団体や行政との連絡調整を担った．そして現地活動本部がその調整をもとに各自治体へ向かう現場隊の差配を行った．さらに規模が大きい場合は，統括本部レベルや調整本部レベルが複数になり，現場隊が広がることも考えられる．また，小規模になれば，統括本部・調整本部・活動本部を一括することも可能であろう．

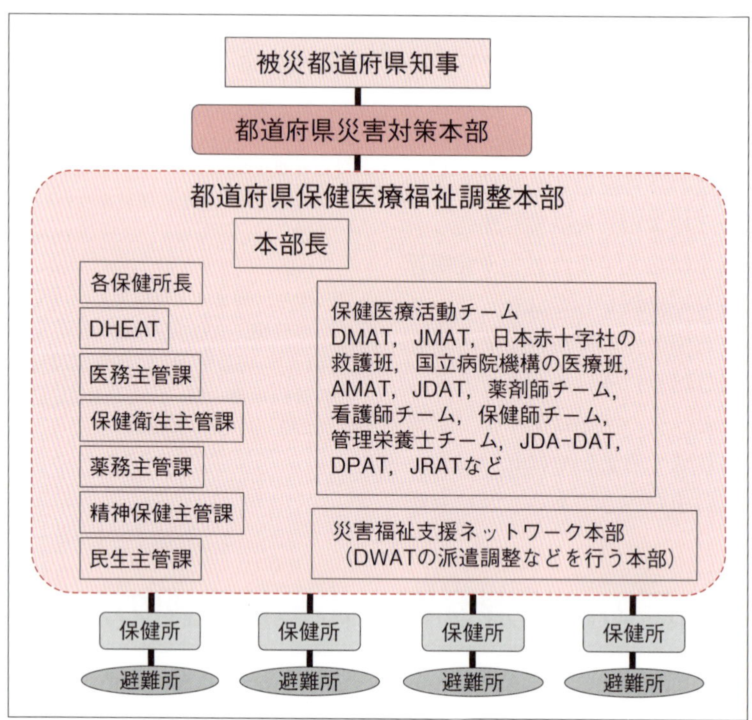

図V-3 大規模災害時の保健医療福祉活動に関わる体制のイメージ

被災都道府県の保健医療福祉調整本部は，災害対策本部のもとに設置される．被災地域の各保健所管内の避難所の情報を集約し，県内の保健医療福祉活動を総合調整する．令和4年7月に改訂文書では，保健医療活動チームの一員としてJRATが明記された．平時から行政や他の団体・組織との連携構築が重要となっている[1]．

（令和4年7月厚生労働省文書を参考に作成）

3. 情報収集

被災地域のJRAT加盟（協力）施設やリハビリテーション支援センター，広域支援センターなどの勤務者を中心に情報を得る．挨拶もかねて役場や保健所，避難所などに出向き，各所の対応相手（カウンターパート）を特定してその後の情報共有の基盤を作るとともに，避難所の環境評価や速やかに必要な支援などについて情報を収集する．災害の状況・避難所数（場所）・避難者数・要配慮者や障がい者数（割合）・環境・ライフライン・食料・医薬品備蓄状況・補装具などの具備状況などが主な収集項目となる．

4. 先遣隊の要請

被災地は生の情報が得られる側面はあるが，刻々と変化する多くの情報を限られた人員で把握するのは困難を極める．また，同時に受け入れ態勢の構築も行わなければならない．これらが可及的速やかに行えることを優先し，躊躇や遠慮することなく先遣隊を要請してほしい．そのためにも隣接都道府県や地方単位での地域JRATなどと平時から研修などを含めて提携や取り決めをかわしていることが望ましい．

また，地震・竜巻など予測困難な災害もあるが，台風や大雨などは警報や注意報などで早めに準備できる場合もある．行政や警察・消防・自衛隊と同様の準備体制が望まれる．

【文献】

1）厚生労働省：大規模災害時の保健医療活動に係る体制の整備について（令和4年7月22日）：https://www.mhlw.go.jp/content/000967738.pdf

（三宮克彦）

急性期医療とリハビリテーション支援

1．急性期医療の特徴

1995年の阪神淡路大震災での急性期の医療支援が十分ではなかったという反省から，災害拠点病院が配備されDMATが創設された．

DMATの活動は，発災直後に被災地に入り，被災地が存在する都道府県の災害対策本部と情報を共有しながら，被災地あるいは被災地近隣に立地する災害拠点病院が医療拠点として活動できるように支援することから始まる．次いで，周囲の病院の被災状況を確認しながら後続のDMATを適切に配備し，被災地域の病院群の支援を行いつつ，必要に応じて被災した病院の全入院患者の避難活動も支援する．同時に救護所や避難所の状況も確認して後続する日本医師会災害医療チーム（JMAT）などの救護班に必要な支援業務を引き継ぐ．

救護班は主に避難所や救護所での医療活動を行うが，この頃には各専門分野の支援団体も活動を開始する．JRATもこの支援団体の1つである．

この頃になると，被災地では地元の医療機関などが自ら被災しながらも自助，共助で傷病者の治療を行いつつ，これらの支援団体から受援する作業も発生するので，混乱を招きやすく，受援する側は支援の需要と供給のマッチングに十分留意しながら受援業務を行う必要がある．

また，被災地域の住民は，①災害時の外傷や疾病の増悪により病院に入院している群，②災害時の外傷や疾病の増悪の症状は軽度であり自宅や避難所で治療している群，③健康被害はないが，避難所など自宅外で生活している群，④健康被害もなく自宅で生活することが可能な群の大きく4つに分けられる．しかし，④以外は何らかの医療支援が必要であり，特に②や③は発災後の急性期には被災地域や避難所の情報が錯綜するので見過ごされやすい．そして，このような状況が次第に判明してくるのは，大規模災害の場合，発災から1週間が経った頃である．

2．急性期医療対応の原則とリハビリテーション支援

急性期の医療対応で考慮しなければならないのは，少ない情報と限られた支援の中で，需要の優先度を決めて「防ぎ得た」災害死と生活機能低下を予防することである．そのためには，十分な後方支援と情報管理に基づいた組織的かつ適切な活動を提供することが重要である．そのためには，MIMMS[1)]が提唱する急性期医療対応の原則，C（Command & Control：指揮・統制），S（Safety：安全），C（Communication：情報伝達），A（Assessment：評価），T（Triage；トリアージ），T（Treatment：治療），T（Transport：搬送）に準じて活動することが求められる．

災害時のリハビリテーション支援もDMATやJMATの活動と同じく，発災後の時期にかかわらず，地元医療機関や救護班の活動，避難所や救護所の受援の必要性に応じて実施されることが望ましい．災害時のリハビリテーション支援の分野は幅広いため，前述した被災地域の住民の滞在場所別に活動を整理すると，①では平時と同じように病院での急性期リハビリテーションを行うための支援，②や③では自宅や避難所での治療的および予防的リハビリテーションを行うための支援，④の中でも，災害をきっかけに受けていた通所・訪問リハビリテーションが受けられなくなった方は，身体・精神機能が低下するリスクが高く，一見健康そうで，問題なさそうにみえても注意が必要である．リハビリテーション専門職は被災前の生活状況を丁寧に聴取し，必要に応じて積極的に機能・住環境評価やリハビリテーション計画の立案を行っていくべき役割をもつ．

3．障害を引き起こす疾病の二次的な発生予防に向けて

災害は生活環境，地域の状況，医療受給体制など日頃地域で安定した生活を送っていた被災者の

表V-1　災害発災後に生じやすい健康問題とその対応

健康問題	要因	対応
高血圧	塩分過多，内服薬切れ，ストレス	内服薬，栄養指導，食生活改善，ストレス軽減目的の体操，心のケア
脳卒中	脱水，高血圧，ストレス，内服薬切れ	脱水予防，血圧コントロール，ストレス軽減，内服薬
心筋梗塞，たこつぼ心筋症	脱水，ストレス	脱水予防，ストレス軽減
深部静脈血栓症，肺塞栓症	脱水，安静	脱水予防，運動指導，生活環境改善，弾性ストッキング
骨折	転倒	運動，環境調整
関節痛など	運動不足，悪環境	運動，環境調整
肺炎，インフルエンザ	悪環境，低栄養，口腔内の汚れ，誤嚥	手洗い・うがいの励行，環境改善，予防，口腔ケア，嚥下評価・訓練，食形態の調整
喘息	ダニ，ほこり	環境調整
生活習慣病の悪化	食生活の変化，内服薬切れ，ストレス	ストレス軽減，かかりつけ医の紹介，内服薬の処方
嘔吐，下痢	ノロウイルスなど	手洗い・うがいの励行，トイレ環境の整備

状況を一瞬のうちに変えてしまう．そのような中で過ごすと，発災後2～3日頃には身体的にも精神的にも不調をきたす人が増えてくる．その結果，直接的な被災を免れたものの平時とは違う生活環境であるために二次的に疾病を発生するケースがある．これは被災者本人はもちろんのこと，発災後の急性期で混乱する医療機関にもさらに負荷をかけることになってしまう．以下，主な疾患への対応策を列挙する（**表V-1**）．

1〕症候別の対応

(1) 循環器疾患（脳卒中，心筋梗塞，深部静脈血栓症など）

災害後は交感神経が興奮しやすく平時よりも血圧が上昇する．また，避難所での塩分の多い食事も血圧に影響する．これらにより脳卒中や心筋梗塞，たこつぼ心筋症など心疾患の発生リスクが高まる[2)]．また，災害時は脱水や安静により静脈内での血液うっ滞が起こりやすく，深部静脈血栓症（DVT）を発症したり，肺塞栓症にまで進展したりする危険性が高い．熊本地震でも深部静脈血栓症や肺塞栓症に対する注意喚起を行っていたが，残念ながら自家用車内で避難生活を送っていた被災者の死亡例も発生した．

対応として，降圧薬・抗凝固薬の内服や適度な運動およびストレスを軽減できるような環境を作ることが重要である．また，深部静脈血栓症や肺塞栓症に対する予防として，長時間の臥床や車中泊をしている方への注意喚起，飲水の励行，トイレに行きやすい動線や環境設定，弾性ストッキングの装用などがあり，リハビリテーション専門職がかかわることが多い．下肢の浮腫や呼吸困難感があるなど深部静脈血栓症や肺塞栓症を疑わせる症状があれば，医療機関の受診を勧める．さらに生活不活発病予防のための運動を行う際には，すでに数日間臥床状態であったことを念頭におき，これらリスク評価を行ったうえで運動を開始するなどの注意が必要である．

(2) 運動器疾患（転倒による骨折，関節炎症状の増悪，腰痛など）

活動性の低下に伴い下肢筋力が弱くなるうえに，住環境が変わることで歩行補助器具などが使いづらくなる．暗くて狭い避難所では容易に転倒して骨折に至る被災者が増えることは想像に難くない．また，自宅であっても家具の転倒や破損で移動がしにくい環境になり，高齢者の転倒リスクは高まる．受診機会が制限されることで内服薬が不足し，変形性脊椎症や関節症，関節リウマチなどの疼痛や症状が増悪することもある．

対応としては，できるだけ元の生活環境に戻すことが一番であるが，避難所などでは状況に応じたベッド周囲の整理や転倒しにくい動線の提示などを行う．疼痛や症状の悪化については，救護班に情報提供し対応可能な医療機関の受診を進める．

(3) 呼吸器疾患（肺炎，喘息発作など）

避難所のほこりやダニが原因となって，喘息の症状が増悪したり，肺炎を発症したりすることがある．不適当な食形態や，寝たきり姿勢や唾液の誤嚥による誤嚥性肺炎の発症も危惧される．

対応としては，避難所での土足はやめ，地べたにマットと布団ではなく段ボールベッドを利用して寝るようにする．また，臥位の時間を少なくするためにできるだけ離床をすすめ，座位や立位・歩行の時間を長くとるようにする．誤嚥への対応は水分摂取時のむせや湿性嗄声の有無など現場で実施可能な摂食機能評価を行い，また，誤嚥が強く疑われる場合は，とろみ剤の添加など食形態にも配慮する．さらに，誤嚥性肺炎など専門治療が必要な場合は速やかに医療機関に護送する．

(4) 代謝性疾患（糖尿病など）

災害後のストレスや食事内容の変化，特に避難所での炭水化物が中心となる食生活により，血糖値が上昇しやすい．さらに糖尿病患者であれば，内服薬やインスリンの投与の過不足により血糖値が不安定になり，場合によっては低血糖になる可能性もある．食生活や食事内容が安定するまで，できる限り血糖コントロールに努める．

(5) 感染性疾患（インフルエンザ，ノロウイルス胃腸炎，麻疹，COVID-19 など）

過密で空気の還流が悪い避難所，トイレの水環境が悪い避難所などでは，感染症の流行リスクが高まる．

対応としては，避難所の環境整備や手洗い・うがいなど避難者への標準予防策の実施奨励に加え，発熱や下痢症状を訴える避難者のピックアップを行い，接触者も含めて抗ウイルス薬の予防投与を行ったり，一時的に隔離したりする．インフルエンザや COVID-19 などの呼吸器感染症にはマスクの着用が有効である．また，市区町村や都道府県など災害対策本部に可及的に情報を提供して，アウトブレイク（大流行）を未然に防ぐことが大切である．

4．活動性低下に伴う廃用症候群（生活不活発病）の重大さ

2004 年の新潟中越地震では，災害後に廃用症候群が多数発生し，それが長期間にわたって続くことが調査でわかり，生活不活発病としての概念が提唱された[3]．平時でも，筋力低下や呼吸・循環器系の機能低下予防のために早期からのリハビリテーション治療の開始が推奨されていることから，リハビリテーション専門職は被災地でも活動性低下による廃用（生活不活発病）の予防に努める責務がある．

【文献】

1）Advanced Life Support Group 編：MIMMS　大事故災害への医療対応，第 2 版，永井書店，2005.
2）苅尾七臣：災害時の循環器疾患：内科診療の留意点．日内会誌 **101**：1446-1457，2012.
3）大川弥生：生活不活発病の予防と回復支援―「防げたはずの生活機能低下」の中心課題．日内会誌 **102**：471-477，2013.

（冨岡正雄）

D 被災混乱期・応急修復期の外傷とリハビリテーション医療

災害において発生する障害は，その災害の性質や発生場所，時間帯によって異なる．阪神淡路大震災では家屋倒壊やその後の火災が被害の中心であり，東日本大震災においては家屋倒壊より津波災害が被害の中心であった．そのため，いずれの震災でも，高齢者に多くの犠牲が生じたものの，死亡原因でみると前者は 8 割が圧死・焼死であったが，後者では 9 割が溺死であり，重症外傷は多く発生しなかった．中越地震や2016年の熊本地震では家屋倒壊による外傷および，その地形からくる土砂災害が被害の中心であった．

発生する外傷の内訳に関しては阪神淡路大震災では骨折，挫傷・打撲，神経損傷，挫滅症候群，頭部外傷，腱・関節損傷，熱傷，内臓損傷の順であったと報告されており（図V-4）[1]，重症患者における骨折では四肢の骨折よりも体幹（椎体・骨盤）骨折が多くみられた[2]．

海外の事例をみてみると，2010 年に発生した中

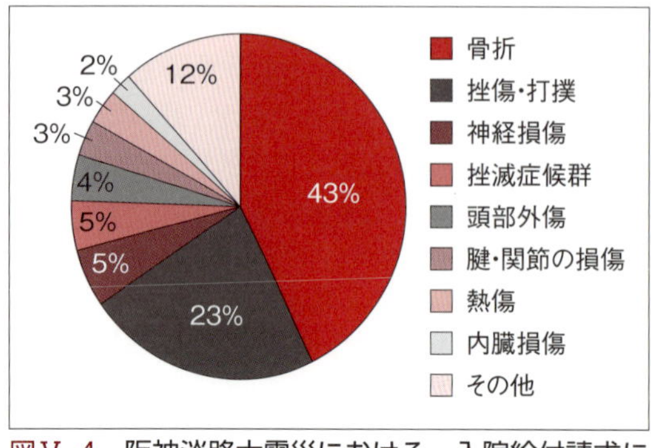

図V-4　阪神淡路大震災における，入院給付請求による被災者の障害状況　n＝331
（味元・他，1996，文献1を改変）

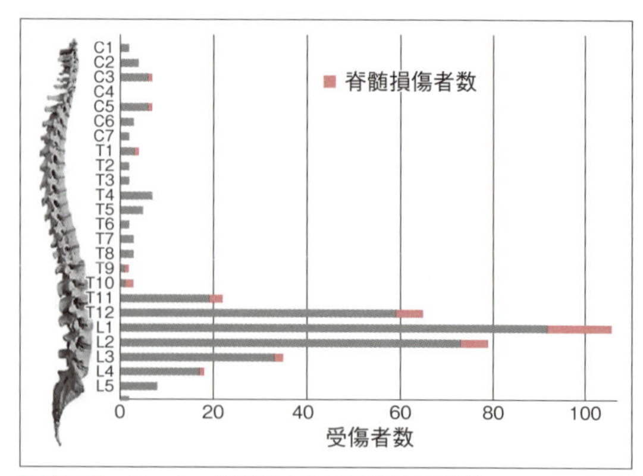

図V-5　Yushu 地震における椎体骨折
（Kang et al, 2016，文献3を改変）

国青海省におけるYushu地震では，3,254名の震災に関連する入院患者が発生し，そのうち1,323名が骨折を伴う外傷であったと報告されている．その内訳は下肢（21.2%），脊椎（19.7%），骨盤（17.6%），肋骨（14.4%），肩甲～上肢（14.0%）の順であり，下肢～脊椎にかけての骨折が大半を占めた[3]．また，303名が受傷した椎体骨折ではT11-L5の骨折が大部分を占め，約10%の38名に脊髄損傷が発生したと報告されている（図V-5）．2005年に米国大西洋沿岸を襲ったハリケーンカトリーナでは，洪水の中を移動する避難者が多く，骨折を伴わない下肢の外傷が多く，また，感染症の蔓延が問題となった[4]．

また，いずれの災害においても避難所生活，車中泊の長期化などによる多数の深部静脈血栓症の発症や衛生状況の悪化に伴う肺炎の発生が報告されている．これらの外傷後に生じる二次性の障害に対しても，適切な障害のトリアージのもと現地のリハビリテーション資源を考慮したうえで対応を行っていくことが重要である．

リハビリテーション対応

災害においては，家屋倒壊や土砂災害など直接的な要因での外傷に加え，その後の避難所生活において，潜在的な易骨折性高齢者は脆弱性骨折を起こしやすい．特に骨粗鬆症をもつ要配慮者，要介護者が避難所生活を送る中で，環境変化やストレスにより認知機能の変容や不活動をきたし，転倒から骨折に至ることもある．骨折に至らなくても，下肢の外傷はさらなる不活動を招く要因となる．また，下肢の外傷では，避難所生活などの不活動も加わり，深部静脈血栓症の続発も多いと報告されており一層の注意が必要である[5]．

1〕骨折

骨折治療は骨折の部位，形式，患者の年齢や性別によって決定されるが患部の整復と固定，そのうえでのリハビリテーション治療を原則とする．骨折治療の目標はいうまでもなく骨癒合である．リハビリテーション資源の乏しい災害時の医療では拘縮や筋力低下が生じやすいため，骨癒合を阻害せずに，筋力・関節可動域やADLを維持・改善することが望まれる．受傷前のADLや身体機能，全身状態の評価を行った後，局所の評価を行う．震災時には骨折を伴う神経損傷の報告も多いことから，随伴症状としての神経障害や循環障害についても観察する．特に下肢の外傷においては深部静脈血栓症を併発しやすいため，患部以外にも不自然や腫脹，疼痛，色調の変化がないかを観察する．また，固定部位以外にも拘縮が生じる場合がある（特に手指）ため，骨折周辺部の関節可動域は固定中から評価する．筋力は廃用性筋力低下が固定部位以外にも生じるので，定期的に全身の筋力評価も必要である．

2〕圧挫症候群と神経損傷

家屋倒壊によって発生する障害として骨折と並んで問題となるのが圧挫症候群（クラッシュシン

ドローム）である．これは，家屋や重量物の下敷きになり，四肢の骨格筋が長時間圧迫された後に救出後，受傷部位の著しい腫脹と急性腎不全などの重篤な症状を呈する．その病態は圧迫解除後の虚血再灌流障害であり，阪神淡路大震災では372例の患者が認められ，死亡率は13.4％であった[6]．重症例ではコンパートメント症候群を合併し，減張切開が行われることもある．また，筋損傷だけでなく浮腫を生じた筋や，倒壊物による直接の圧迫による神経損傷の合併も多く，異常知覚（疼痛）・感覚障害，運動麻痺が長期にわたって後遺する場合もある[7]．

神経損傷は圧挫症候群が軽度でも，局所的な圧迫によって生じることもあるので，皮膚の観察や神経学的診断を行う．神経損傷に加えて圧挫症候群による広範囲の筋壊死があるときには拘縮が生じやすい．早期より良肢位保持や愛護的なROM訓練を行う必要がある．関節拘縮は大関節だけでなく，手指，足趾などにも生じるため注意する．また，疼痛の合併も多いので訓練方法を配慮する必要があるが，温熱療法は重度感覚障害を伴う場合には熱傷の危険が高いため避ける．また，重度感覚障害例では装具による褥瘡などの皮膚損傷が生じやすいため装具の素材への配慮や，十分な仮合わせによる確認が必要である．

事例

80歳代女性，独居生活であった．もともと変形性膝関節症をもち，要支援2で週1回通所介護施設に通っていたが，日常生活動作は自立していた．

2016年4月熊本地震を自宅で被災した．震災時は外傷の受傷はなかったが，自宅が半壊となったため，避難所に入所．入所1週間後に床の布団につまずいて転倒した．転倒後，右膝痛の著明な悪化を認め，歩行が困難となった．診療所を受診しX線にて骨折はないといわれている．その後は疼痛を我慢し，そのままにしていたとのことであった．

筆者が災害リハビリテーションチームとして訪問した時点では，転倒から約3週間が経過していた．患部である膝関節に明らかな発赤・腫脹は認めなかったが，膝蓋全面および内側に強い圧痛を認めた．変形性膝関節症が悪化している印象であった．杖歩行は杖を右手で持つなど使用法が不適切であったため，使用法を指導するとともに長さの再調整を行った．また，訪問時は布団から段ボールベッドに代わっていたが起居動作は依然大変であったため，タッチアップを設置して起き上がりからの動作指導を行った．あわせて従来利用していた介護保険サービスの復旧状況について確認をしたところ，以前通っていた通所介護施設は再開しており，本人にケアマネージャーを通じてサービスに繋げてもらうようお願いした．

高齢者，特に地方在住の方では「がんばる風土」があり，疼痛をはじめとした症状があってもかろうじて動ければ，辛抱してあまり訴えを出さないことも多い．そのため，周囲の人や担当の保健師への聴取は必須である．

また，対応に関しては本人に指導するだけでなく，家族や周囲の方にも周知する必要がある．活動量を維持したり，生活動作をしやすくしたりするために，生活環境や避難所環境を適宜調整するとともに，介入が一時的なものにならないように避難所やその周囲のリソースを用いた活動量の維持を目指すことが重要となる．

【文献】

1）味元寛幸・他：阪神・淡路大震災における当社死亡統計　入院統計の分析．日本保険医学会誌 **94**：100-103, 1996.

2）林　俊一・他：阪神大震災における骨折症例の検討．骨折 **18**：608-614，1996.

3）Kang P et al：Profile and procedures for fractures among 1323 fracture patients from the 2010 Yushuearthquake, China. *Am J Emerg Med* **34**：2132-2139, 2016.

4）Faul M et al：Injuries after Hurricane Katrina among Gulf Coast Evacuees sheltered in Houston, Texas. *J Emerg Nurs* **37**：460-468, 2011.

5）坪内啓正・他：東日本大震災における南三陸町・登米市避難所の深部静脈血栓症の検出率と危険因子の検討．*Neurosonology* **29**：104-107，2016.

6）杉本　侃・他：阪神・淡路大震災にかかわる初期救急医療実態調査研究報告書，1996.

7）近藤国嗣：新たに発生した障害に対する急性期・回復期リハビリテーション対応．大規模災害リハビリテーション対応マニュアル（東日本大震災リハビリテー

V

ション支援関連10団体『大規模災害リハビリテーション対応マニュアル』作成ワーキンググループ編)，医歯薬出版，2012，pp118-120.

(補永 薫)

リハビリテーショントリアージ

災害という非常事態において提供し得る医療資源には限界がある．その中で対象者に優先順位をつけて対応するいわゆるトリアージの考え方は，急性期救命医療のみならず災害リハビリテーションにおいても重要である．

本稿では，熊本地震において災害リハビリテーション支援を実施したリハビリテーション科医としての経験もふまえて，災害現場で求められるリハビリテーショントリアージについて概説していきたい．

1．トリアージの重要性

限られた医療・社会資源をどのように分配するかという問題は平時から医療経済上の課題となる．とりわけ既存の医療機関，システムが障害される発災時においては厳密なトリアージによる医療資源の分配が求められる．

救急の現場ではトリアージという概念はよく知られており，傷病者の救援における客観的なトリアージ方法としてSTART法[1]などが用いられている．また日本においては阪神淡路大震災をきっかけとして厚生労働省，国土庁，消防庁，防衛庁(現在の防衛省)，日本医師会，日本救急医学会などが中心となって災害時の標準的トリアージタッグが作成されている[2]．

一方，災害リハビリテーションの視点からも，トリアージを実施することは重要である．災害時という極めて医療・社会資源が限られた中では，避難場所の選定や，リハビリテーション支援の提供，環境調整の必要性などを判断する厳密なトリアージが必要である．縷々と変化する被災地の状況を把握し続け，状況に応じた効率的なリハビリテーション支援を行うための要になるのがリハビリテーショントリアージである．

2．トリアージの方法

刻一刻と状況が変化し，様々な背景をもった支援団体が入り混じる災害現場では様々な質の情報が溢れている．そのような場面でまず問題になるのは，限られた時間の中でどのような情報を得るかということである．また多くの支援者が介入するうえで，収集する情報の質を一定に保つために誰でも同じように聞き取りが行える必要がある．このためには標準化された方法を用いて被災者の情報を収集することが重要である．図Ⅻ-2(p.181)は個別のアセスメントで用いられる「災害リハビリテーション対象者基本票」である．このようなシートを活用することで誰でも正確に必要最小限の情報を把握することが可能となる[3]．

アセスメントシートから得られた情報を用いて，発災前より要配慮・支援状態にあった方やリハビリテーション介入が行われていた方，また被災に伴う新たな傷病によってリハビリテーション介入が求められる方などを抽出し，避難場所の選定，個別リハビリテーションの実施，環境調整や支援物資の優先的給付などについて必要度の選定(トリアージ)を行う．トリアージする対象には，発災に伴う急激な環境の変化などにより今後，廃用進行の恐れが高い避難者も含め，集団体操など予防的なリハビリテーション介入も検討する．一方，被災時は医療資源が限られており，多くの時間と人を必要とする個別のリハビリテーション介入は十分に検討する必要がある．過剰な個別介入は支援の継続を困難にし，結果として支援活動そのものを阻害することにも繋がる．また計画性のない支援は被災者からの信用を損なう可能性がある．

図Ⅴ-6に災害時におけるリハビリテーション介入の必要性を検討するためのトリアージシートを示す．

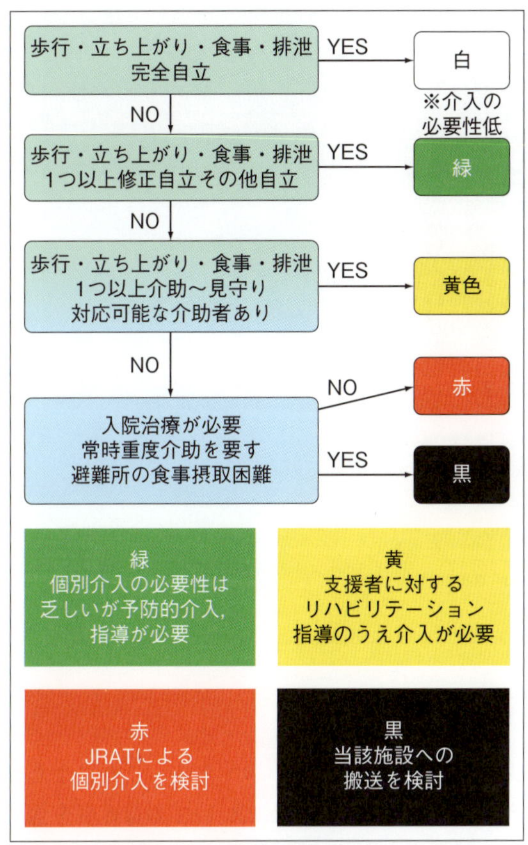

図V-6 災害時におけるリハビリテーショントリアージに応じた対応例

1〕レベル1：いわゆる緑

歩行と立ち上がり動作，および食事と排泄が自立しているかどうかを判断し，いずれか1つでも修正自立であれは要注意者と判定する．

緊急的な介入や個別介入の必要性は乏しいが，廃用に対する集団体操などの予防的介入や指導が必要である．また環境調整を検討する．

2〕レベル2：いわゆる黄

歩行，立ち上がり動作，食事と排泄のいずれかに見守りもしくは介助が必要かつ周囲に対応可能な介助者がいれば判定する．

廃用の危険性はあるが，活動の維持で予防できる可能性が高く，本人・家族ならびに支援者に対するリハビリテーション指導を行い，必要に応じて個別的対応を検討する．また環境調整も検討し，環境支援物資の優先的給付を行う．

3〕レベル3：いわゆる赤

レベル2と同様の介助を要し，かつ介助者が周囲にいない場合に判定する．

そのままでは廃用を生じるため，JRAT隊員による個別介入を積極的に検討する必要がある．また環境調整，環境支援物資の給付を実施し，保健師や避難所の管理者らなどと具体的対応を含めた情報共有を行う．

4〕レベル4：いわゆる黒

災害リハビリテーション支援では対応が困難な例である．常時重度介助が必要，摂食嚥下障害にて避難所で配給される食事の摂取が困難，もしくは全身状態などに問題があり入院治療が必要な状態にある者を判定する．

一般的避難所での生活が困難と考えられ，然るべき施設，福祉避難所への移送，入院を検討する．

3. 収集した情報の集約と共有

熊本地震においてはJRAT支援各チームが4日から1週間程度の期間で交代して支援活動を行った．支援チームが交代して効率的に介入するためには，先述の標準化されたアセスメントシートを用いて均一化された質の高い情報を得るとともに，収集した情報を適切に引き継ぐ必要がある．そのうえで有用となるのが標準化された情報共有シートである．

図V-7に熊本地震にて筆者が実際に用いた情報整理のためのシートを示す．

4. トリアージを行う際の注意点

超急性期の災害支援とは異なり，災害リハビリテーションでは中長期的な介入を要することも多い．また中長期化する避難生活において生活不活発病などの問題が新たに顕在化することもある．そのためトリアージは繰り返し行われる必要がある．

さらに支援を実施する際には被災前の医療状況の把握が欠かせない．支援活動の目標は可及的速やかに平常時の医療を復旧することにある．対象者の過剰抽出によるリハビリテーション需要の不必要な発掘は支援活動の収束を遅らせるだけではなく，復旧後の地域医療への移行を困難にする．

最新ステータス	初回評価日	次回訪問予定日	避難場所	年齢	問題点	状況
電話確認	4月30日	5月6日	水生苑	93歳	廃用リスク	ADL介助量が多く活動性乏しい. 震災前はサービスが週2回入っていた. サービス再開予定.
電話確認	不明	5月6日	水生苑	88歳	膝痛	血圧と膝の痛みの薬の処方あり. 膝の痛み対して医療機関の紹介が必要.
経過フォロー	5月3日	5月6日	長陽中学校	90歳	ADL障害	夫婦で避難. 基本的ADLは自立しているが, 立ち上がりのみ困難. 通りがかりの避難者に立ち上がりを手伝ってもらっている状況. 立てさえすればトイレ, 入浴も自立している.
経過フォロー	5月3日	5月6日	長陽中学校	76歳	ASO術後 DVT ハイリスク	ASOの術後. IVCフィルター留置あり. 手術の内容は本人から聴取したが詳細不明.
対応中：装具処方		5月6日	長陽中学校	69歳	左片麻痺 歩行障害 転倒リスク	左片麻痺. 慢性腎不全(透析不要)あり. かかりつけは熊本赤十字病院. 車椅子をもっているが歩行可能. 歩行時に足尖部が床にあたって転倒リスクあり.
経過フォロー	5月5日	5月6日	長陽中学校	83歳	独居	自宅へ帰ることは可能だが, 家族が見守りのある避難所に預けている状況.
対応中：個別リハ	4月27日	5月6日	長陽中学校	82歳	廃用リスク	夫婦で避難. 廃用症候群のリスクあり. 個別支援が必要.
対応中：個別リハ 地域へ情報提供 ケアマネジャー： ○○○○さん	5月1日	5月7日	在宅	83歳	ADL低下 サービス 復帰困難	久木野の福祉避難所のデイサービスが中止になり寝たきりになっている. 状況はケアマネジャーも認識できている. 個別リハが必要. かかりつけは立野病院だが閉鎖.
電話確認	4月30日	5月7日	在宅	78歳	廃用リスク 認知症	デイサービス連休明け再開. デイサービスが確実に再開したか電話確認. 認知症あり.

図V-7　情報集約と共有のための情報集約シート

平常時における被災地のリハビリテーション資源, 被災後に利用可能な残存する地域医療資源を事前に把握し, 最終的な落とし所を念頭に置いた支援活動が求められる.

5. 他の支援チームとの連携

実際の支援現場ではDMAT, 日本赤十字社, JMAT, DPAT, 保健師, 災害支援看護師, 歯科医師会, 各種ボランティア団体, 自治体関係者など背景の異なる多くの災害支援チームが活動する. 災害リハビリテーション活動を実施するにあたっては, 他のチームの専門性を尊重し, 情報を共有して役割を分担しながら連携することが求められる. 被災地では他チームと連携することでリハビリテーション支援が必要な被災者情報を得られる機会も多い. 他チームから得られる情報は限られた人員で支援を行う際, 非常に大きな助けとなる. 一方, 非リハビリテーション専門職からのリハビリテーション要請は, ときに身体機能や活動状況を評価することなく高齢者, 独居などのキーワードのみで判断される例も多い. 非リハビリテーション専門職でも使用可能なアセスメントシートの活用も検討すべきである. これにより他チームから得られる情報についても量と質を保つことが可能となる. 図V-8に熊本地震にて筆者が使用した他チームからの情報提供を得る際に利用したシートを示す.

6. アセスメント

ここではアセスメントの際に求められる視座について個人, 施設に分けて詳述する.

1〕被災者のアセスメント

基本的な身体機能の評価方法に関しては平時の臨床に基づくため詳細は割愛するが, 災害時と平時の個人アセスメントには相違点がある. 災害時には被災に伴う傷病により新たな身体機能低下が生じることもあるが, 実際には避難生活による環境面の変化による身体機能低下の頻度が高い. このため災害時のリハビリテーションアセスメントでは目前の機能障害のみならず, 背景因子にも焦点を当てる必要がある. 発災による生活環境や心理面の変化からもたらされる活動低下に中長期的な影響を加味したうえで, 今後起こり得る身体機能の変化を予測することが重要である.

アセスメントの際には平時の臨床と同様にICFに基づく評価が有用である[4]．ICFでは既往疾患や身体機能を把握するのみならず，生活環境，心理状況など個人に影響を与えるすべての因子を把握する．災害は環境因子と個人因子に多大な変化をもたらし，生活機能さらには健康状態に影響を与え得るため，特に背景因子の確認は重要である．図V-9にICFを用いたアセスメントの具体例を提示する．

2〕避難所のアセスメント

災害時においては発災に伴う受傷による心身機能の変化のみならず，生活環境が大きく変化する．そのため環境因子に含まれる避難所のアセスメントは重要である．保健師長会の避難所情報日報や避難所アセスメントシート（p.180，図XII-1）などを用いて，電気，水などのインフラの整備状況，浴場やトイレ，洗面所などの衛生環境，避難所内での段差の有無，個人スペースの確保状況といった基本的評価を行う[3]．

3〕評価するうえでの注意点と他施設への移送

個人スペースを確保することは最低限のプライバシーや健康を保つ生活スペースを確保するために重要である．狭いスペースでは活動が大幅に低下し，褥瘡や生活不活発病，深部静脈血栓症，転倒などを生じる．

このため，まず避難所での個人スペース確保が十分であるかについて確認する．国際的な基準では災害や紛争時の生命と健康を守るための支援活動のガイドライン「スフィアプロジェクト」がある[5]．これによると1人当たり最低3.5 m^2（2畳分）が必要とされる．しかし，発災当初は避難所と避難者との兼ね合いで決定される場合も多い．発災から時間を経て避難者が減少したり，避難先が二

保健師 → JRAT

避難所支援依頼簿

日付：2016/　/

相談等の依頼者	職名・または団体名　氏名 連絡先：
相談等の場所	
相　手	避難者・家族・その他（　） 避難所場所または住所： 氏名　介護保険　有・無　等級（　） 年齢（　）　男性・女性 震災前に介護サービスを受けていたか？　ケアマネ（事業所）：
依頼内容	個別対応・福祉用具選定・環境設定・評価方法・その他 依頼内容 ① 身体機能（痛み・変形・筋力低下・起きあがれない・足がむくむ・立てない・やせてきた・その他　） ＊部位がわかれば詳細に→ ② 生活動作（ほとんど動かない・姿勢が悪い・よく転ぶ・話につじつまが合わない・よくむせている・口腔ケアができていない・その他） ③ その他具体的内容

保健師記入欄

【対応内容】	
【継続の有無】 【引き継ぎ事項】	①終了 ②定期的：頻度 ② 経過観察 ④その他

JRAT記入欄

図V-8　他チームからの支援要請の際に利用したアセスメントシート

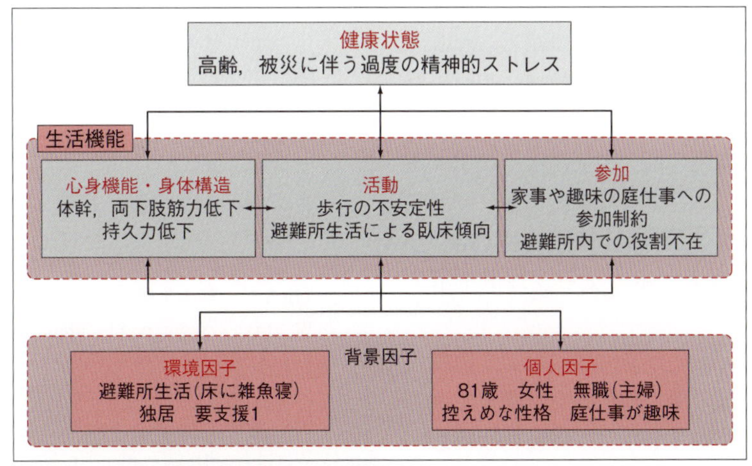

図V-9　ICFに基づく対象者の評価例

次避難所，仮設住宅へと集約されるとプライバシーに配慮された個人スペースが確保されやすくなる．一方，布や壁で周囲から隔絶されることにより，孤立や閉じこもりも生じやすくなる．その中で新たなコミュニティをどのように形成するか，生活の中に安全な導線を確保して活動と参加を促すかが重要な課題となる．長期化する避難所生活で被災者の主体的な活動が減る状況では，コミュニティ内で自主的な集団体操など主体的活動の場を取り入れることも有効と考えられる．熊本地震では避難者に避難所周囲の清掃や草むしりなどを主体的に実施してもらうというリハビリテーション支援も見られた[3]．

生活に必須である共用スペースとしてトイレの評価は重要である．避難スペースからトイレまでの動線上の段差の確認やトイレが混み合った際の待機スペースの状態（椅子の有無など），便器の和洋，手すりの有無，トイレのドア開閉状況，衛生面としての石けんや消毒薬の設置の有無などを確認する．

また，被災者の身体機能に応じた生活スペースの位置や環境支援物資配給の妥当性を検討することも災害リハビリテーションにおいて求められる．発災直後の避難所での被災者の生活スペースは，場所を確保した順に設けられることが多い．要配慮者をトイレに近い場所に移動するなどの提言も避難所の管理者と相談しながら検討する．また，段ボールベッドやマットなどの環境支援物資の優先的給付についても災害リハビリテーション支援チームには判断（トリアージ）が求められる．基本動作や褥瘡リスクを評価して根拠に基づいた判断を行う．さらに，現在の避難所での生活継続は困難と判断された場合は，福祉避難所などに避難場所を変更する．このような判断においてもトリアージの概念が有効となる．熊本地震で用いられた福祉避難所対象者のトリアージ基準を示す（図V-10）．

最後に，災害現場という非常時においては限られた物資，人的資源の中で効率的な資源分配が求められる．しかしながらトリアージという概念には合理性の代償として「すべての患者に対して公平な治療を行う」という医療の原則に抵触する要素があることは常に意識しておく必要がある．

平成28年5月20日
熊本県医療救護調整本部

避難所から福祉避難所へのトリアージ基準（案）

対象：高齢者および障害者

1）要介護認定の有無と内容を確認する．要介護2～5（福祉避難所の余裕が少ない場合は3～5）を対象とする．
2）身体障害者手帳有無と内容を確認する．1～4級（福祉避難所の余裕が少ない場合は1～3級）を対象とする．
3）要介護認定，身体障害者手帳を持たない，あるいは内容を確認できない場合，「障害高齢者の日常生活自立度」を評価する．ランクA，B，C（福祉避難所の余裕が少ない場合はランクB，C）を対象とする．
4）上記のいずれにも相当しない場合も，総合的に判断して対象としうる．
5）上記のいずれかに相当する対象者およびその介護者等について，福祉避難所への移動希望の有無を確認し，希望のある場合を対象とする．

【障害高齢者の日常生活自立度】
ランクJ
何らかの障害等を有するが，日常生活はほぼ自立しており独力で外出する
1．交通機関等を利用して外出する
2．隣近所へなら外出する
ランクA
屋内での生活は概ね自立しているが，介助なしには外出しない
1．介助により外出し，日中はほとんどベッドから離れて生活する
2．外出の頻度が少なく，日中も寝たり起きたりの生活をしている
ランクB
屋内での生活は何らかの介助を要し，日中もベッド上での生活が主体であるが，座位を保つ
1．車いすに移乗し，食事，排泄をベッドから離れて行う
2．介助により車いすに移乗する
ランクC
1日中ベッド上で過ごし，排泄，食事，着替えにおいて介助を要する
1．自力で寝返りをうつ
2．自力では寝返りもうたない

図V-10 福祉避難所への移送に際してのトリアージ基準
（熊本県医療救護調整本部，2016）[7]

【文献】

1）G. Super et al：START：Simple Triage and Rapid Treatment Plan. Hoag Memorial Presbyterian Hospital, Newport Beach, CA, 1994.
2）東京都福祉保健局：トリアージハンドブック（トリアージ研修テキスト）：http://www.fukushihoken.metro.tokyo.jp/iryo/kyuukyuu/saigai/triage.files/toriagehandbook20161104.pdf
3）大規模災害リハビリテーション支援関連団体協議会（JRAT）：熊本地震災害リハビリテーション支援報告書：http://www.jrat.jp/images/PDF/pdf_20171106.pdf
4）World Health Organization：International Classification of Functioning, Disability and Health. Geneva：World Health Organization, 2001.

5）The Sphere Project：The Sphere Project 2004，アジア福祉教育財団，2004.
6）東日本大震災リハビリテーション支援関連 10 団体『大規模災害リハビリテーション対応マニュアル』作成ワーキンググループ編：大規模災害リハビリテーション対応マニュアル，医歯薬出版，2012.
7）熊本県医療救護調整本部：避難所から福祉避難所へのトリアージ基準（案），2016.

（森 直樹・近藤国嗣）

F 被災混乱期・応急修復期の避難所・福祉避難所におけるリハビリテーション対応

1．避難所の設置から解消までのプロセスと必要な支援

1〕初動期：発災当日

安全が確保され，移動能力の高い順に避難者が集まってくる．遅れてきた人は条件のよい場所が確保されないため，移動能力の低い要配慮者の排泄などに支障をきたしやすい．

食料，水，毛布などの物資，また人手も足りないことが多い．ベッドや福祉用具はほとんどないため，避難所以外の場所で避難生活を行うケースもある．

2〕被災混乱期：発災～72 時間

被害状況により，混乱状態が続くが，避難者の中にも，安否確認や被害状況の確認，片付けなどを行う人が多くなる．

避難所によって異なるが，当面の食料や水，毛布などの救援物資も届き始め，自治会組織などの活動に向けて，自治体職員などが主体的に働くことが多い．

体調不良者や要介護者，乳児などのための区域が必要となり，動線や共用スペースが確保されるように，避難所のレイアウト作成が必要となる（図V-11）．

福祉用具・介護用品などは依然として不足しており，要配慮者などの状況に応じて福祉避難所や福祉施設，医療機関などへの移動を支援する．

3〕応急修復期①：災害発生 4 日～1 週間

自衛隊や日本赤十字社などによる支援やボランティア活動が始まり，避難所の生活も徐々に整えられるが，避難所の運営体制に差がみられやすい．

避難所のレイアウトがうまくいかない場合は，生活環境を確保するうえで，自治体職員や第三者の支援が必要になることもある．

ライフラインの復旧や自宅など生活場所の確保により，徐々に退所者が出てくる一方で，体調不良や認知症状よる入院や介護施設などへの緊急入所などの対応が必要になる．

4〕応急修復期②：災害発生 1 週間～1 カ月

避難所ごとに自治組織が確立し，運営のルールが作られていく．仕事，家や職場の片付けなどに出る人も増え，組織の再編，避難スペースの再考が行われる．

感染症や不眠，高血圧症といった持病悪化による健康問題などが目立ち始める．避難所内でのプライバシーの問題，単調な生活への不満，社会的孤立などの問題が出てきやすくなる．

避難生活によるストレスも大きくなり，心のケアなどの対応が必要となる．

5〕復旧期：災害発生 2 カ月～

仮設住宅への申し込みなど生活再建への動きが活発になる一方で，自宅の再建などの目途の立たない避難者が取り残されていく．

現実生活を目の前にした心労も大きく，孤立していかないように対応が必要である．

6〕復興期：災害発生 6 カ月～（避難所の閉鎖に向けて）

自治体や地域の機能がほぼ回復し，避難者や災害ボランティアが減少することにより，次々と避難所は解消されていく．

仮設住宅や次の生活場所での生活の準備と継続的な支援が求められる．

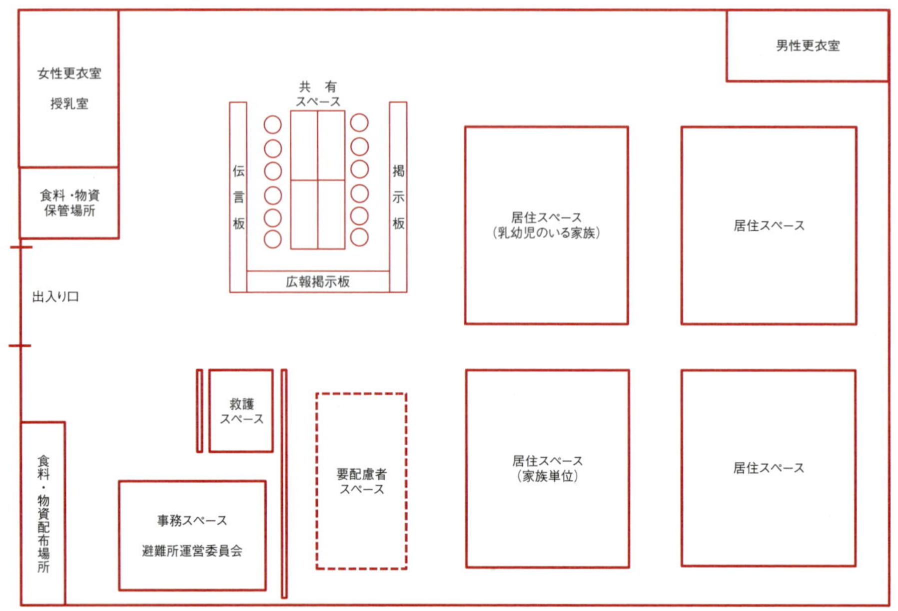

図V-11　指定避難所のレイアウト図の例
居住スペースが区分けされ，移動に必要な通路が確保されていること．また，女性更衣室や食料・物資配布場所なども別々に設けられる必要がある．

2．要配慮者の保護

避難所や自宅などでの高齢者などの状況については，地域包括支援センターや介護支援専門員らが訪問調査を行い，保護の必要性，専門職アセスメントや支援などの必要性を抽出していく．また，チームを形成しこれらを一体的に実施する．

指定避難所での生活が困難な要介護者らへの対応としては，「災害救助法」による福祉避難所の設置が進んでいる．受入対象者である要配慮者は，「災害時において，高齢者，障害者，乳幼児その他の特に配慮を要する者」（災害対策基本法）と定義され，「その他の特に配慮を要する者」として，妊産婦，傷病者，内部障害者，難病患者，医療的ケア（人工呼吸器，たんの吸引や経管栄養など）を必要とする者などが想定されている．

利用可能な施設として，「バリアフリー」「支援者をより確保しやすい施設」を主眼において選定するとともに，所在地，使用可能なスペースの状況，施設・設備の状況，職員体制，受入可能人数などを調査し，整理している．（表V-2，3）

また，一般避難所で過ごすことに困難で，平素から利用している施設へ直接避難したいという声や，受け入れを想定していない被災者の避難により，福祉避難所としての対応に支障が出るため指定が進まないなどの課題をふまえて，令和3年5月の災害対策基本法施行規則の改正により，指定福祉避難所の受入対象者等の公示制度が導入され

表V-2　指定避難所の基準

1. 避難のための立退きを行った居住者等又は被災者（被災者等）を滞在させるために必要かつ適切な規模のものであること．
2. 速やかに，被災者等を受け入れ，又は生活関連物資を被災者等に配布することが可能な構造又は設備を有するものであること．
3. 想定される災害による影響が比較的少ない場所にあるものであること．
4. 車両その他の運搬手段による輸送が比較的容易な場所にあるものであること．
5. 主として高齢者，障害者，乳幼児その他の特に配慮を要する者（要配慮者）を滞在させることが想定されるものにあっては，要配慮者の円滑な利用の確保，要配慮者が相談し，又は助言その他の支援を受けることができる体制の整備その他の要配慮者の良好な生活環境の確保に資する事項について内閣府令で定める基準に適合するものであること．

（災害対策基本法施行令第二十条の六より作成）

表V-3　指定福祉避難所として利用可能な施設

・一般の避難所となっている施設（小・中学校，公民館など）
・老人福祉施設（老人デイサービスセンター，特別養護老人ホーム，老人福祉センターなど）
・障害者支援施設等の施設（公共・民間）
・児童福祉施設（保育所など），保健センター
・特別支援学校
・宿泊施設（公共・民間）

表V-4　福祉避難所の確保・運営ガイドラインの主な改正の内容

(1) 指定福祉避難所の指定および公示に関する記載の追加
(2) 避難所の感染症・熱中症，衛生環境対策に関する記載の追加
(3) 協定などによる福祉避難所などの活用，および一般の避難所内における要配慮者スペースの設置に関する記載の追加

ている．これにより，指定福祉避難所の受入対象を明確にするとともに，要配慮者が日頃から利用している施設へ直接避難することを促進している．

市町村が指定する指定福祉避難所は，災害対策基本法などで定める基準に適合し，かつ個別避難計画で避難先しての必要な支援の準備をできることが必要となる．

また，広義の福祉避難所として，協定などにより福祉避難所として確保しているものがある他，一般避難所においても要配慮者スペースの設置が求められている（表V-4）．

3．リハビリテーション支援

被災により，生活環境や支援の状況が大きく変化することで，生活機能全体の低下をきたしやすいため，できるだけ早期から心身機能や生活全般での低下の防止や適切なリハビリテーションの継続といった活動が必要となる．

1〕生活環境の改善

食事や排泄，休息などに必要な生活環境全体を評価し，優先順位を決めて対応する．

排泄場所を確保し，ポータブルトイレやオムツなどが充足するように働きかける．

対象者を選定し，介護用ベッドや寝具などを確保する．福祉用具事業所などとの連携や展示物などを活用するといった工夫が必要である．

杖や歩行器などの歩行補助具が不足したり，避難所のレイアウトによっては，使用できないことがある．自治会や行政，地域包括支援センター職員らと連携し，全体を調整する．

2〕身体機能低下の予防

狭く不慣れな環境により，不活動・低活動となり，様々な機能障害（筋力低下，深部静脈血栓症，褥瘡，せん妄など），摂食嚥下障害，転倒・転落事故などが起こりやすい．

環境調整とあわせて，活動量が維持できるように，散歩，体操，レクリエーションなどが行えるように支援していく．

口腔機能や栄養状態の評価とあわせて，適切な支援に結びつけたり，心理的なサポートが必要なことも少なくないため，適切な連携を図りながら，できるだけ，発災前の生活リズム・スケジュールとなるように心がける．

これまでのリハビリテーション医療が継続できるように，早期にリハビリテーション医療やサービスを再開することが重要である．リハビリテーションニーズの増大に対して，マンパワーが不足してくるため，医療機関などに対する支援や連携も重要になってくる．

4．問題点

全国の指定避難所は78,243カ所，うち福祉避難所は8,683カ所，協定などにより確保しているものを含めた福祉避難所は22,078カ所（令和元年10月1日時点）となっている[7]．福祉避難所の半数以上が高齢者施設で，障がい者施設と合わせて約7割を占めている．

指定福祉避難所においては，施設設備（施設のバリアフリー化，通風・換気の確保，冷暖房設備，非常用発電機の整備，情報関連機器など），物資・器材（介護用品や衛生用品，飲料水や要配慮者に適した食料，寝具・衣類，携帯トイレ，ベッド，パーテーション，車椅子，その他の福祉用具・義肢装具，マスク・消毒液層の衛生環境対策に必要な物資など）の確保，支援人材（専門的人材，支援要請先，関係団体などとの協定，ボランティアの受入方針など）の確保，移動手段（福祉車両，救急車両，一般車両など）の確保など市町村と協力し，準備を行うべきことが多岐にわたる．また，その運営においても感染症対策や熱中症対策など，保健医療との関与が不可欠であり，施設や医療機関との連携強化を促進する必要がある．

指定福祉避難所などでの避難生活の継続が困難となる要配慮者については，社会福祉施設への緊急入所，緊急ショートステイなどでの対応や医療機関への移送・入院が必要となる場合も少なくないため，受入可能施設の情報を整理・更新しておくとともに，少しでもそのような状況に陥らないためには，早期からの適切な専門的支援が重要となる．

【文献】

1）災害対策基本法（昭和36年法律第223号），令和4年6月17日施行．
2）災害対策基本法施行令（昭和37年政令第288号），令和3年5月10日施行．
3）災害対策基本法施行規則（昭和37年総理府令第52号），令和3年5月10日施行．
4）災害救助実務研究会：災害救助の運用と実務（平成26年版），医歯薬出版，2012．
5）内閣府（防災担当）：避難所運営ガイドライン：https://www.bousai.go.jp/taisaku/hinanjo/pdf/1604hinanjo_guideline.pdf
6）内閣府（防災担当）：令和元年台風第19号等を踏まえた高齢者等の避難のあり方について（最終とりまとめ），令和2年12月24日公表：https://www.bousai.go.jp/fusuigai/koreisubtyphoonworking/index.html
7）内閣府（防災担当）：福祉避難所の確保・運営ガイドライン（令和3年5月改定）．
8）日本介護支援専門員協会　災害対策特別委員会編：災害対応マニュアル，第5版，日本介護支援専門員協会，2021．

（水上直彦）

G 災害看護のポイント

1．災害支援における看護職の派遣

1）看護師の派遣ルート

災害支援時に看護師は，様々なルートから派遣されることとなる．その主なものについて述べる．

災害発生時は，日本看護協会と都道府県看護協会との連携により「災害支援ナース」を派遣し，看護支援活動を行う（図Ⅴ-12）．災害支援ナースとは，看護職能団体の一員として，被災した看護職の心身の負担を軽減し支えるよう努めるとともに，被災者が健康レベルを維持できるように，被災地で適切な医療・看護を提供する役割を担う看護職のことである．

災害支援ナースは都道府県看護協会に登録されており，災害時支援の対応区分により，表Ⅴ-5のように派遣が決められている．都道府県協会が定める更新期間に沿って，定期的な更新を要する．

地方自治体に設置される保健医療福祉調整本部へ参画し，情報共有することで，被災県と連絡窓口が一本化し，他団体との連携強化が図られ，看護ニーズの高い拠点へ災害支援ナースを効果的に派遣することができる．

災害支援ナースによる災害時の看護支援活動は，自己完結型を基本としており，日本看護協会および都道府県看護協会は派遣に対して必要時保険に加入し，その範囲内で損害を補償する．

その他，JRATからの要請により，施設内でチームを調整し派遣する場合には，JRATのルールと補償に則る．

DMAT，JMAT，DPAT，日本赤十字社などからの派遣チームにも看護師は含まれる．

2）災害支援に関わる看護師の教育と資格

（1）災害支援ナースの育成

災害支援ナースの研修は，日本看護協会のオンデマンド教材を用いて，日本看護協会または都道府県看護協会で行われ，災害支援の基本的な事項

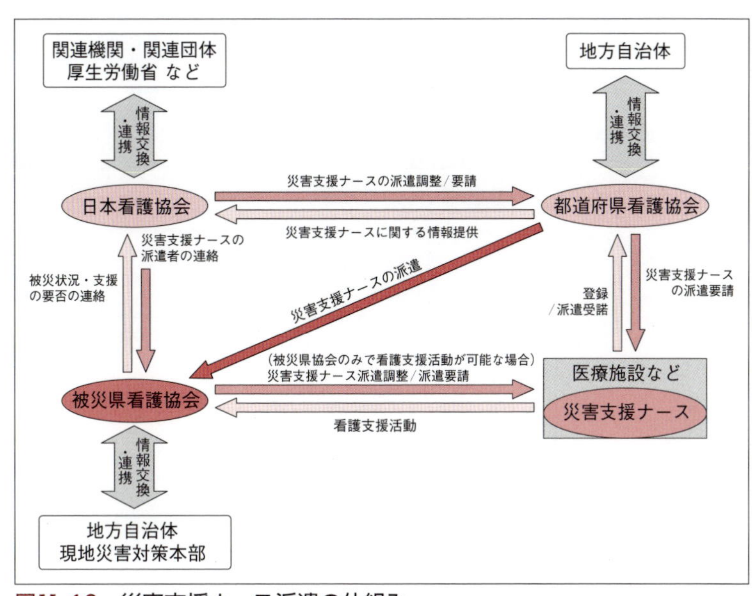

図V-12　災害支援ナース派遣の仕組み

表V-5　災害時支援の対応区分

災害対応区分	災害支援ナースを派遣する看護協会	派遣調整
レベル1（単独支援対応）被災県看護協会のみで看護支援活動が可能な場合	被災県看護協会が災害支援ナースを派遣する	被災県看護協会
レベル2（近隣支援対応）被災県看護協会のみでは困難または不十分であり，近隣県看護協会からの支援が必要な場合	被災県看護協会および近隣県看護協会が災害支援ナースを派遣する	日本看護協会
レベル3（広域支援対応）被災県看護協会および近隣県看護協会のみでは困難または不十分であり，活動の長期化が見込まれる場合	全国の都道府県看護協会が災害支援ナースを派遣する	

から，場面を設定した活動シミュレーションなどを行う．その他に，研修企画者の研修も実施している[2]．

(2) その他の災害支援に関わる看護師の育成・資格

DMAT，DPATなどの専門的研修の他に，認定看護師や専門看護師なども災害時に活躍している．感染看護認定看護師，摂食嚥下障害看護認定看護師などが，避難所の環境やアセスメント・支援に貢献している．他に，熊本地震の際には，看護管理者がいることで，活動全体の調整が図られ効果的であったと報告されている．

他に，日本看護協会では2016年より災害看護専門看護師の育成を開始しており，災害の特性をふまえ，限られた人的・物的資源の中でメンタルヘルスを含む適切な看護の提供，平時から多職種や行政などとの連携・協働，減災・防災体制の構築と災害看護の発展への貢献を期待されている．

3〕保健師の派遣と活動

地方自治体内で災害が発生した場合，その自治体の所管部署から，厚生労働省健康局保健指導室へ保健師派遣が要請される．そこから，他自治体へ保健師派遣を要請し，厚生労働省で派遣調整し，受け入れ自治体において業務内容などを指示する．東日本大震災の際には，東北各県の保健指導部が指揮をとり，発災から3週間頃より保健師がローラー作戦として，避難所，仮設住宅や自宅などを訪問しハイリスク者を抽出し，二次的な健康被害の予防に動いた．また熊本地震の際にも，避難所の健康支援，家庭訪問，感染予防対策，車中泊者の把握や熱中症対策などを行った．保健師の活動の詳細については，他誌[1]を参照されたい（図V-13）．

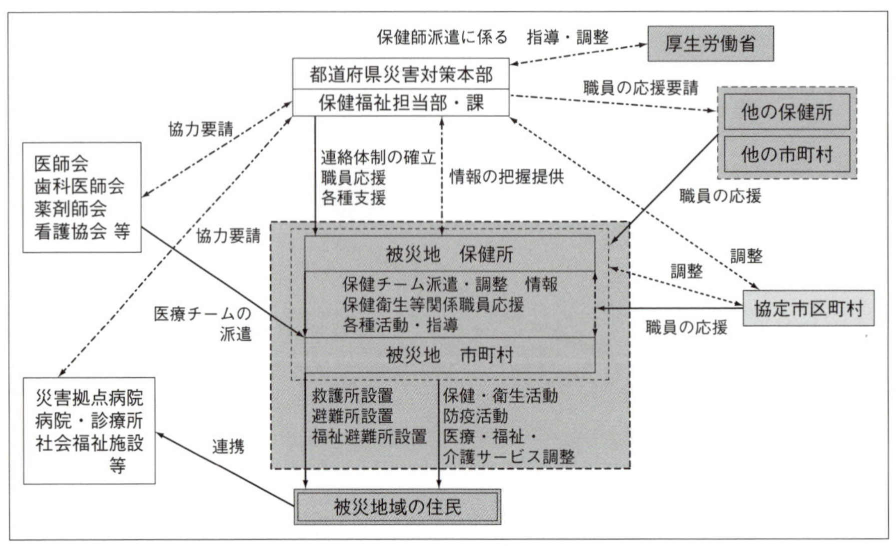

図V-13　被災地都道府県の保健活動，保健師などの応援体制

（日本公衆衛生協会日本保健師長会，2013）[1]

2. 災害支援における リハビリテーション看護の役割

看護師は，一般の避難所，福祉避難所，仮設診療所などで活動する．いずれの場においても，身体機能・医療背景の情報収集から健康上のリスクを整理し，リハビリテーション支援の必要な対象を抽出（リハビリテーショントリアージ）し，多職種と協働により支援する．また，避難所においては，全体的に健康管理・感染防止対策の推進も重要な役割である．

1〕災害時に生じやすい健康問題と その発見・対応

災害時には，内服や治療などが継続できない，食事・水分の確保困難，環境の変化・衛生状態の悪化，不活発状態，身体の衛生が保てない，被災によるショックや近しい人の喪失などから，様々な健康問題のリスクが高まる．被災や避難所生活の健康状態への影響と，生じ得る健康問題の兆候とその対応について，リハビリテーション看護の視点でポイントを示す．

(1) 循環動態

心身ストレスによる血圧の変動が生じやすく，血圧コントロールが必要な高血圧症の場合などは，血圧によって，適宜受診し薬剤のコントロールを見直す必要がある．また，通常処方されている薬と異なる薬剤使用を余儀なくされることもあり，環境変化と相まって変動要素となるため，モニタリングの必要性が高まる．

水分の摂取不足により，脱水が生じやすい．また，それによる血圧低下や血栓リスクも高まるため，深部静脈血栓症（いわゆるエコノミークラス症候群）や肺塞栓症などの兆候を見逃さない．特に，ほとんど活動がなかったところから急に歩行しはじめる場合などは，観察を十分に行う．

(2) 栄養・代謝

高齢者や小児では，低栄養のリスクが高まるため，摂食嚥下機能のリスクと一緒にアセスメントを要する．

糖尿病やその他の代謝性疾患を有する場合には，通常と異なる食事や心身ストレスにより，コントロールに影響を受けるため，適宜血糖値をモニタリングする．

(3) 摂食嚥下，排泄

義歯の不適合や避難所の非常食などの形態が摂取に適さず，摂食嚥下障害のある場合には，食形態の調整が必要となる．口腔内のトラブルや摂食嚥下障害をアセスメントすることが基本となる．

歩行・排泄機能に制約がある場合や，高齢者などは，避難所ではトイレへ行くことをためらうため，飲水を控えがちである．そのために，便秘や膀胱炎になりやすい．

(4) 運動機能，日常生活動作

軽度であっても運動機能障害を有する人が避難所で生活する場合には，環境の変化により普段自宅ではできていたことができなくなることがある．可能な限りの環境調整と，方法の変更などが必要となる．

2〕リハビリテーション支援を必要とする対象の抽出と多職種協働による支援

超急性期における災害救命現場と同様に災害リハビリテーションにおいても，トリアージが必要となる．トリアージを行う目的は，限られた医療資源を効率的に分配し，最大限の災害支援活動を行うことにある．リハビリテーショントリアージとは別に，日常的に患者と関わる看護師は，特に循環器系や呼吸器系などの身体管理上のリスクを把握していることから，優先順位を考慮したトリアージを提案することができる．

内閣府の資料では熊本地震において最大18万人を超える被災者が避難生活を余儀なくされた．それに対してJRATから直接支援で派遣された隊員は全期間合計で367チーム，計1,774名である．避難者の数は徐々に減少するとはいえ，このような大規模災害においてはトリアージが有効である．

日々の看護業務の中で心身機能のみならず日常生活の観察評価を行うリハビリテーションナースは，災害時のリハビリテーショントリアージにおいて療法士と同様に重要な役割を担う．対象者の全体像を把握し優先順位を考え，災害地域の特性や対象者の自立支援までを視野に入れた関わりをもつことが必要である．

3〕直接訓練への参加

上月らによる災害直後のリハビリテーション5原則の中に「異なった生活環境での機能低下に対する支援をすること」「生活機能向上のための対応をすること」がある[3]．このような目的において，被災者にリハビリテーション医療を提供することは最も重要な支援の1つである．今まで行ってきたリハビリテーション医療を継続させること，また災害による二次的被害を予防することが療法士のみならずリハビリテーションナースにも課せられる．

患者の活動と参加を促す役割を担うリハビリテーションナースは日頃から療法士の個別訓練を補うかたちで歩行介助や立ち上がり訓練を行っている．また，病棟での患者の安全性の確保や活動を促すために病室内の環境調整を行うことも求められている．このような経験を生かし災害現場では療法士とともに軽介助者の直接訓練や，集団体操，避難所の環境調整に関わる機会も多い．

具体的には，避難所で立ち上がり困難な人に屋内用置き型手すり導入の提案やトイレ前の環境調整による転倒回避策の提案など，生活環境の調整を行うことで二次的被害発生を阻止することに努める．また施設や避難所では廃用に対する予防的取り組みとして集団リハビリテーションやレクリエーション，必要性があれば嚥下体操なども実施する．

効率的に支援を進めるためには頻度の高い疾患管理などに関しては患者・家族向けのパンフレットなどの作成も求められる．また支援を個人の判断ではなく，ロジスティックチームとの話し合いの中から問題点やニーズを多角的に検討することが大切である．

4〕精神的サポート

リハビリテーションナースの役割として，精神的看護がある．被災者に精神的に寄り添う看護を行うことでストレス軽減に繋がり，相手との信頼関係を構築することができる．

被災地では家屋倒壊や近親者を亡くすなど直接的な被害で絶望に陥る人，また避難所では，他人との共同生活で計り知れないストレスを抱えている方は少なくない．支援チームは少しでも被災者の役に立ちたいと意気込み支援活動に繰り出す．しかし，必ずしも被災者から直接助けを求められるわけではないので，「大丈夫ですか？」などの声掛けやさりげないコミュニケーションによって信頼を得ていくことも重要である．身体的な介入はもちろんだが，精神面への配慮も看護師の忘れてはならない役割である．大規模災害時のサバイ

バーズ・ギルト（災害や事故などから生還した人が，周りの人が亡くなったときに感じる罪悪感），避難所での子どもへの対応などは，支援者として特に注意する必要がある．詳しくはストレス・災害時こころの情報支援センターのホームページ[4]などを参照されたい．

また，専門職としての使命感が強すぎると，かえって被災者のストレスに繋がる危険があることを心得なければならない．医療の場ではなく，生活の場に足を踏み入れていることを意識し，被災者に寄り添う気持ちが短期間での信頼関係を築き，良好な被災者との関係性構築，支援活動に繋がる．

また，被災者の精神状態が医療的介入の必要性が高いと判断された場合は災害派遣精神医療チーム（DPAT）などの専門的医療チームに情報の提供を行う必要がある．

5〕健康管理・感染予防対策

避難所や仮設住宅などは，共用部分も多く，寝食を同一環境で行ったり，数の限られたトイレなどは多数の人が使用し，衛生が保ちにくい．また，何らかの流行性疾患などがパンデミックになりやすいため，感染制御の視点と避難者への指導・教育は重要である．

被災地における感染管理については，以下に掲載の手引きやガイドラインを参照されたい．

- 一般社団法人日本環境感染学会：大規模自然災害の被災地における感染制御マネージメントの手引き（2014）
  http://www.kankyokansen.org/other/hisaiti_kansenseigyo.pdf（2023年2月2日閲覧）
- 内閣府（防災担当）：避難所におけるトイレの確保・管理ガイドライン（令和4年4月改訂）
  https://www.bousai.go.jp/taisaku/hinanjo/pdf/2204hinanjo_toilet_guideline.pdf（2023年2月2日閲覧）
- 内閣府：防災情報のページ
  https://www.bousai.go.jp/taisaku/hinanjo/index.html（2023年2月2日閲覧）
- 一般社団法人日本災害リハビリテーション支援協会：新型コロナウイルス関連情報.
  https://www.jrat.jp/covid19.html（2023年2月2日閲覧）
- 一般社団法人日本感染症学会：災害と感染症対策
  https://www.kansensho.or.jp/modules/topics/index.php?content_id=17（2023年2月2日閲覧）

6〕情報共有と情報の継続

避難所などで災害支援を行う場合，交替で様々な看護師が従事することになるため，情報の共有と継続が重要となる．

チームの代表者などは保健医療調整本部の会議に参加し，全体の情報共有と報告などを行う．また，派遣元へ定時・随時報告し，指示を受ける．

現地では，健康上のハイリスク者の基準を定め，派遣された避難所内の要注意者とその状態を，チーム内・間で情報共有したり，次のチームへ引き継ぎを行う．

【文献】

1）日本公衆衛生協会日本保健師長会：大規模災害における保健師の活動マニュアル，平成24年度地域保健総合推進事業「東日本大震災における保健師活動の実態とその課題」を踏まえた改正版，2013.
2）公益社団法人日本看護協会：災害支援ナース育成研修プログラム（2021年度改訂）：https://www.nurse.or.jp/nursing/practice/saigai/pdf/program.pdf?ver=2022
3）上月正博：被災直後のリハビリテーションの役割．大規模災害リハビリテーション対応マニュアル（東日本大震災リハビリテーション支援関連10団体『大規模災害リハビリテーション対応マニュアル』作成ワーキンググループ編），医歯薬出版，pp89-92，2012.
4）ストレス・災害時こころの情報支援センター：https://www.ncnp.go.jp/saigai-kokoro/greeting.html

（荒木暁子）

災害時における介護実践のポイント

1．配慮を要する人と災害の関係

1〕災害時要配慮者とは

「高齢者，障害者，乳幼児その他の特に配慮を要する者」と定義されている．また「その他の特に配慮を要する者」とは，妊産婦，傷病者，難病患者等が想定される．日本語を十分理解できない外国人も情報受伝達に配慮が必要な場合が多い．

一般には，①高齢者（1人暮らし，寝たきり，認知症高齢者など），②身体障がい者（視覚障がい者，聴覚障がい者，言語障がい者，肢体不自由者，内部障がい者など），③知的障がい者，④精神障がい者，⑤難病患者や小児慢性特定疾病児，⑥乳幼児・児童，⑦妊産婦，⑧外国人，⑨観光客を指す．

また，災害で負傷した人など，ハンディキャップがあると想定される人に対し，柔軟に対応するため，その範囲については画一的とならない．

2〕災害が要配慮者に与える影響

平時においても介護を要する人々にとって，災害の発生はその生活に大きな影響を与える．災害そのものによるダメージとともに，慣れた生活の継続を妨げられ，必要な介護を受けられない状況になり，また必要とする物品の不足などにより適切な介護の提供を受けられなくなる場合がある．このように災害は，一般の人々よりも要配慮者へより大きな影響を与えることになる．

2．災害時における要配慮者の状況

1〕発災時

災害が発生した際に，要配慮者の中にはその障害特性により，災害そのものやその影響について理解できず，ただただ混乱したり，奇声を上げたり，不安から暴れるといった行動をとる人もいる．また発災によってもたらされた状況になすすべがなく，ただその場にじっとしているしかない場合も多い．

避難しようにも自力で移動できない場合もあり，支援が入らなければその場にとどまらざるを得ない．人工呼吸器やその他の機器を使用している方の場合には電力の確保や機器の運搬も必須となる．こうした状況が避難をさらに難しくしていく．

2〕避難時

自力で避難が可能であっても健常者に比べればその対応力は劣ってしまう．機敏な動きや適切な判断が難しく，避難先に向かうまでにもいくつものハードルが存在する．

さらに自力での避難が難しい人の場合には，支援のための時間や労力も必要となる．まずは命を助けるための事前の計画や，避難行動要支援者の存在の把握がなければ対応はできないと考える．

3〕避難所

大規模災害において，避難者が密集する避難所では，条件の良い場所は健常者が占有し，高齢者や身体が不自由な人々は出入口の付近など，条件の良くない場所での避難生活が強いられる．

また，こうした非日常の中で，奇声や大声を出す障がい児や認知症高齢者は，せっかく避難できたにもかかわらずその場にとどまることが難しい．周囲の人々の態度や本人の状況から，車の中や他の場所へ移らざるを得なかった例がこれまでも散見された．

福祉避難所の指定は進められているものの，こうした多様な介護を要する人々の受け入れを想定していないのが現状なのではないだろうか．

3．介護実践のポイント

以下に，具体的な介護実践におけるポイントについて述べていきたい．これまで述べてきたように介護を要する人は個別性が高く，実際には目の前の対象者に合わせた工夫が必要となることをまず理解しておきたい．そのため，本項においては概論を述べることとする．

1〕避難時

避難にあたっては，まずその災害の特性に合わせて避難の要否を検討する．すなわち避難することとその場にとどまることのどちらが本人にとって負担が少ないかをまず考える．そして自宅などにとどまる場合には，家屋内で最も安全が確保できるところへ移動させる．

次に避難行動に移る場合には，要配慮者自身にその必要性を伝え，協力を求める．個別の状況に合わせた移動手段を確保し，速やかに実施していく．この際，本人の状況を理解している人が常に対応できるとは限らないため，介護に必要な情報を引き継げるよう，本人が所持する荷物の中に入れておくなどの工夫が必要である．

日頃，関わりのない支援者であってもスムーズに介護を提供するための情報の内容としては，病歴，主治医名，服薬内容，特別な配慮・対応の必要な介護状況，本人の特性，食事形態や介助の要否，身元引受人の氏名と連絡先，などが考えられる．

2〕避難所

避難所においては，要配慮者にとって過ごしやすい場の確保がまず求められる．災害の規模や対象地域によっても異なってくるので，日頃より配慮を要する避難者の見込みを持ち，受け入れの準備を避難所開設当初より意識しておくことが重要である．

さらに，実際に避難者の受け入れが開始されてから重要になると思われるのが，介護トリアージである．介護トリアージとは介護の優先順位や，緊急性についてランク付けをして対応するために，判断し選別し順位付けすることを指す．限られたスペース，人員，用具を有効に活用するためには緊急時に対象者の受け入れに順位付けが必要となるからである．

この選別順位付けには専門性の高いアセスメント力が求められる．その際，当事者と日常的に関わりのない他地域から支援に入った人がトリアージを実行するほうが，その後の軋轢（対処に対する不満など）を生じにくいため，実施に当たっては担当者を慎重に決めて対応していかなければならない．

また，この介護トリアージの実施によって，その避難所において対象者の介護が継続して実践できるかの見極めにも繋がり，新たなる受け入れ先の検討や，避難所内の福祉的スペースの拡大や縮小の要否，必要物品の把握にも繋がっていく．

その後の個別の介護に関しては，簡単な介護計画をトリアージの際に作成し，その内容を支援者に伝えていく仕組みも必要となる．これは，介護を要する人自身が自分で訴え，その実践を要求することは難しいからであり，様々な支援者が交代していく現場での混乱を避けるためでもある．

もちろんこのトリアージの対象者は，発災前から介護を必要としていた人だけではなく，災害によって介護を必要とする状況になった人にも等しく実施されることが重要である．

3〕地域の要配慮者への支援

前述したように，避難所といった場にはなじむことのできない要配慮者は一定数存在する．そのため，多少落ち着いてきたら，これらの人々の所在確認とともに，介護状況のアセスメントを実施しなくてはならない．

福祉避難所の存在も知らずに自宅で頑張っていたり，すでに食料や水といった生活物資に不足をきたしていたりしてどうしてよいかわからない例もある．短時間であれば家族などの頑張りも可能であるが，介護を要する人を抱えて，日常生活が破綻した中での負担は想像を絶するものであろう．

訪問によって所在確認を受けるだけでも心理的負担は軽減される．具体的に不足しているものを訴え，どのように確保するかの相談ができれば，次に繋がる行動もとれるからである．

こうした訪問活動には，日頃から地域に出向いて当事者と関係をもっている人と，応援に来た他地域の人が組んで活動することが望ましい．そうすることで対象者へ発災後短期間での訪問が可能となるとともに，必要に応じて現在の場所からの移動も視野に入れた，緊急性をも含めたより具体的なアセスメントとプランの提示が可能になるからである．

4．まとめ

災害は支援・介護を要する人により大きな影響を与えることと，介護実践は個別性が高くその場での的確な分析と判断が求められることを理解しておきたい．そして，その場で対応を考えたのでは間に合わないことから，平時から災害の発生を想定した準備が必要である．

地域に暮らす要配慮者の存在と必要な支援内容，そして支援者側ができることを整理し共有しておくことが大切である．

【文献】
1）日本介護支援専門員協会 災害対策特別委員会編：災害対応マニュアル，第4版，日本介護支援専門員協会，2017.

（吉田光子）

被災地における感染対策

1．はじめに

日本は，外国に比べて地震や津波，台風，豪雨，土砂災害，火山噴火などの自然災害が発生しやすい国土であり，大規模災害といえる東日本大震災や熊本地震など以外にも，毎年のように，人々の生活を脅かす，予測困難な自然災害が発生してきた．被災地では多くの住民が避難所に集まり，狭い空間での避難所生活を余儀なくされた．また被害が甚大であった地域では，避難所生活は長期となり，水をはじめとしたライフラインが遮断され，避難所環境も，特に急性期には不衛生となりやすい傾向がみられ，感染症の発生とまん延が懸念された．

被災地で活動する医療従事者は，本来の診療活動に尽力するとともに，避難所において感染症を発生させない，流行させないよう，基本的な感染対策を理解して，適切に実践しなければならない．さらに2020年以降のCOVID-19の流行が，感染対策をより複雑にしている．避難所内にウイルスが持ち込まれないように避難所に入る前には問診票で体調などを確認し，もし避難所内での発生が確認された場合には避難所内での感染拡大を最小限にするために，避難所内での人流（人の交差）を日常的に抑えておくなど，従来の感染対策と比してより厳しい対策が必要となる．基本的な感染対策と同時に行うべきだが，COVID-19予防を強く念頭に置いて実施する必要があることから，p.95，V-I8「COVID-19」にまとめた．

2．基本的な感染対策

「すべての人は伝播する病原体を保有していると考え，人や周囲の環境に接触する前後には手指衛生を行い，血液・体液・粘膜などに曝露されるおそれのあるときは個人防護具を用いること」が，標準予防策の考え方である．これは医療施設における医療関連感染対策（いわゆる院内感染対策）の基本であるが，多数の住民が長期に集団生活をするといった避難所における感染対策としても応用可能である．

過去の大災害の経験をもとに，避難所で必要な感染対策についていくつかのマニュアルが作成され，インターネット上で公開されている[1,2]．

1〕手指衛生

避難所における診療活動などで必要となる，基本的かつ重要な感染対策として，第一に手指衛生が挙げられる．手指が目に見えて汚染されている場合には流水と石けんによる手洗いを実施し，手指に目に見える汚染がなければ擦式アルコール手指消毒薬による手指衛生を行う．ただし，吐物や排泄物の処理作業を行った場合には，感染性胃腸炎を想定して，流水と石けんによる手洗いの実施が望ましい．大災害時は，衛生環境を保つためにも重要となる水が，一時的あるいは長期に使えなくなる地域が多く発生する．水が十分使用できない環境では，ウェットティッシュを活用し，丁寧に手指をぬぐった後に擦式アルコール手指消毒薬による手指衛生を行うことも有効である．

2〕個人防護具

予期せず咳やくしゃみなどの飛沫を浴びる可能性があることから，人と近い距離で接する場面，特に体調不良者に接する場面ではサージカルマスクを着用し，消化器症状のある患者および周囲環境に触れる場合や，吐物や排泄物に接触する可能性のある場合には，手袋とエプロンの着用が必要である．これら個人防護具はディスポーザブル製品を使用し，患者ごとに交換すべきである．

3〕環境対策

診療スペースは定期的に清掃や換気を行う．通常の清掃でよく，診察台も清潔であればよいが，患者ごとあるいは感染症が疑われる症状のある人に使用した後はアルコール除菌クロスで清拭消毒する．ただし，嘔吐や下痢など消化器症状のある人に使用した後は，0.05％次亜塩素酸ナトリウム（排泄物が付着した環境では0.1％）で清拭消毒する．消毒の際には十分換気し，また金属，樹脂，ゴムなどを劣化させることがあるため注意する．水が使えない環境では，希釈済製品（スプレー式など）が簡便に使用できる．

4〕体調不良者への対応

体調不良者に接する場合は，経路別予防策に基づいた，より注意深い対策が必要である．呼吸器症状がある人への対応時には，飛沫予防策としてサージカルマスクを着用し，嘔吐や下痢などの消化器症状がある人への対応時には，接触予防策として手袋やエプロンを使用する．ただし，多くの感染症において，特に急性期には飛沫感染と接触感染のいずれでも感染伝播を起こし得ることから，症状の強い患者に対応する際には，サージカルマスクや手袋，エプロンのすべての使用が望ましいと思われる．

5〕自身の体調管理

自分自身が感染源となり避難所で感染症を拡げないよう，活動中の健康管理は重要である．被災地および避難所という特殊な環境下では，医療従事者も緊張感や高揚感から体力の限界を超えて活動しがちであるという点を意識し，自制すべきである．もし，感染症をはじめとした体調不良を自覚した場合には，自分自身を守るため，また，避難者や共に活動する仲間を守るために，決して活動を続けてはならない．また，体調不良や症状がありながら活動する人に気づいた場合には，互いが注意し合える関係作りも，長い支援活動を想定した場合には重要となってくる．

6〕その他の対策

(1) 食中毒対策

被災地では，水や食料も不足し，かつ冷蔵庫などの保存設備のない避難所もあり，避難所に配布される食事が室温のまま長期に保管されている光景も見受けられる．支援者が自身の水や食料を準備して活動に参加することは当然であるが，保管場所はないという前提のもとで持参するものを選ばなければならない．

(2) 予防接種

過去に起きた国内外における大災害の記録では，避難所において結核，麻疹，水痘が発生した事例が報告されている．これら3疾患は空気感染する疾患であり，予防にはN95マスクなどの空気予防策が必要であるが，このような特殊なマスクを避難所で日常的に使用するのは現実的でなく，また麻疹や水痘は発症する約2日前から感染性を有していることから，避難所内で感染が確認されてから予防策を開始したとしても，すでに二次感染が起きている可能性も高い．よって最善の対策は予防接種であり，被災地に入るすべての医療従事者は麻疹や水痘をはじめとした予防接種を事前に受けておく必要がある．被災地で活動する医療従事者に必要と思われる予防接種を表Ⅴ-6に示す．

表Ⅴ-6　被災地での活動に必要と思われる予防接種

予防接種	対象者
インフルエンザワクチン	最後の接種から6カ月以上が経っている者
麻疹・風疹混合ワクチン	罹患歴あるいは2回接種歴がない者
破傷風トキソイドワクチン	最後の接種から10年以上が経っており，屋外で活動する可能性のある者
A型肝炎ワクチン	特に60歳未満の者
水痘・おたふくかぜワクチン	罹患歴あるいは接種歴がない者
新型コロナウイルスワクチン	最後の接種から3カ月以上が経っている者〔注：2回目は3～4週（メーカーにより異なる点に注意すること）〕

（国立感染症研究所感染症疫学センター，文献3，徳田，2012，文献4を改変）

7〕避難所の管理担当者らとの連携

避難所の管理担当者としては，保健師をはじめとした行政職員であることが多い．管理担当者はほとんどの場合は交代制であることから，日々の担当者がすべての体調不良者を把握していない場合や，体調不良を誰にも言えず過ごしている避難者もいるため，活動中に知り得た情報を管理担当者と情報共有することも重要である．

8〕COVID-19 対策

避難所における COVID-19 対策として重要なポイントは，(1) 予防のための環境整備〔三密の回避，人流（人の交差）の抑制〕，(2) 感染者（濃厚接触者）の早期探知，(3) ゾーニングといえる．(1) 予防のための環境整備に関して，三密の回避については，COVID-19 予防の基本として流行当初より提唱されている「密閉」「密集」「密接」である三密を確実に避けるための対策を実践することであり，換気や人数に見合ったスペースの確保が重要である．人流（人の交差）の抑制については，過去の大規模災害の経験から手洗い場やトイレといった短期間で汚れやすい共用エリアについては，利用者が協力して定期的に清掃や消毒作業を行ったほうが清潔な環境を維持しやすい傾向がみられた一方で，避難所内の様々な居住区の代表者が集まって作業を行うと，大きな避難所の場合であるほど広域の人々が交差することになり，COVID-19 が発生した場合に感染拡大に繋がる要因になり得ると想定されることから，複数の居住区から担当者を集めて作業するようなチーム編成は避けたほうがよいと思われる．(2) 感染者（濃厚接触者）の早期探知については，避難所の利用者に対して，COVID-19 などへの感染を疑わせる症状や接触歴，あるいは，より注意深く健康観察すべき濃厚接触者に該当する行動歴や接触歴をスクリーニング用紙や問診票などを用いて，的確に把握することが重要である．これは新たに避難所に入ることになった新規利用者だけでなく，避難所への訪問者（運営スタッフを含む）や，すでに避難所の利用を始めて日数が経った人の場合でも，その避難所を拠点としていろいろな場所（自宅や職場など）に行くような利用者については，避難所に帰るたびにチェックすることが望ましい．またもし体調不良を自覚した場合には，避難所の運営スタッフ（または健康管理担当者）に速やかに自己申告すべきであることを避難所の利用者全員に周知しておく必要がある．(3) ゾーニングについては，COVID-19 感染者のために一般の利用者の居住区とは別のスペースを設けることである．濃厚接触者に対してもゾーニングを行うべきであることから，症状から感染者を早期探知するだけでなく，問診票などを用いて，疑わしい行動歴や接触歴を把握することが重要である．また避難所の新たな利用者だけでなく，以前からの利用者についても，体調不良を自覚した際には速やかに申告するよう促したり，体調不良者を早期探知できるように避難所の管理者らは避難者の体調観察に努める．利用者自身も避難所の外では三密を避けるよう特に留意するとともに，COVID-19 感染リスクを伴う行動や接触があった場合には運営スタッフへ申告するよう周知が必要である．このような COVID-19 対策（基本的な感染対策，スクリーニング，環境整備，ゾーニングなど）の具体方法については，文献 (5)～(7) に詳しく記載されている（図V-14～16）．

3. おわりに

避難所での活動に際しては，基礎疾患や既往歴など避難者の背景情報を必ずしも十分把握できないことが多い．さらに避難生活が長期になるほど，体力の低下から多くの避難者が易感染性状態にあると考えるべきであり，すべての人々を対象に実施する標準予防策をはじめとした感染対策が非常に重要となってくる．

被災地での感染対策においても，医療施設で日常的に実施されている感染対策が応用可能である．異なる環境下でも適切な対策が行えるよう，平時における理解と実践が重要である．

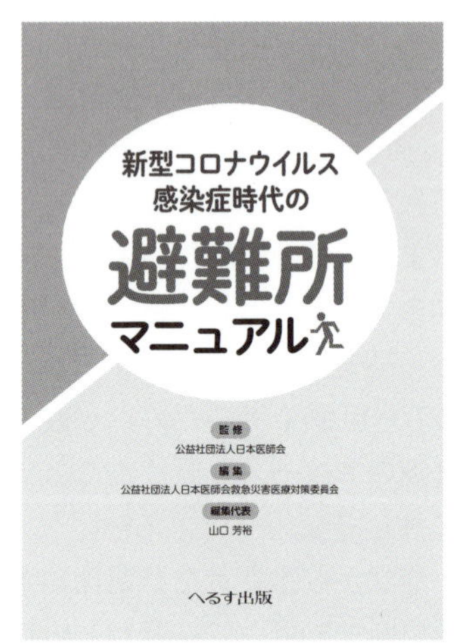

図Ⅴ-14　新型コロナウイルス感染症時代の避難所マニュアル
（公益社団法人日本医師会救急災害医療対策委員会・他，2022）[5]

図Ⅴ-15　新型コロナウイルス避難生活お役立ちサポートブック第4版
（認定NPO法人災害ボランティア支援団体ネットワーク，2021）[6]

図Ⅴ-16　日本リハビリテーション医学会感染対策指針（COVID-19含む）
（日本社団法人リハビリテーション医学会，2022）[7]

【文献】

1）東北感染症危機管理ネットワーク：避難所における感染対策マニュアル：http://www.tohoku-icnet.ac/shinsai/images/pdf/hotline04.pdf
2）日本環境感染学会：大規模自然災害の被災地における感染制御マネージメントの手引き：http://www.kankyokansen.org/other/public-comment_1312.pdf
3）国立感染症研究所感染症疫学センター：被災地・避難所でボランティアを計画されている皆様の感染症予防について：https://www.niid.go.jp/niid/images/idsc/disasters/volunteer20160422.pdf
4）徳田浩一：必要な予防接種．災害ボランティア健康管理マニュアル（岩田健太郎，國島広之，具芳明，大路剛，賀来満夫編），中外医学社，2012，pp16-19.
5）公益社団法人日本医師会救急災害医療対策委員会 編，公益社団法人日本医師会 監：新型コロナウイルス感染症時代の避難所マニュアル，へるす出版，2022：https://www.med.or.jp./dl-med/kansen/novel_corona/saigai_shelter_manual2.pdf
6）認定NPO法人災害ボランティア支援団体ネットワーク：新型コロナウイルス避難生活お役立ちサポートブック第4版（2021年5月26日）：https://jvoad.jp/wp-content/uploads/2021/06/034d8fbc57a6f206e3b5a47cff7a6ebd.pdf
7）日本社団法人リハビリテーション医学会：日本リハビリテーション医学会感染対策指針（COVID-19含む）（2022年2月21日）：https://www.jarm.or.jp/document/guideline_jarm_infection.pdf

（徳田浩一）

災害時における安全確保と避難行動要支援者の支援

1．安全確保のための準備

自宅や事業所，病院や指定避難所およびその周辺状況，また患者・利用者，または要配慮者の自宅および周辺については，その地誌的情報，特に危険箇所の有無や避難ルートなどについて把握しておく必要がある．

必要な情報については，マップなどで確認する．発災時にいる場所によって，避難場所も異なるため，可能な限り地区ごとの避難場所についても確認できるようにしておくなど，災害に関する地域・地区の特性，防災訓練などの経験をふまえて行動する．

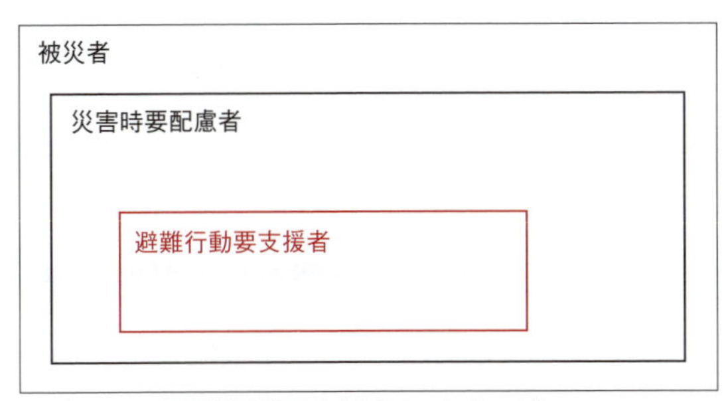

図V-17 避難行動要支援者のイメージ

表V-7 災害時要配慮者などの情報源

対象者	情報源
高齢者	住民基本台帳
要介護高齢者	要介護認定台帳など
身体障がい者	身体障がい者手帳交付台帳
知的障がい者	療育手帳交付台帳
精神障がい者・発達障がい者	精神障がい者保健福祉手帳交付台帳など
難病患者	難病福祉手当受給者名簿など

2. 発災当初の安全の確保

台風や風水害，大雪など災害に関する情報が事前に得られるものについては，定められた方法に従って，個人として，また専門職としての準備・避難を行う．

どのような災害においても，まずは自らの生命や身体の安全を確保するよう適切な行動をとる．自らの安全が確保できなければ，後の支援活動そのものができなくなる．

災害情報に注意し，津波被害や地滑りなど，建物の倒壊や火災，降雨や積雪などによる複合被害などに配慮しながら安全行動をとる．

発災当初は公的な援助が間に合わず，救助・避難活動は地域住民相互での活動，また病院・事業所・施設内での活動となるため，建物の倒壊など二次災害のリスクについても十分に考慮する．

3. 避難行動要支援者の情報把握

災害時要配慮者（高齢者，障がい者，乳幼児その他特に配慮を要する人）のうち，災害が発生した際に自ら避難することが困難な「避難行動要支援者（図V-17）」については，平成25年の災害対策基本法の改正により，市町村に避難行動要支援者名簿の作成が義務付けられた．これにより，令和2年10月の時点で，99.2%の市町村で作成がされている．一方で，掲載対象者に，真に避難支援を要する者が把握されていない場合があることや災害対応の場面で十分に活用されていないことがあるなどの指摘があった．こうした課題を踏まえて，令和3年の災害対策基本法の改正では，避難行動要支援者の対象を公示するとともに，避難行動要支援者名簿の作成に併せた個別避難計画の作成が努力義務となっている．

市町村は，関係情報（表V-7）を集約し，要介護状態区分別や障害種別，支援区分別に把握するとともに，難病患者に関わる情報などについては，都道府県知事などに提供を求めることができる．こうした名簿に記載が必要な情報には，個人番号（以下，マイナンバー）に紐づけられるものが多いことから，その活用が情報の取得や更新など，市町村の事務負担の軽減や効率化とともに，避難行動要支援者の迅速な避難支援等の支援にも有効である．

4. 避難行動要支援者などの情報共有

避難行動要支援者名簿は，平常時から避難支援等関係者に提供され共有されることで実効性が高まっていくが，この情報提供については，条例による特別の定めがある場合とない場合で異なってくる．

避難行動の実効性を高める観点から，市町村が，平常時から名簿情報を外部に提供できる旨を条例により定めている場合は，本人の同意を要しないこととなっているが，こうした定めがない場合は，避難行動要支援者の同意を得ることが必要となるため，担当部局が本人に個別訪問などの働きかけを行い，意思確認を行う必要がある．

また，居宅介護支援事業所・団体の介護支援専門員といった福祉専門職などの協力を得て，ハザードマップなどを通して災害リスクについて確認することや避難支援の必要性に関する啓発活動などを通して，名簿情報の外部提供への同意を得ていく．

このように要配慮者を迅速に特定・把握するためには災害ごとのハザードマップなどの情報の活用が不可欠であり，その後の復興活動にも役立つ．また，要配慮者の情報収集や共有については，その対象の範囲の考え方を明確にしたうえで，個別避難計画は，優先度が高い避難行動要支援者から作成していく必要がある．(表V-8，9)

特に，人工呼吸器や酸素供給装置などを使用する難病患者など特別な配慮を要する場合などは，関係機関と連携し，医療機関への搬送対策などを明確にしておく必要がある．

こうした要配慮者の災害時におけるリスクを予測し，必要な対応策を講じるためのアセスメントシートなどを活用しながら，適切な避難行動および避難場所などの設定を進めていくことが重要となり，必要に応じて，居宅サービス計画の第1表にもその概要を記載することとなっているため，関係者はその情報についても共有しておく(図V-18)．

表V-8　避難行動要支援者の考え方（範囲）の例

生活の基盤が自宅にある方のうち，以下の要件に該当する方
①要介護認定3～5を受けている者
②身体障害者手帳1・2級（総合等級）の第1種を所持する身体障害者（心臓，腎臓機能障害のみで該当するものは除く）
③重度以上と判定された知的障害者
④精神障害者保健福祉手帳1・2級を所持する者で単身世帯の者
⑤市の生活支援を受けている難病患者
⑥上記以外で自治会が支援の必要を認めた者

表V-9　計画作成の優先度を判断するポイント

○地域におけるハザードの状況（洪水・津波・土砂災害などの危険度の想定）
・河川：浸水想定区域など
・海岸・河川沿い：津波災害特別警戒区域など
・傾斜地：土砂災害特別警戒区域など
○対象者の心身の状況，情報取得や判断への支援が必要な程度
・重度の要介護や障害のある者，人工呼吸器使用者など，自力での判断や避難が困難な者
○独居等の居住実態，社会的孤立の状況
・避難支援者が側にいない

5．災害時要配慮者の避難支援と共助体制

災害時に優先度の高い避難行動要支援者については，個別避難計画により適切な避難行動が促進される．一方で，災害の状況などによっては，要配慮者のすべてを防災関係機関で避難させることは困難である．

発災当初は，地域住民での相互活動が中心となるため，地域の自主防災組織，自治会，民生児童委員などが連携して，災害時要配慮者などの情報を共有しながら，災害時の情報提供，安否確認，避難支援などを行う共助体制を構築していく必要がある．

要配慮者の状況は多様で，「情報伝達を徹底すれば自力で避難が可能な者」「安否確認が必要な者」「避難支援が必要な者」が含まれる．

令和3年の災害対策基本法の改正により，各事業所等に事業継続計画（以下，BCP）の作成が義務付けられた．居各介護支援事業所等のBCPには，災害時の利用者に対する安否確認するために，個別避難計画の情報を活用することとなっている．利用者が避難所にいる場合は，そこでの生活支援に協力するとともに，自宅などにいる場合は，自治体などと連携し，継続的に安否確認や必要な支援への繋ぎを行っていく．

それ以外に，地域包括支援センターや居宅介護支援事業所などの介護支援専門員などにより，特に「単身の要介護高齢者」「高齢者世帯の全員要介護認定者」「単身の一般高齢者」「一般高齢者世帯およびいずれかが要介護認定者の世帯」などのように，避難行動や生活の状況について把握していく．

介護保険サービス等を利用している場合は，必要な情報の活用が可能な場合も多く，支援体制の構築とともに地域包括支援センターなどに集約され，必要な支援に繋ぐ．

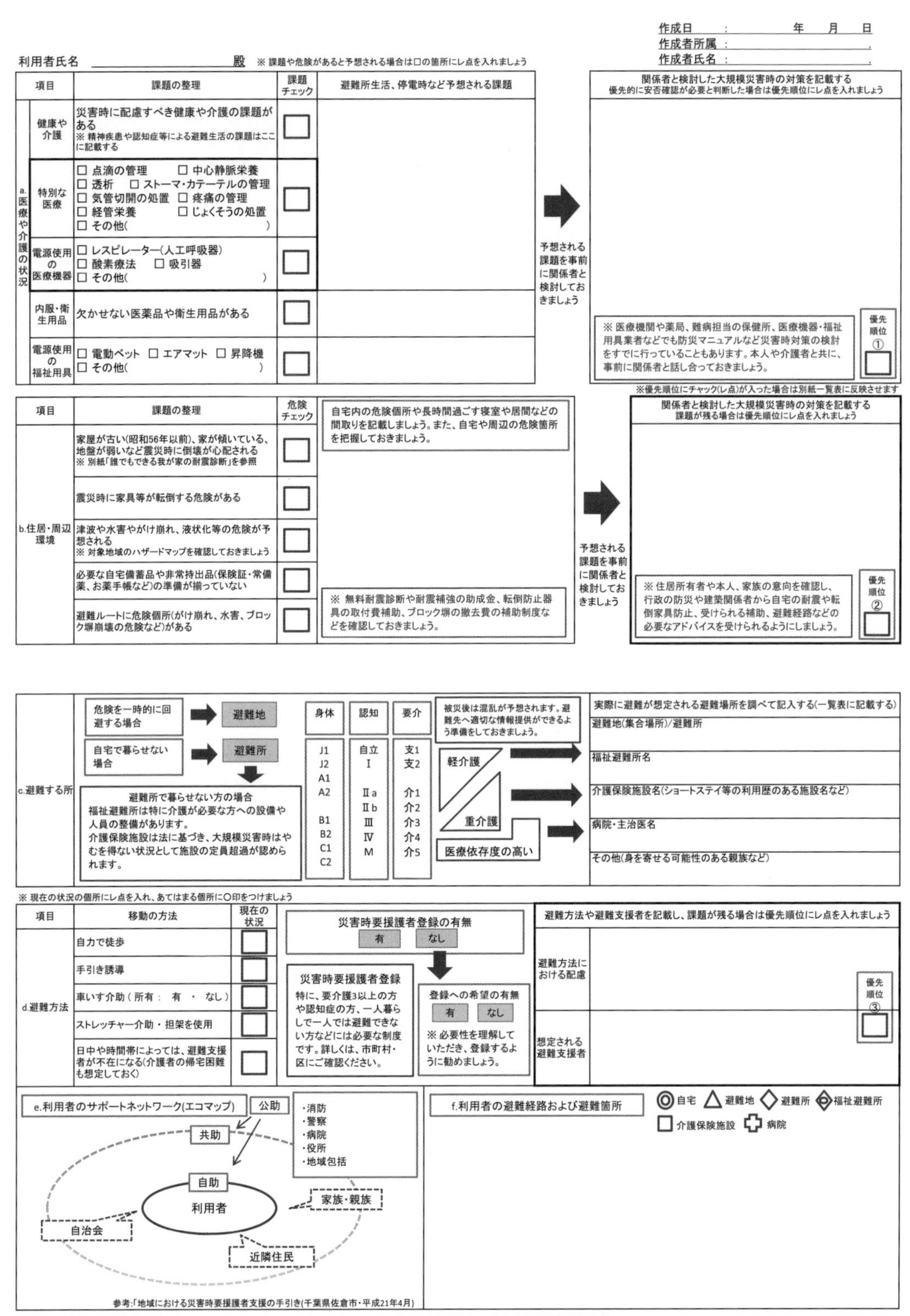

作成日　：　　　　年　月　日
作成者所属　：
作成者氏名　：

利用者氏名　　　　　　　　　殿　※ 課題や危険があると予想される場合は□の箇所にレ点を入れましょう

項目		課題の整理	課題チェック	避難所生活、停電時など予想される課題
a.医療や介護の状況	健康や介護	災害時に配慮すべき健康や介護の課題がある ※ 精神疾患や認知症等による避難生活の課題はここに記載する	□	
	特別な医療	□ 点滴の管理　□ 中心静脈栄養 □ 透析　□ ストーマ・カテーテルの管理 □ 気管切開の処置　□ 疼痛の管理 □ 経管栄養　□ じょくそうの処置 □ その他（　　）	□	
	電源使用の医療機器	□ レスピレーター（人工呼吸器） □ 酸素療法　□ 吸引器 □ その他（　　）	□	
	内服・衛生用品	欠かせない医薬品や衛生用品がある	□	
	電源使用の福祉用具	□ 電動ベット　□ エアマット　□ 昇降機 □ その他（　　）	□	

予想される課題を事前に関係者と検討しておきましょう

関係者と検討した大規模災害時の対策を記載する
優先的に安否確認が必要と判断した場合は優先順位にレ点を入れましょう

※ 医療機関や薬局、難病担当の保健所、医療機器・福祉用具業者などでも防災マニュアルなど災害時対策の検討をすでに行っていることもあります。本人や介護者と共に、事前に関係者と話し合っておきましょう。

優先順位 ①　□

※優先順位にチャック(レ点)が入った場合は別紙一覧表に反映させます

項目	課題の整理	危険チェック
b.住居・周辺環境	家屋が古い(昭和56年以前)、家が傾いている、地盤が弱いなど震災時に倒壊が心配される ※ 別紙「誰でもできる我が家の耐震診断」を参照	□
	震災時に家具等が転倒する危険がある	□
	津波や水害やがけ崩れ、液状化等の危険が予想される ※ 対象地域のハザードマップを確認しておきましょう	□
	必要な自宅備蓄品や非常持出品(保険証・常備薬、お薬手帳など)の準備が揃っていない	□
	避難ルートに危険個所(がけ崩れ、水害、ブロック塀崩壊の危険など)がある	□

自宅内の危険個所や長時間過ごす寝室や居間などの間取りを記載しましょう。また、自宅や周辺の危険箇所を把握しておきましょう。

※ 無料耐震診断や耐震補強の助成金、転倒防止器具の取付費補助、ブロック塀の撤去費の補助制度などを確認しておきましょう。

予想される課題を事前に関係者と検討しておきましょう

関係者と検討した大規模災害時の対策を記載する
課題が残る場合は優先順位にレ点を入れましょう

※ 住居所有者や本人、家族の意向を確認し、行政の防災や建築関係者から自宅の耐震や転倒家具防止、受けられる補助、避難経路などの必要なアドバイスを受けられるようにしましょう。

優先順位 ②　□

c.避難する所

危険を一時的に回避する場合 → 避難地
自宅で暮らせない場合 → 避難所

避難所で暮らせない方の場合
福祉避難所は特に介護が必要な方への設備や人員の整備があります。
介護保険施設は法に基づき、大規模災害時はやむを得ない状況として施設の定員超過が認められます。

身体	認知	要介
J1	自立	支1
J2	I	支2
A1		
A2	IIa	介1
	IIb	介2
B1	III	介3
B2	IV	介4
C1	M	介5
C2		

被災後は混乱が予想されます。避難先へ適切な情報提供ができるよう準備をしておきましょう。

軽介護 / 重介護 / 医療依存度の高い

実際に避難が想定される避難場所を調べて記入する(一覧表に記載する)
- 避難地(集合場所)/避難所
- 福祉避難所名
- 介護保険施設名(ショートステイ等の利用歴のある施設名など)
- 病院・主治医名
- その他(身を寄せる可能性のある親族など)

※ 現在の状況の個所にレ点を入れ、あてはまる個所に○印をつけましょう

項目	移動の方法	現在の状況
d.避難方法	自力で徒歩	□
	手引き誘導	□
	車いす介助（所有：　有　・　なし）	□
	ストレッチャー介助・担架を使用	□
	日中や時間帯によっては、避難支援者が不在になる(介護者の帰宅困難も想定しておく)	□

災害時要援護者登録の有無　有　なし

災害時要援護者登録
特に、要介護3以上の方や認知症の方、一人暮らしで一人では避難できない方などには必要な制度です。詳しくは、市町村・区にご確認ください。

登録への希望の有無　有　なし
※ 必要性を理解していただき、登録するように勧めましょう。

避難方法や避難支援者を記載し、課題が残る場合は優先順位にレ点を入れましょう
- 避難方法における配慮
- 想定される避難支援者

優先順位 ③　□

e.利用者のサポートネットワーク(エコマップ)

f.利用者の避難経路および避難箇所

参考：「地域における災害時要援護者支援の手引き(千葉県佐倉市・平成21年4月)

図V-18　災害時リスク・アセスメントシート（課題・対応策整理表）

6．避難支援の注意点

共助体制により，既に避難あるいは情報が得られていることも少なくないため，地区の避難所などで自主防災組織や民生児童委員などの情報共有者からの情報収集を行う．

必ずしも個別避難計画に基づいた避難行動がとられているとは限らず，状況によっては，避難所を転々とする，車中泊避難をするなど，いったん得られた情報が途絶える可能性がある．必要な情報は避難所に掲示したり，継続的に連絡できる手段を確保したりするなどの工夫を行う．

通常の交通手段や通信手段は全く使えないものと想定し，準備行動する必要がある．

【文献】

1）災害対策基本法（昭和36年法律第223号），令和4年6月17日施行．
2）災害対策基本法施行令（昭和37年政令第288号），令和3年5月10日施行．
3）災害対策基本法施行規則（昭和37年総理府令第52号），令和3年5月10日施行．
4）内閣府（防災担当）：避難行動要支援者の避難行動支援に関する取組指針（令和3年5月改定）：https://www.bousai.go.jp/taisaku/hisaisyagyousei/youengosya/r3/pdf/202105shishin.pdf
5）内閣府（防災担当）：令和元年台風第19号等を踏まえた高齢者等の避難のあり方について（最終とりまとめ），令和2年12月24日公表，https://www.bousai.go.jp/fusuigai/koreisubtyphoonworking/index.html
6）日本介護支援専門員協会　災害対策特別委員会 編：災害対応マニュアル，第5版，日本介護支援専門員協会，2021．

（水上直彦）

K 支援活動の注意点：二次災害

1．二次災害

発災の季節や時間帯，気象状況，地域の地形環境などが，災害の被害やその後の被災下での生活に大きく影響を及ぼす．地震の被災地においては発生1カ月を経過した後でも余震による地滑り被害や，その他，降雨や降雪の長期化による影響にも注意が必要である．

感染症の拡大などの多様な災害への対策の他，発災後はSNSでの間違った情報の拡散などにも注意しておく必要がある．

CBRNE（化学：Chemical，生物：Biological，放射性物質：Radiological，核：Nuclear，爆発物：Explosive）災害などの際には，実際に活動できる範囲は限られる．

2．主な二次災害と対応

1〕地震後の津波

地震規模や地形などによっては，特に沿岸部で大きな被害が出る．高台への避難が必須で，警報が解除されるまでは避難行動を継続する．

2〕地震後や大雨後の土砂災害

山崩れ，土石の崩落などによる被害が出る．人的被害や家屋などの被害の他，生活道路が寸断されるケースが多い．早期の避難行動が重要である．

3〕地震後の液状化現象

埋立地などで多発する傾向があり，地盤が緩い地域で災害リスクが上昇する．

4〕地震後の火災

特に地震災害後に起きることが多く，近年では電気火災の発生率が増えている．電気復旧後に火災が発生する例も少なくない．ガスを止める，外出時はブレーカーを落とすといった行動が必須となる．

5〕避難生活中の感染症

避難生活での感染管理が問題となり，特に衛生管理に必要な水や薬剤，物品などの不足や十分なスペースが確保できない場合などは注意が必要となる．避難者の疲労，体力の低下も重なるため，COVID-19やインフルエンザウィルスなどによる感染症の発症・拡大に注意が必要である．

6〕地震後の建物倒壊

余震などにより，一部損壊した家屋内などがさらに倒壊することで起こる被害である．損壊家屋については，応急避難度判定がされている場合が多く，むやみに近づかない（図V-19）．

また，がれきやガラス片などが散乱していることも多いため，靴や衣服なども注意を払う．

7〕災害後の暴力など

暴動などが起こっていなくても，災害による治安の悪化などから，事件行為の発生には十分に注意が必要である．東北地震の際には自治体から再三の注意喚起があった．支援活動は，なるべく複数人のチームで行うなどの配慮を行う．また，復旧工事による工事車両や支援活動のための車両が増えるので注意する．

8〕災害後の気候変動

風雨や雪害，寒冷など地域や季節において，被災状況が大きく変化する可能性がある．特に不慣れな地域での活動は，十分な準備が必要である．

9〕車中泊における深部静脈血栓症

プライバシーや避難所の組織運営などの問題から，車中で避難生活を続ける人は少なくない．深部静脈血栓症などのリスクが高くなるため，早期からのアプローチが必要となる．

10〕災害後の情報混乱

SNS による情報は，発災当初は有用であることも多いが，間違った情報が拡散し混乱することも多くなっているため，できるだけ正確な情報に基づいて行動する．

【緑紙】
この建物は使用可能です

【黄紙】
この建物に入る場合は十分注意してください。

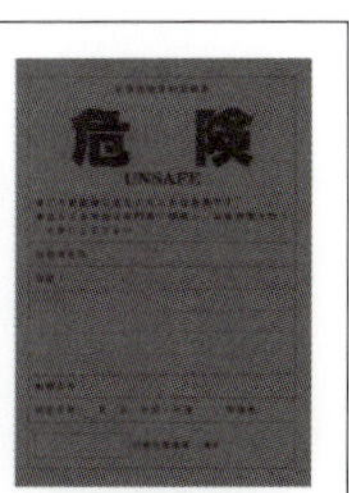

【赤紙】
この建物に立ち入ることは危険です

図V-19　応急危険度判定
（全国被災建築物応急危険度判定協議会）[4)]

3．ハザードマップの活用

活動中の二次災害による被害の低減を図るために，地域のハザードマップを確認しておく．主なものは，国または自治体のポータルサイト・ホームページなどで確認できる．

地域ごとに災害リスクは異なり，事業所などで作成される防災計画や事業継続計画（BCP）においても，事業所やサービス提供区域等のハザードマップやその内容の確認先が記載されることとなっている．

1〕河川浸水洪水（破堤などの河川氾濫・水害・治水）

主に河川の氾濫を想定した「洪水ハザードマップ」を指すことが多い．一般に浸水想定区域図に，地方自治体が避難場所などを書き加えたものである．

2〕土砂災害（土石流の発生渓流，がけ崩れの危険地など）

土砂災害防止法（第7条）に基づき，都道府県知事による土砂災害警戒区域の指定が行われ，これを地図上に平面的に図示した「土砂災害警戒区域図」が作成される．現在は，災害時要配慮者の利用する施設への対応や，土砂災害ハザードマップの配布が義務化（土砂災害情報などの伝達方法，避難場所などの周知の徹底）されている．

3〕地震災害

地震に附帯して発生しやすい被害として，液状化現象が発生する範囲や大規模な火災が発生する範囲などについても知っておく必要がある．液状化では，大規模な住宅被害の他，道路の陥没や上下水道の破損などの被害がみられる．地盤被害（液状化）マップなどにより確認することができる．また，地域の耐火の状況としては，老朽木造建物率と世帯密度などが大きく影響する．地域によっては，地震火災マップなどで確認できる．

4〕火山防災

火山ハザードマップは，各火山災害要因（大きな噴石，火砕流，融雪型火山泥流など）の影響が及ぶおそれのある範囲を地図上に特定し，視覚的にわかりやすく描画したものである．平常時には避難計画を検討するため，噴火時などには入山規制や避難などの防災対応，土地利用などを検討するための基礎資料として活用される．火山防災マップは，火山ハザードマップに，防災上必要な情報（避難計画に基づく避難対象地域，避難先，避難経路，避難手段などに関する情報の他，噴火警報などの解説，住民や一時滞在者などへの情報伝達手段など）を付加して作成したものである．

5〕津波浸水・高潮

住民避難用ハザードマップと行政検討用ハザードマップに分けられる．前者は住民に災害の危険度・避難場所・避難経路などの情報を提供するもので，後者は，災害に対する予防対策，応急対策などを行う各行政部署がそれぞれの業務を検討するために作成する．それぞれ地町村や行政部署が都道府県や国の支援のもとに作成している．

この他，特定の災害を対象とせず，避難経路や避難場所，防災機関などの情報を表した地図を「防災マップ」と呼ぶことがある．

【文献】

1）災害対策基本法（昭和 36 年法律第 223 号），令和 4 年 6 月 17 日施行．
2）内閣府：内閣府防災情報：http://www.bousai.go.jp/
3）内閣府：日本の防災災害対策：https://www.cao.go.jp/en/doc/saigaipanf.pdf
4）日本建築防災協会，全国被災建築物応急危険度判定協議会：https://www.kenchiku-bosai.or.jp/assoc/oq-index/
5）国土交通省：ハザードマップポータルサイト：https://disaportal.gsi.go.jp/
6）内閣府：富士山火山防災対策協議会：https://www.bousai.go.jp/kazan/fujisan-kyougikai2/index.html
7）内閣府：福祉避難所の確保・運営ガイドライン（令和 3 年 5 月改定）：https://www.bousai.go.jp/taisaku/hinanjo/r3_guideline.html
8）内閣府（防災担当）他：火山防災マップ作成指針，2013.

（水上直彦）

L 利用者情報の管理と保存

1．災害時要配慮者の情報

災害時要配慮者についての情報は，行政・消防・警察，医療・保健・福祉などの関係機関・関係者で共有されることが望ましい．市町村は，このうち災害時避難行動要支援者の個別避難計画にかかる情報を提供し，適切な避難行動を促進する．

災害時の避難生活や緊急時の対応などにおいては，利用者の氏名や生年月日，住所，疾患や治療などの医療に関する情報などが必要不可欠である．自治体による要配慮者の登録制度などにより，一人暮らしの高齢者や知的障がい者などに対しては，救急時に必要な情報が使用できるようにするための取り組みが進んでおり，「命のバトン」や「救急医療情報キット」などが広く活用されている．

また，個人番号（マイナンバー）制度の進展により，必要な情報の一元的な管理が可能となってきているため，その取得状況についてもわかるようにしておくことが望ましい．

2．必要なデータの種類と保存

緊急時に必要な情報（表Ⅴ-10）は，利用者台帳あるいはサバイバルカード（図Ⅴ-20），緊急時

表Ⅴ-10　緊急時に必要な情報

- 利用者の氏名や住所
- 家族や近隣・親族など複数の連絡先
- 民生委員・福祉委員・自治会長
- 主治医や診療機関
- 主な疾患
- 服薬・医療処置の必要性
- 要介護度・障害の状況
- 介護支援専門員や相談支援専門医など
- 移動方法
- 認知症の有無やコミュニケーション能力
- ADL や介護に関する情報
- 福祉用具などの使用状況
- 居宅サービスなどの利用状況
- 避難所・福祉避難所の必要性
- 安否確認の方法

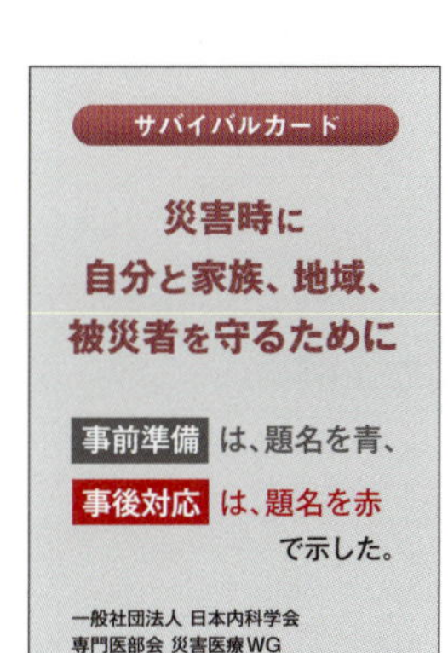

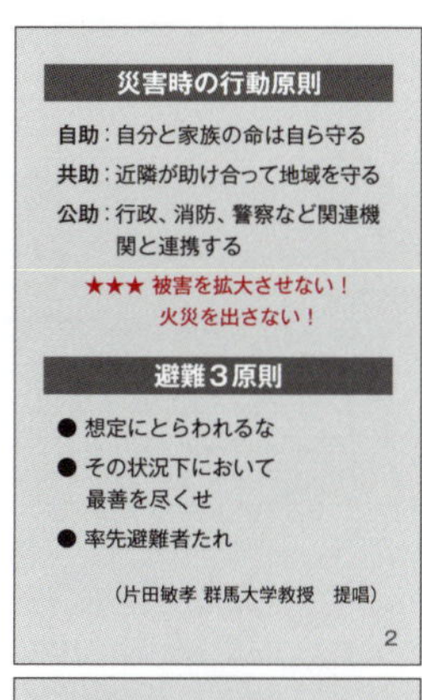

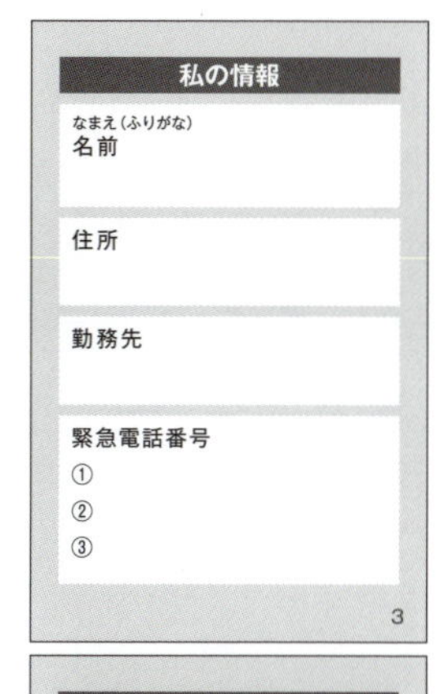

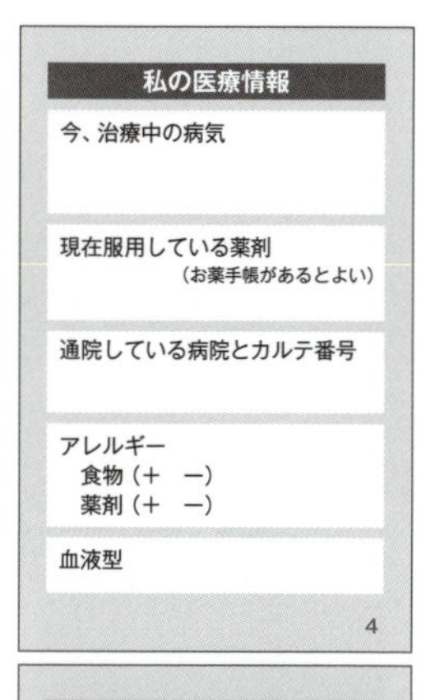

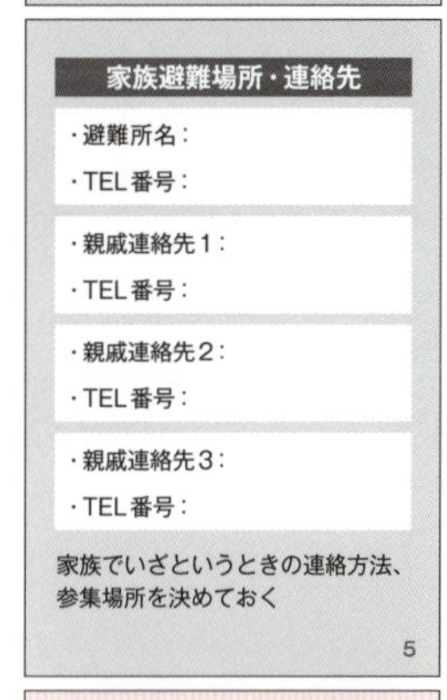

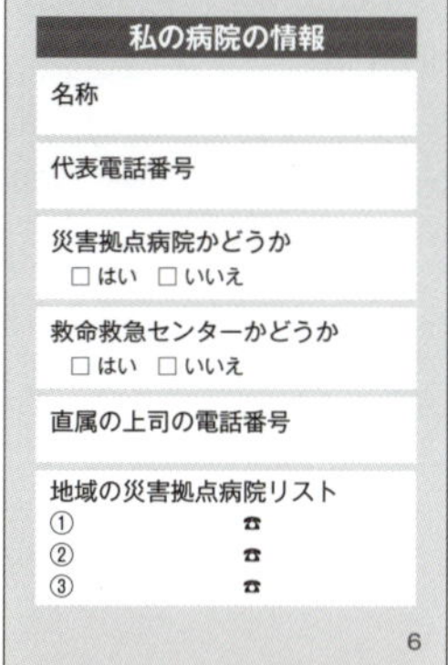

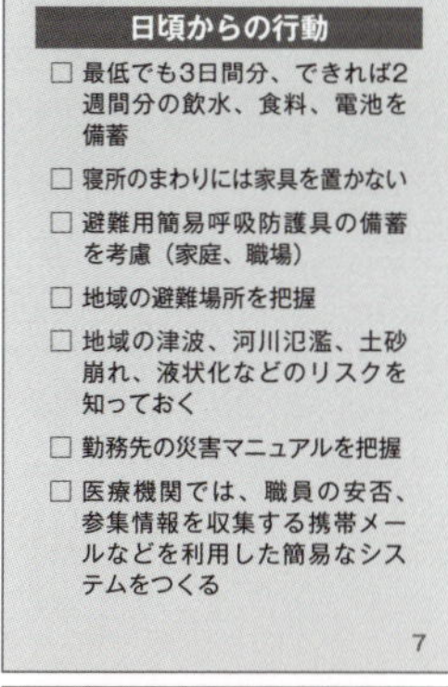

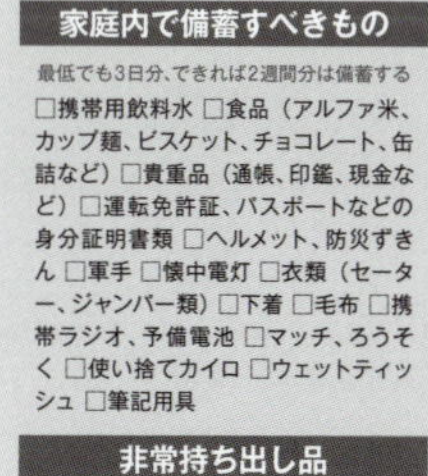

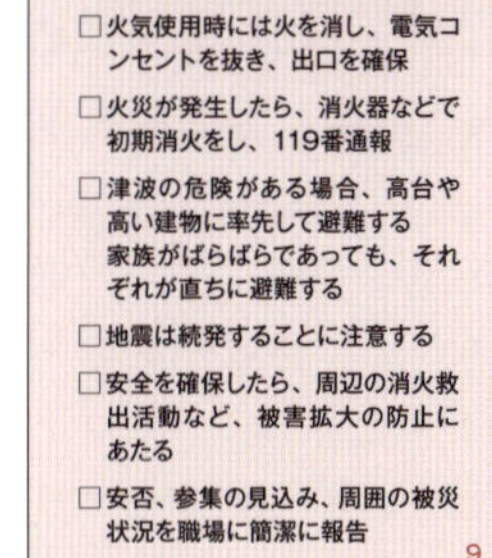

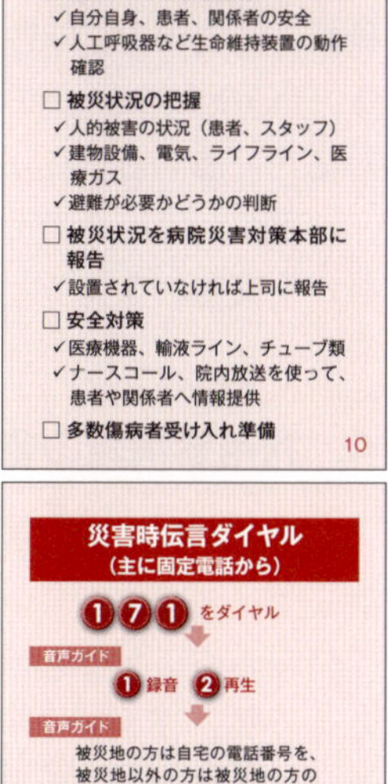

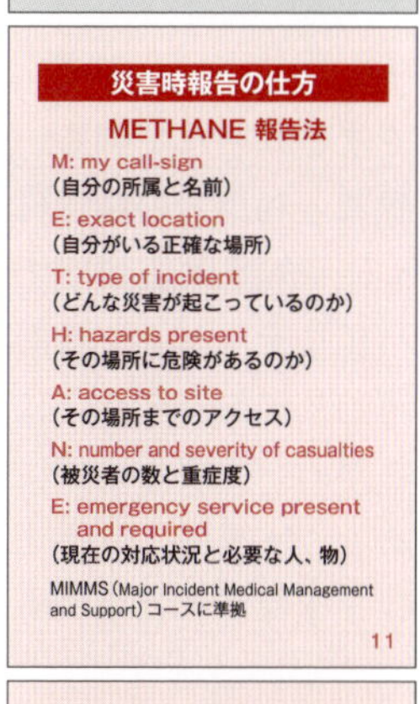

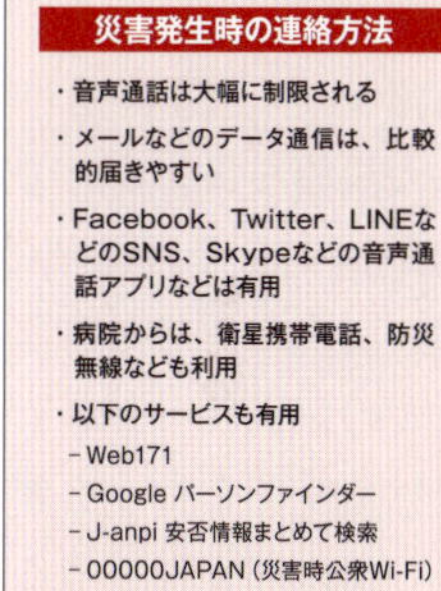

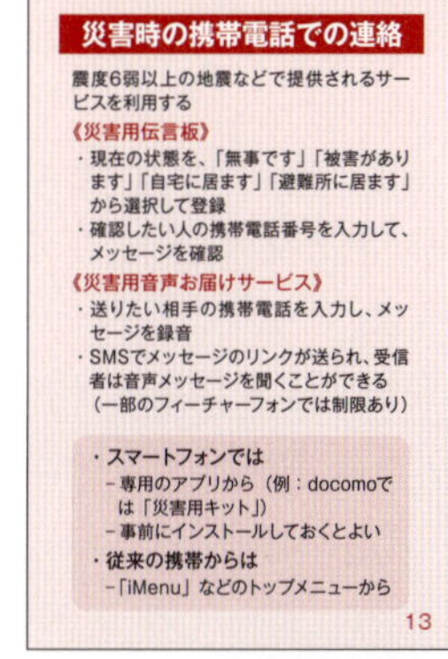

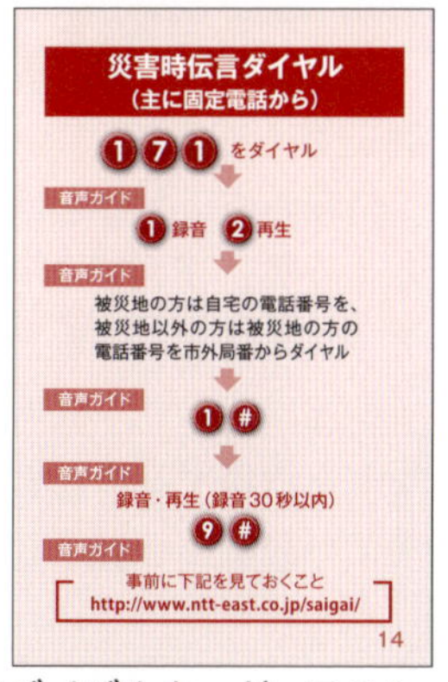

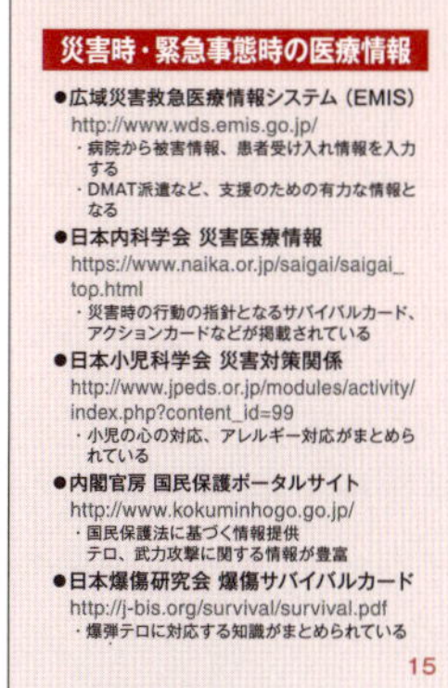

図V-20　災害医療情報（サバイバルカード・アクションカード改訂版）

（一般社団法人日本内科学会）[1]

※ 平常時から記載をしておくことで、被災時のシュミレーションが行なえ、担当が不在の際でも迅速な対応を可能にすることを目的としているシートです。

作成年月日：　　年　月　日
提出年月日：　　年　月　日
所属・氏名：
連　絡　先：

災害時情報提供書

（顔写真）	提出先	□福祉避難所　□介護施設　□医療機関　□その他（　　　）	
	ふりがな		性別
	氏　名		男・女
	生年月日	明・大・昭　年　月　日（　）歳	
	ふりがな		
	住　所	電話	

緊急連絡先	①氏名　住所 続柄　帰宅困難リスク　あり・なし　電話		
	②氏名　住所 続柄　帰宅困難リスク　あり・なし　電話		
介護度	申請中・支1・支2・1・2・3・4・5	手帳等	身体・精神・療育・特疾
介護保険情報	保険者番号 被保険者番号 備考	自立度	身体：J1　J2　A1　A2　B1　B2　C1　C2 認知：自立　Ⅰ　Ⅱa　Ⅱb　Ⅲ　Ⅳ　M
医療保険情報	保険者番号 被保険者番号 備考	家族構成図	
現疾患			
既往歴			
かかりつけ医	① 医療機関名 医師氏名 連絡先	特別な医療指示	
	② 医療機関名 医師氏名 連絡先	□ 透析（　） □ 食事制限（　） □ インスリン注射（　） □ 経管栄養（　） □ アレルギー（　） □ 感染症 □ その他	
	③ 医療機関名 医師氏名 連絡先		
おくすり	□自立　□見守り　□一部介助　□全介助 なじみの調剤薬局名（連絡先）		

作成年月日：　　年　月　日
提出年月日：　　年　月　日
所属・氏名：
連　絡　先：

ご利用のサービス	事業所名	担　当	住　所	連絡先

平時の状況　※該当に○		災害時配慮願うこと
麻痺	無・有（　）	
座位	自立　一部介助　全介助	
立位	自立　つかまれば可　一部介助　全介助	
移乗	自立　見守り　一部介助　全介助	
移動	独歩　杖　見守り　手引き　歩行器　車椅子	
入浴	ストレッチャー浴　座位浴　一般浴	
洗髪・洗体	自立　一部介助　全介助	
更衣	自立　見守り　一部介助　全介助	
皮膚状態	床ずれ　無・有（　） その他疾患　無・有（　）	
食事行為	自立　一部介助　全介助 介助状況（　）	
食事形態	普通食・ソフト食・きざみ食・ミキサー食 その他（　）	
義歯	無・有（　） 手入れ：　自立　一部介助　全介助	
排泄	自立　一部介助　全介助 リハビリパンツ　オムツ　パット	
視力	正常　やや見えにくい　見えない	
聴力	正常　やや遠い　かなり遠い　聞こえない	
意思伝達	できる　簡単なことのみ　できない 特別な方法（　）	
認知機能	物忘れ　心気症状　不安　焦燥　抑うつ	
周辺症状	興奮　幻覚　妄想　せん妄 その他（　）	
こだわり 嗜好品 好きな事 など	無・有（　）	
その他申し送り事項 ※　提出日直近の居宅介護支援計画の添付　あり・なし		

図Ⅴ-21　緊急時情報シート

情報シート（図Ⅴ-21）などでまとめられている．

大規模な災害などでは，患者・利用者の情報自体が損失を受ける場合がある．介護保険制度では，居宅サービス計画とリハビリテーション計画などの個別サービス計画は連動しており，互いに交付や受領を行う必要があるため，主要な情報については補完できることがある．実際に，関係するサービス事業所などで情報を確保された事例もみられた．

これらの情報提供および共有に関しては，個人情報保護に十分に配慮して行う．

3. 電子データの活用

近年，ICT の活用が推進されており，電子データの共有や活用がしやすくなっている．ノート PC やタブレット端末などで管理・閲覧が可能な場合も多く，電源の確保やインターネット回線の確保，データ活用のための指針やマニュアルの整備が必要である．

インターネットを用いたデータ管理は，一般的にバックアップや個人情報などのセキュリティに優れ，特定の PC 以外からもデータアクセスができ，PC などのハードの損失や破損にもある程度対応が可能である．

一方で，データアクセスが集中することで，通信が不安定になることもあるため，注意が必要となる．

4. 利用者情報の管理

収集した利用者の情報は，生活状況・環境に影響を受け，変化している．

情報の修正などを行った後に，適切に共有できるように，また対応の状況がわかるようにインデックスなどで分類し保存する．

状況に応じて，様々な代替サービスやサポートなどを活用することをふまえて，わかりやすい言葉での記載を心掛ける．

【文献】

1）内閣府（防災担当）：避難行動要支援者の避難行動支援

に関する取組指針（令和3年5月改定）：https://www.bousai.go.jp/taisaku/hisaisyagyousei/youengosya/r3/pdf/202105shishin.pdf

2）一般社団法人日本内科学会：災害医療情報（サバイバルカード・アクションカード改訂版）：https://www.naika.or.jp/saigai/saigai2016/

3）日本介護支援専門員協会　災害対策特別委員会編：災害対応マニュアル，第5版，日本介護支援専門員協会，2021．

（水上直彦）

M 情報の収集と伝達

1．災害時の情報通信

災害発生時における情報通信は必要な情報を得るためのものと，危険や救助を求めるためのもの，情報交換や共有を図るためのものがある（表V-11）．

通信手段には，通常の通話回線（音声ネットワーク）のように，災害発生時に制限がかかるものがあるため注意が必要となる．メールやSNS，IP無線などのデータ通信を行うパケットネットワークは規制による影響が少ないとされているため，あらかじめ活用を検討しておく．

2．自治体からの情報発信

各都道府県などの防災情報ホームページには，被害状況やライフラインなどの情報が閲覧できる．Twitterなどの SNSを使った自治体の取り組みでは，発災情報，交通情報，ユーティリティ関連の障害情報，避難所情報，道路状況の他，デマを打ち消す情報の発信，ユーザー情報の収集などが行われている．

3．災害発生時の情報ニーズ

発災後，最初に得る情報ルートはラジオが最も多く，被害状況が大きいほど，家族や知人などからの口頭での情報が中心となりやすい．

情報ニーズでは，余震，家族や知人の安否，地震の規模や発生場所など，全体的に被害情報や安否・安全に関する情報が高い．

4．生活再建に向けた情報ニーズ

災害発生からある程度時間が経過すると情報に対するニーズは，水道・ガスの復旧の見通し，入

表V-11　災害時の情報通信の種類

1）情報収集
ラジオ，テレビ，新聞，インターネット，一斉文字情報通知サービス（CBS），専用情報収集ネットワーク，掲示板，その他の広報活動
2）情報受発信（双方向性）
(1) 電　話 ・災害時優先電話 　災害時に優先的に取り扱う固定および携帯電話．特定電話からの発信が優先され，主に消防，警察，官公庁，公共機関，報道機関などが使用する ・衛星携帯電話 　ワイドスター（NTT ドコモ），イリジウム（KDDI）など．規制は少ないが，受信先の状況に左右される ・災害用伝言ダイヤル 171 ＊災害時には，固定・携帯電話による通信はほとんど不能となる．地震などによる電話線，交換機，中継器などのハードの損傷，設備技術者の参集遅れ，通信回線の混雑などが原因
(2) 無　線 ・防災無線 　中央（総理官邸，各省庁，公共機関），都道府県，市区町村，消防 ・業務用無線：船舶・タクシーなど ・アマチュア無線 　災害支援協定により使用される．インターネットと中継するなど通信回線不通区間でのデータ通信が可能なことがある ・IP 無線（パケット通信を使用した音声通信，グループ通信が可能）
(3) メール 携帯電話メール，インターネットメール
(4) インターネット ・災害ブロードバンド伝言板（web171） ・携帯災害用伝言板 ・SNS（Twitter アラート，Yahoo 防災速報など） ・WEB 会議システム
(5) 専用情報通信ネットワーク
(6) 人力による情報収集・伝達 ・自動二輪，自転車，徒歩 ・伝言，伝言板，掲示板など

浴に関する情報，交通機関や道路の開通状況，水・食料の配給や生活物資の状況など生活に関するものとなる．

要配慮者への対応，医療やリハビリテーション支援，介護に関するトリアージが必要となってくる時期でもある．

特に，要配慮者などの生活環境に関するニーズ把握と評価が重要となる．

5. 支援のための情報の収集

被災地で，できるだけ円滑に支援活動を行っていくためには，最低限の情報収集を行う必要がある（表Ⅴ-12）．

表Ⅴ-12 支援活動に必要な情報の種類

1．支援先
2．支援先の被災状況
3．滞在先およびアクセスの方法
4．現地の支援体制
5．災害対策本部の有無と場所
6．ボランティアセンターなどの設置状況
7．活動拠点の有無と位置
8．現地でのキーパーソンの有無

6. 情報収集で考慮すべき点

マスコミやインターネット情報などで現地の被災状況情報を得ることで，ある程度活動のための準備はできる．多くの場合は，組織的に基本的情報を把握しつつ，現地の支援を行うことになる．

現実には，地域特性や現場の状況から対応しなければならないことも多く，わからない情報がある．

災害初期においては，自治体や関係機関も混乱しているため，ニーズは把握されにくい．比較的，限られた地域での情報やニーズは断片的にでも掴めていることもある．災害初期は被災者の精神状態が高揚状態にあるため，外部支援に対するニーズが高まりにくい．

一方，現地の支援者は強い使命感をもって行動しているが，必ずしも冷静な判断ができる状況ではない．

自らのニーズの把握や表出が難しく，しばしば外部支援の介入を拒否する傾向があるということを知っておく．

7. 情報の共有と伝達

支援者の活動は，疲労などを考慮したうえで，数日から1週間程度の期間が多い．そのため，支援者同士の情報共有のシステムが早期から必要になる．収集した情報，対象者などの評価や支援の内容，今後の見通しなどについては，わかりやすく記載し共有する．

自治体や地域包括支援センター，居宅介護支援事業所やその組織・団体などが要配慮者などの情報収集や避難所などの課題把握の活動をしているため，できる限り情報共有を行う必要がある．

自治体や支援団体間の情報の共有は，必ずしもすぐにできるようにはならないが，各支援団体の本部などに状況の報告を行うとともに，支援団体間のネットワークや個人的ネットワークなどを通じて，改善できる方法を模索する．

活動が本格的になると，他の専門職との活動や地域ケア会議などを通じて，個別の課題が明確になっていく．

【文献】

1) 総務省：災害時における衛星インターネットの利活用に関する調査検討：平成23年3月，災害時における衛星インターネットの利活用に関する調査検討会．
2) 内閣官房 情報通信技術（IT）総合戦略室：災害対応におけるSNS活用ガイドブック：平成29年3月．
3) 日本介護支援専門員協会：災害対応マニュアル，第5版，2017．
4) 社団法人日本技術士会防災支援委員会：防災Q＆A．

（水上直彦）

VI 復旧期の対応

〈復旧期の対応の概要〉

実施項目	JRAT 中央災害対策本部	現地 JRAT 災害対策本部	各避難所での対応	連携先
避難所における避難者支援	人員確保 戦略策定 情報収集，分析	人員・役割調整 情報収集，分析 リハビリテーションニーズの把握	巡回もしくは常駐による自立支援 避難所生活環境アセスメント・避難者個別アセスメント・生活不活発病（DVT 含む）予防活動・生活環境整備	都道府県，市町村，地域 JRAT，保健所，避難所運営担当，DVT 検診チーム，JMAT，介護保険サービス事業所
自宅，福祉避難所，応急仮設住宅，公営住宅などへの移行支援	人員確保 戦略策定 情報収集，分析	人員・役割調整 情報収集，分析 リハビリテーションニーズの把握	巡回もしくは常駐による自立支援 移行先の生活環境アセスメント・避難者個別アセスメント・生活環境整備	都道府県，市町村，地域 JRAT，保健所，避難所運営担当，JMAT，介護保険サービス事業所
自宅，福祉避難所，応急仮設住宅，公営住宅などへのリハビリテーション支援	人員確保 戦略策定 情報収集，分析	人員・役割調整 情報収集，分析 リハビリテーションニーズの把握	巡回もしくは常駐による自立支援，移行先の生活環境アセスメント・避難者個別アセスメント・生活環境整備・孤立化支援	都道府県，市町村，地域 JRAT，保健所，避難所運営担当，JMAT，介護保険サービス事業所
地元の地域リハビリテーションシステムへの移行支援	人員確保 戦略策定 情報収集，分析	人員・役割調整 情報収集，分析 リハビリテーションニーズの把握	地元の地域リハビリテーション関連スタッフとの情報交換	都道府県，市町村（応急仮設住宅担当課），地域 JRAT，保健所，介護保険サービス事業所

A 復旧期における支援の原則と留意点

1．原則

①多職種協働を基にしたチームアプローチを実践するため，被災地での自分の役割と立ち位置および責任を確認しながら，災害対策本部など各チームとの報告・連絡・相談を怠らない．

②地域リハビリテーションの視点から，長期的かつ継続的なリハビリテーション支援に向けた体制づくりへの調整役となり，行政ならびに被災地における地域リハビリテーション関連施設（地域リハビリテーション広域支援センターなど）や協力機関などとの協働を推進していく．

2．留意点

避難所は，災害の規模や地域性により様々であり，避難者も高齢者や子ども，病を抱えている人など様々である．そのため，支援全般において行政をはじめ，関係者と連携を図り，各避難所における生活空間や人間関係，プライバシーなどに十分配慮しながら介入する．

避難所内における食事やトイレ，移動などの生活活動から懸念されるリスクを予測し，避難所内における段ボールベッドやテーブル，椅子などの物品を活用し環境調整を行うとともに，床から離れる，座って食べる，屋外へ出ていくことなど，自律的な活動に繋げていき生活不活発病を防ぐ．

避難生活が長期にわたる場合，ストレスなどをはじめとした精神面への支援も重要であり，避難所内に多くの人が集うことができる共有スペースなどを設けるとともに，集団での体操やアクティビィティなどの活動を展開し，避難者同士の関係性の構築や精神面の活性化に繋げていく．

(三宅貴志)

復旧期のリハビリテーション対応

1．避難所における対応

この時期になると，避難所の生活や運営が徐々に落ち着き始め，仮設風呂の設置など，避難所内の環境整備も進んでくる．また，学校や地域の医療・介護・福祉サービスの再開，仮設住宅の申し込みなど，生活再建への動きが徐々に始まる時期であり，避難者数はピークを過ぎ，場所によっては避難所の閉鎖や再編が行われ始める．

一方で，仮設住宅への入居や自宅再建などの目処が立たない被災者はさらに長期の避難所生活を余儀なくされるなど，避難者間の格差も表面化してくる．被災者の心理状態においては「ハネムーン期」から「幻滅期」へと移行する時期でもあり，疲労やストレスがピークをむかえる．

リハビリテーション対応としては，生活機能低下予防のための環境調整の継続とともに，避難所生活の長期化に伴う，生活機能低下への個別対応を行う．また対応においては，心理・社会面の変化にも十分に配慮し，必要に応じて他の支援者やサービスに繋ぐことも検討する．いずれの場合も，避難所を管理する保健師や行政職員，同じく支援に入っている他団体と連携し，対応することが重要である．

1〕避難所における生活機能の低下とその予防

災害時の生活機能低下は，住環境の物理的な変化や，地域コミュニティの変化といった「環境因子」の激変が大きく影響する．避難所という限られた空間での生活やコミュニティでは，被災前の「活動」や「参加」は質・量ともに低下し，これにより心身機能の低下をもきたす．

生活機能低下の予防として，まずは避難所内の生活環境を整えることを第一に考える．しかし，発災直後は，避難が最優先され，必ずしも初期から生活環境に配慮した避難場所が整備されているとは限らない．また避難順に居住区を確保された避難所では，地域コミュニティが寸断される．

時期に応じて，避難者の居住区を住み慣れた住所区画にする，トイレなどへの生活動線を確保する，食事場所を設置するなど，居住区だけにとどまるような生活範囲の解消や，コミュニケーションの機会を提供する場の確保など，生活環境を整備する提案を行う．

また，炊き出しや物資の運搬など，避難所の運営において，避難者が何らかの役割を担うことも対策の１つとなり得る．外部からの支援者に，必要以上の援助をしないように啓発することも必要かもしれない．

高齢者や障がい者など，生活機能低下のリスクが高い避難者においては，個々に基本動作やADLなどのアセスメントを行い，ニーズを把握し，個別の環境調整や動作指導といった支援を行う．あわせて，生活機能低下のリスクについて知ってもらい，自ら予防に取り組むように動機づけることも重要である（図Ⅵ-1）．

2〕継続したアセスメントの必要性

復旧過程においては，避難所となった学校・公共施設の再開や，避難者の減少などに伴い，避難所が再編され，避難所内での居住場所の移動や，別の避難所への移動を余儀なくされることもある．

こうした状況の変化により，再び環境調整や個別対応が必要になる場合もあるため，速やかに避難所や避難者のアセスメントを行えるよう，避難所の情報を把握しておく．

また，初期のアセスメントにより個別対応の必要性が低いと判断された避難者においても，避難

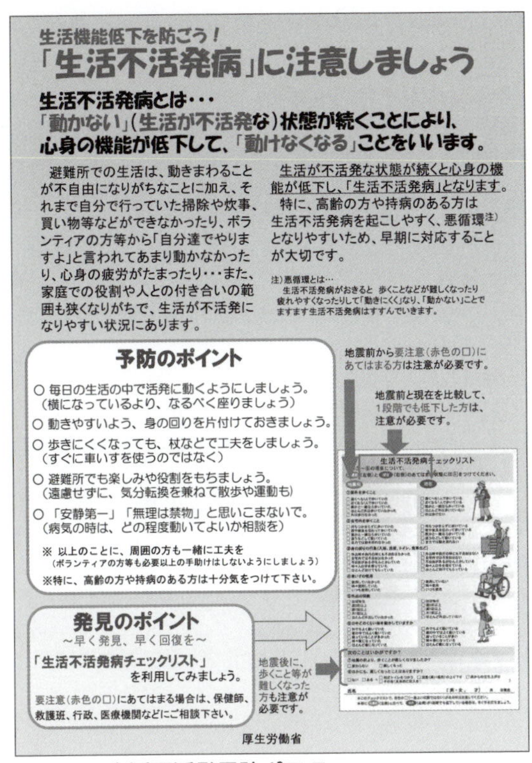

図Ⅵ-1 生活不活発予防ポスター

（厚生労働省）[5]

生活の長期化による疲労やストレスなどの影響から，生活機能の低下をきたしている可能性があるため，継続的な避難所の巡回や情報収集は重要である．

【文献】

1）水上直彦：避難所状況下における対応．大規模災害リハビリテーション対応マニュアル（東日本大震災リハビリテーション支援関連10団体『大規模災害リハビリテーション対応マニュアル』作成ワーキンググループ編），医歯薬出版，2012，pp139-141．

2）小林 毅：避難所における生活機能低下予防・改善．大規模災害リハビリテーション対応マニュアル（東日本大震災リハビリテーション支援関連10団体『大規模災害リハビリテーション対応マニュアル』作成ワーキンググループ編），医歯薬出版，2012，pp142-143．

3）金 吉晴：心的トラウマの理解とケア（外傷ストレス関連障害に関する研究会編），第2版，じほう，2006．

4）大川弥生：生活機能低下予防マニュアル～生活不活発病を防ぐ～：http://www.mhlw.go.jp/file/06-Seisakujouhou-10600000-Daijinkanboukouseikagakuka/0000122330.pdf

5）厚生労働省：生活不活発病予防ポスター（避難所用）：http://www.mhlw.go.jp/stf/seisakunitsuite/bunya/0000122332.html

（今野和成）

2．福祉避難所における対応

復旧期では，応急居住支援が開始され，指定避難所，福祉避難所に加えて公営住宅や民間賃貸住宅への入居，応急修理を終えた住宅に戻るなど被災者の避難場所は多様となり，被災者の生活機能を総合的にとらえた幅広い活動が求められる．

一方で，行政側の被災者に対する情報収集や分析が進み，個別の支援活動と地域への支援活動の両方の視点が必要である．多様化する避難場所における支援活動のポイントとなるのは，地域行政の災害対策本部や地域災害拠点病院など関係機関との連携に加えて，地域のリハビリテーション資源や生活支援を提供するボランティア，地域の住民の方などとの協働も含めた支援の提供である．住民組織を含め多様な主体とコミュニケーションをとりながら，戦略策定と支援を行う（表Ⅵ-1）[1]．

福祉避難所として利用される施設は，一般の避難所（小中学校や体育施設など）の福祉避難スペース，老人福祉施設，障害者支援施設，特別支援学校，宿泊施設と多岐にわたる．そのため，生活環境整備の対応は，据え置き型トイレやスロープなどの設置，浴室への福祉用具の導入なども施設ごとの要配慮者の実態に基づき対応する．避難所運営の支援は，体育館などの一般施設か既存の社会福祉施設，旅館・ホテルなどの宿泊施設かによって人的支援の対応は異なるが，一般の避難所のように発災前は福祉避難所としての機能を有していない場合は，支援人材の派遣・確保対策，避難所内のレイアウト，物資・機材の準備，要配慮者受け入れ体制の整備など，立ち上げからリハビリテーション医療の視点を生かした支援が肝要である[4]．

既存の社会福祉施設（老人福祉施設や障害者支援施設など）は，定員を超えた受け入れを行っている場合も想定される．特に支援人材の確保や運

表Ⅵ-1　復旧期におけるリハビリテーション対応

所在	項目	支援内容（例）
指定避難所／指定外避難所	生活環境整備	・避難所の縮小や統合に対応したレイアウトの検討 ・避難所内外の動線の確認，建物出入り口へのスロープなど段差解消や手すりなどの福祉用具の設置検討 ・簡易ベッド／ダンボールベッドの適用と設置 ・仮設風呂の入浴困難者への対応／福祉用具の必要性の把握と導入
	避難所運営	・避難所責任者，代表者との連携による活動性拡大や役割分担などの体制検討 ・関係者ミーティングへの参加 ・要配慮者（福祉避難室）への共助の範囲でできる手助けの検討や必要に応じたサービス提供の助言
	直接支援	・生活機能低下の予防（健康教育，相談） ・健康相談（巡回）などによる要配慮者の把握に基づいた個別相談 ・避難所で生活できない要配慮者を福祉避難所，介護保険施設への入所などへ結びつけるための相談 ・介護保険サービスの必要性の把握と相談（支援の必要性の把握，サービスとの繋ぎ） ・深部静脈血栓症の発見と予防支援
福祉避難所	生活環境整備	・一般の避難所となっている施設が福祉避難所となっている場合，要配慮者の動線全般の確認 ・個別評価に基づく補装具や日常生活用具の必要性の検討と適合および選定
	避難所運営	・現地職員への業務支援／現地職員の健康管理 ・介護職員への介助方法の相談や助言，福祉用具の使用方法や使用技術の助言
	直接支援	・現地職員が対応できない場合，要配慮者への直接的リハビリテーション支援，生活機能低下予防
在宅／車中泊／テント泊など	健康調査結果に基づいたフォロー	・要配慮者への個別相談 ・健康調査の要フォロー者への個別相談 ・深部静脈血栓症の発見と予防支援
応急仮設住宅，公営住宅	健康調査結果に基づいたフォロー	・健康調査の要フォロー者への個別相談 ・福祉住環境の整備（福祉用具導入・住宅改修）

営状況の把握が必要である．そのうえで，避難所運営に関わる現地職員への業務支援や技術的助言，生活機能改善のための要配慮者への直接的リハビリテーション支援を行う．一般の避難所以上に重要な取り組みは，要配慮者が福祉避難所から応急仮設住宅・自宅などに移る準備に向けた支援である．早期から，相談支援専門員や介護支援専門員などソーシャルワークと連携し，地域自立生活支援に向けた検討，応急仮設住宅などの転帰先の環境調整を行う[5)]．

【文献】

1）立木茂雄：市町村に求められる災害時要援護者対策　災害時の生活機能支援の視点から．保健師ジャーナル **70**（9）：748-753，2014.

2）植田信策：発災直後から長期にわたる医療支援の必要性　東日本大震災の対応と熊本地震の医療支援の経験から．治療 **98**（11）：1776-1779，2016.

3）横瀬英里子：宮城県石巻市での支援活動の報告（1）福祉的避難所への関わり．福祉介護テクノプラス **5**(4)：9-14，2012.

4）藤野好美：東日本大震災における社会福祉施設が果たした役割について．厚生の指標 **61**（8）：28-34，2014.

（武田輝也）

応急仮設住宅におけるリハビリテーション対応

1. はじめに

リハビリテーション医療における環境調整の観点から応急仮設住宅（以下，仮設住宅）特有の課題と対応方法について述べる.

2. 仮設住宅の概要

災害救助法に基づく仮設住宅は，民間賃貸住宅を活用した「賃貸型応急住宅」，「建設型応急住宅」，および「その他適切な方法（用途廃止の公営住宅の提供等）」によるものに分類されている[1].

東日本大震災の発災当時の建設型応急住宅の標準面積は，一戸あたり9坪（29.7 m^2）で，2〜3人の小家族の利用を想定している．単身用には6坪（19.8 m^2），4〜5人の家族用には12坪（39.6 m^2）の規格が定められており，浴室に設置されているユニットバスはメーカーにより多少の違いはあるが，1116タイプ（6坪タイプは1014タイプ）が使われていた．一割の仮設住宅にバリアフリー対応としてスロープが設置されていたが，多くが12坪のタイプに限定されていた.

特別な事情がある場合，各都道府県は内閣府と協議して特別基準を設定できるため，東日本大震災では，追加で風除室などの寒冷地対策が実施された.

その後，災害救助法は改正され2017年（平成29年）4月から，面積基準は撤廃された．一戸当たりの平均建設費も628.5万円に引き上げられ，特別基準でしていたものは，自治体判断で包括されることとなった[2].

プレハブ業界では，車椅子対応型としてそれぞれ9坪，12坪，15坪タイプが新たに設定され，共通仕様として浴室ユニットバス1616タイプ（洗面台独立設置），トイレ0.5坪共通となった．一方で，標準タイプは従来通りのままである[3].

3. 仮設住宅の課題と対応

これまで自宅では自立もしくは要支援の高齢者が，仮設住宅という特有の環境要因により日常生活活動の継続が困難となる場合がある．東日本大震災時の課題となった環境要因は以下に集約される.

- ユニットバスの縁の高さが52〜60 cmのため，またぎ動作が困難
- 浴槽脇に取り付けられた洗面台が入浴動作の妨げとなる
- ユニットバス入口に約12 cmの敷居段差がある
- ダイニングから脱衣スペースに約15 cm 2段の段差がある
- 玄関出入り口段差に手すりがない
- 仮設団地内砕石敷きとなっており，外出が困難
- スロープが設置されている住宅に，使う必要のない4〜5人家族世帯が入居してしまうミスマッチが生じた

高齢者が標準タイプの仮設住宅に入居することで生じる課題への対応は個別性が高いため，各自治体での運用を効果的に行うことが求められる.

効率的な運用のためには，対応が必要な対象者を把握し，同時にその内容について判断しなければならない．具体的にはスクリーニング調査を行い，その結果を基にしたリハビリテーション専門職による戸別アセスメント訪問，もしくは最初からリハビリテーション専門職による戸別訪問の仕組みを構築する必要がある．また入居者のバリアフリー化ニーズの把握や顕在化にはパンフレットなど（図Ⅵ-2）の配布が有効である.

要介護高齢者と障がい児・者の施設避難状況や市町村による運用方法により差異はあるが，当時，精力的に行った宮城県の自治体では，全戸仮設の16%に支援を行っていた.

標準タイプのバリアフリー化が図られない限り，環境要因による課題は残る．また，仕様が設定された車椅子対応型仮設住宅の配置と運用も自治体で検討しなければならない.

入居後に別の仮設住宅へ転居することは不可能に近い．避難所から仮設住宅への入居手続きの段階で対象者の情報を共有する仕組みの構築や，発災早期からリハビリテーション専門職による支援

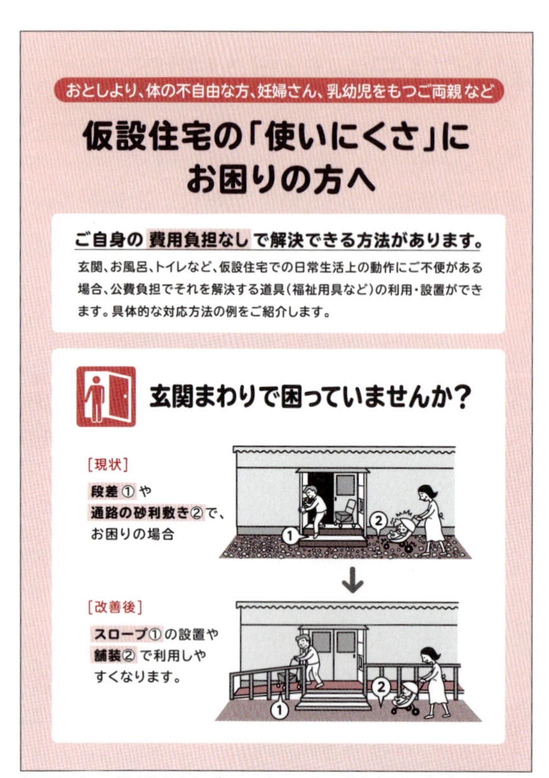

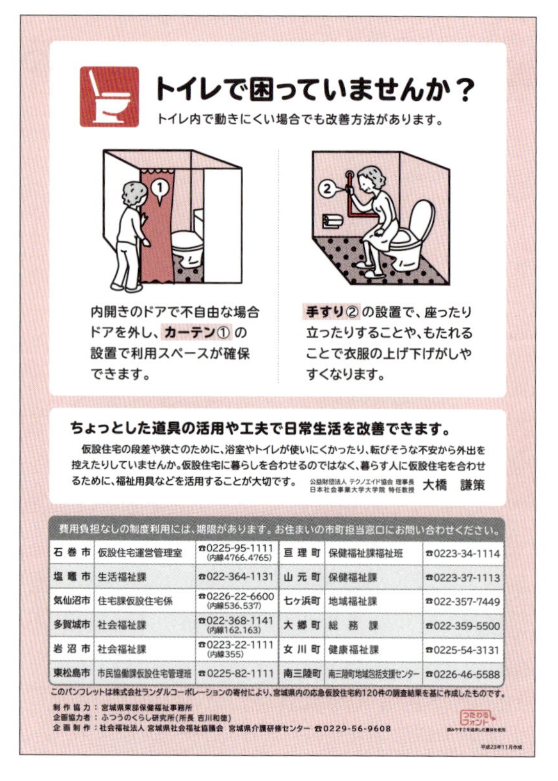

石巻市	仮設住宅運営管理室	☎0225-95-1111（内線4766, 4765）	亘理町	保健福祉課福祉班	☎0223-34-1114
塩竈市	生活福祉課	☎022-364-1131	山元町	保健福祉課	☎0223-37-1113
気仙沼市	住宅課仮設住宅係	☎0226-22-6600（内線536, 537）	七ヶ浜町	地域福祉課	☎022-357-7449
多賀城市	社会福祉課	☎022-368-1141（内線162, 163）	大郷町	総務課	☎022-359-5500
岩沼市	社会福祉課	☎0223-22-1111（内線355）	女川町	健康福祉課	☎0225-54-3131
東松島市	市民協働課仮設住宅管理班	☎0225-82-1111	南三陸町	南三陸町地域包括支援センター	☎0226-46-5588

図Ⅵ-2　住民向けパンフレット（表紙と裏表紙）

体制を整備しておくことが求められる．

【文献】

1）内閣府：令和4年7月　災害救助事務取扱要領：https://www.bousai.go.jp/oyakudachi/pdf/kyuujo_b1.pdf
2）内閣府告示第228号　災害救助法による救助の程度，方法及び期間並びに実費弁償の基準：https://www.bousai.go.jp/oyakudachi/pdf/kyuujo_a5.pdf
3）一般社団法人プレハブ建築協会：災害への取り組み－参考図面：https://www.purekyo.or.jp/measures/zumen.html

（大場　薫）

D　地域リハビリテーションの理念に基づいた災害支援戦略

1．リハビリテーションニーズの把握

災害時には多くの社会資源（マンパワーを含む）が損害を受け，被災地の状況も日々変化する．そのため，残された社会資源を有効に使うためには正確な情報把握が極めて重要である．得られた情報からリハビリテーションニーズを早期に把握するためには，発災直後から，現地対策本部にJRATなどのリハビリテーション関連団体が関わる必要がある．

しかし，混乱した状況下で情報収集と関係機関の調整を行うことは非常に困難といわれている．現在，都道府県の支援の下，市町村において地域包括ケアシステムの構築が進められているが，地域リハビリテーションは地域包括ケアシステムを構築する戦略と考えられている．これらの取り組みを通して関係機関の連携を推進し，平時から「顔の見える関係」さらに「無理が言える関係」作りを図っておく必要がある．

2. 地域スタッフの役割

大規模災害の場合は，地域外からの支援が主たるものとなるが，地域外からの支援は一時的なもので，一定期間後に地域スタッフに移行し，最終的には地域スタッフが継続的に担っていく必要がある．

そのため，支援方法の最終決定は地域スタッフ（リーダー）が行うということを確認しつつ，その時点で最良の対策を，支援を受ける側と提供する側がともに，探し出すことが極めて重要である．

3. リハビリテーション専門職から他の専門職への知識・技術移転

災害時には医療・介護施設の被害だけでなく，障害を受けた人や健康問題を抱えた人も急増するため，関連職種のマンパワー不足が発生するが，地域リハビリテーションの考え方では，専門職や専門的施設等に過剰に依存しない方法で，基本的なリハビリテーション・ケアを提供することになり，地域リハビリテーションのノウハウは大規模災害の支援に適している．

関連職種のマンパワー不足を補完するために，リハビリテーションニーズに対してはリハビリテーション専門職から他の専門職への知識・技術を移転することが必要となる．したがって，外部からの支援者は，被災地域の住民支援だけでなく，様々な専門職への助言指導なども重要である．さらに，マンパワー不足への対応として，リハビリテーション・ケアの視点で訓練を受けた住民ボランティアの活用（例：茨城県のシルバーリハビリ体操指導士）は特に重要であるとされ，単なるマンパワーの補完というより，住民同士の支え合いにつながる活動であり，被災地復興のエネルギーとなる．

4. 平時の支援体制の整備

これまで起こった東日本大震災や熊本地震，関東・東北豪雨などでは，被災前から地域リハビリテーション支援体制が機能していたため，災害リハビリテーション支援が比較的円滑に行われた．その理由として，何らかの地域リハビリテーション支援体制が存在すると，医師会や行政，保健所を含めた関係機関の連携が良好となること，特に地域リハビリテーション支援センターとリハビリテーション関連施設との協力関係が良好であることなどが報告されている[1]．

台風や大雨による災害が頻発している現在，大災害はどこででも起こる可能性がある．災害リハビリテーション支援体制整備のためには，平時からの地域リハビリテーション活動の推進と地域リハビリテーション支援体制の構築が非常に重要である．

地域リハビリテーション活動推進等の戦略については前項「1. リハビリテーションニーズの把握」に記載した．すでに地域リハビリテーション支援体制が存在する地域では災害リハビリテーション支援体制づくりを地域リハビリテーション活動に加え，発災時の支援受け入れに備えるべきである．まだ存在しない地域では，地域包括ケアシステム構築の取り組みに関連付けて整備することが肝要である．

災害支援を想定して，都道府県ごとにリハビリテーション関連団体からなるJRATなどの組織化を図り，医師会の協力を得て，支援部隊を送り出す医療機関やリハビリテーション施設のリストを作成しておくことが重要である．実際の支援では，DMATやJMATなどの災害支援組織や行政機関との連携も不可欠であり，平時からの準備が求められる．このような取り組みにおいても地域リハビリテーション支援体制は有意義である．また，迅速な災害支援のために近隣都道府県JRATとの連携も重要である．

【文献】

1）日本リハビリテーション病院・施設協会：地域におけるリハビリテーションの活用促進を目指した調査研究調査報告書（平成30年度老人保健事業推進費等補助金），2018：https://www.rehakyoh.jp/wp/wp-content/uploads/2019/03/rp_rouken2018_1.pdf

（松坂誠應）

VII 復興期の対応

〈復興期の対応の概要〉

実施項目	JRAT 中央災害対策本部の対応	現地 JRAT 災害対策本部の対応	各避難所（仮設住宅）での対応	連絡先
避難所退去	現地 JRAT 災害対策本部からの情報により現状把握に務める	行政・避難所からの情報収集	次期活動チームへの申し送り	現地（地域）JRAT
仮設住宅居住者の情報収集	現地 JRAT 災害対策本部からの情報により現状把握に務める	行政・避難所からの情報収集	合同ミーティングへの参加 避難所の環境評価	現地（地域）JRAT
個別対応（住宅改修など）	現地 JRAT 災害対策本部からの情報により現状把握に務め，人員が必要な場合は派遣調整を行う	行政・避難所からの情報収集 リハビリテーション専門職の派遣調整	仮設住宅の初期改修 必要に応じた個別支援	現地（地域）JRAT
生活不活発病の予防（仮設住宅での集団運動指導）	現地 JRAT 災害対策本部からの情報により現状把握に務め，人員が必要な場合は派遣調整を行う	リハビリテーション専門職の派遣調整	深部静脈血栓症，生活不活発病に関する啓蒙活動および集団体操の実施	現地（地域）JRAT
JRAT 活動終了	JRAT 活動終了の決定 本部解散	現地支援チームへの移行調整	現地支援チームへの移行 介護保険など，行政サービスへの移行	JRAT 本部
復興住宅への移行			介護予防および コミュニティづくりへの支援 まちづくりへの参画	行政 地域リハビリテーション支援センター 地域包括支援センター

A 復興期における支援

1．復興期の状況と引き継ぎ

発災から時間の経過とともに，一時避難者の帰宅が進み，被災地にも平時の生活が戻ってくる．避難所の人数が減少し，避難所の集約が検討され始めると，復興期へと移行する．この時期になると，避難所の生活パターンが確立し，避難者による自主的な取り組みも始まっている．逆に言えば，復旧期に，避難者による避難所運営へと誘導，支援しなければならないということである．避難所における，生活不活発への取り組みも JRAT による直接的な支援から，避難者自身による取り組みへ移行するための支援が必要である．また，DMAT，JMAT などの医療支援チームの活動も終了していることが多く，JRAT が支援活動の中心となる．被災地の通所リハビリテーションといった介護サービスなども再開し，これらの地域リハビリテーション活動への引き継ぎも必要である．大規模災害においては，JRAT としての支援から，平時の地域リハビリテーション資源による

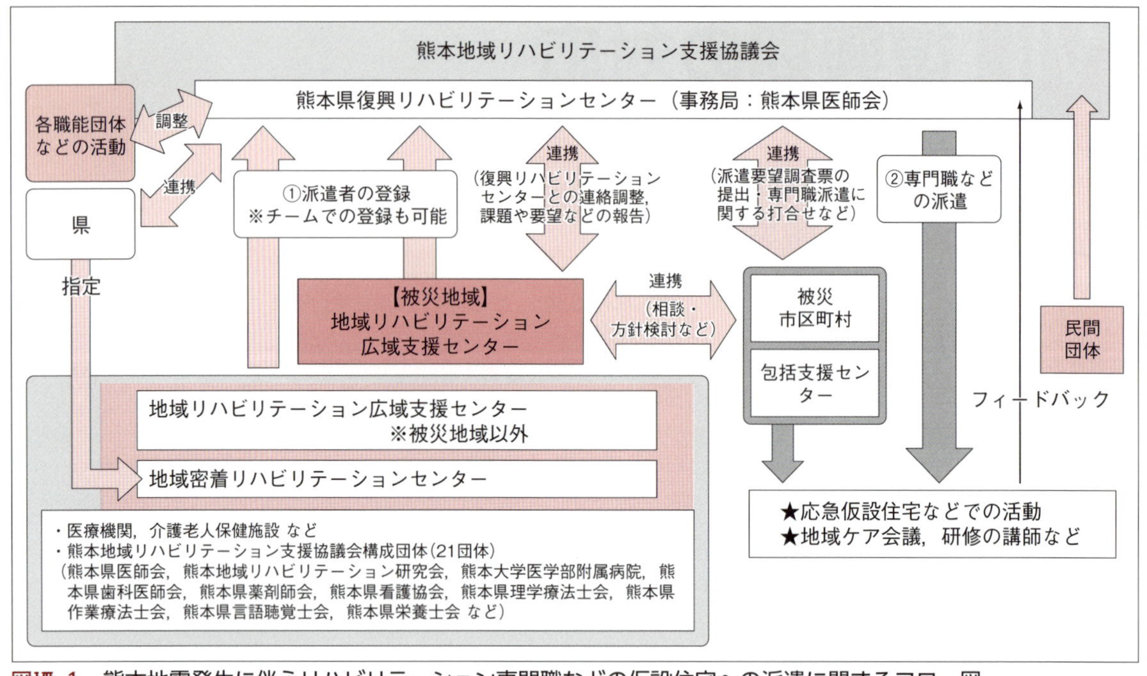

図Ⅶ-1　熊本地震発生に伴うリハビリテーション専門職などの仮設住宅への派遣に関するフロー図

（熊本県認知症対策・地域ケア推進課）[1]

支援へと移行する時期でもあり，その準備をしなければならない．ただし，被災地域の地域リハビリテーションに無理を強いることなく引き継ぎが可能かどうか，的確な状況判断と十分な準備の下に引き継ぐべきである．2016年の熊本地震では，JRAT撤収後，いきなり被災地域のリハビリテーション資源に引き継ぐのは無理があると判断し，熊本県復興リハビリテーションセンターを設立し，熊本県内のリハビリテーション専門職による被災地支援を継続し，段階的に被災地の地域リハビリテーション資源へと引き継いだ（p.117，Ⅶ-A3を参照）．

2. 復興期の避難者の状況

発災から時間の経過とともに避難所の様子も変化していく．復興期になると，避難者は徐々に減少し，自宅へ帰るのが困難な避難者が中心となる．この段階での支援のポイントは，避難生活の長期化への対応と避難所の集約や応急仮設住宅などへの対応である．長期にわたる避難生活による生活不活発などの弊害が出ていないか，要配慮者についても評価を行い，今後の避難生活に適した環境を検討する．このようなリハビリテーション医療視点からの対応は，JRATが他の医療救護班や行政機関から期待される，重要な役割の1つである．今まで住み慣れた地域から，応急仮設住宅などの新たな避難生活では，コミュニティも変化する．新しいコミュニティでの役割や出会いの場の創造など，自立への支援を目的に活動する．また，直接的支援から，JRAT撤収を前提とした避難者自身による自助，互助，介護予防事業など，本来の地域リハビリテーションの再建への支援を中心とした，間接的支援へと移行する．

残された避難者は，自宅の損壊など，生活の糧を失った喪失感と今後の生活に対する不安などを抱えている．さらに，生活が再建できた人から仮設住宅を後にしていくため，残された被災者の心理的側面にも配慮し，自治体の保健師などと情報を共有し，他機関と連携した包括的支援が必要である．

なお，応急仮設住宅の改修は，入居前にする必要がある（p.117，Ⅶ-B1を参照）．

3. 災害救助法の適用がなくなった時点からの対応―熊本地震を例に―

災害が発生し災害救助法が適用されると，救助に必要な費用は国および都道府県が負担する．ただし，これはいずれ終了し，適用される範囲も徐々に狭まっていく，JRAT 撤収時期もこれを考慮しておく必要がある．

熊本地震での JRAT 活動では，発災後 3 カ月をもって終了したが，被災地は，まだまだ外部からの支援が必要な状況であった．そのため，撤収計画とその後の支援策を一体として検討を行った．熊本県，熊本県医師会，熊本県内のリハビリテーション関連団体（21 団体）で構成される熊本県地域リハビリテーション支援協議会で協議し，熊本県復興リハビリテーションセンターという，応急仮設住宅団地の介護予防を支援する仕組みを作成した（図Ⅶ-1）．

この時期になると，被災地の介護保険関連事業などはかなり再建されていたが，被災地のリハビリテーション専門職は，これらを以前の状態に戻すことに専念する必要がある．熊本地震では被災地域も広く，また損壊住宅も多かったため，各市町村に大規模な仮設住宅団地があった．JRAT の目的である，災害による新たな要介護者を生じさせないために，ここに入居している高齢者などの介護予防活動を，被災地以外のリハビリテーション専門職により支援するものである．熊本県医師会内に事務局を置き，被災地からのニーズの把握，派遣調整などは，JRAT でのロジスティクス経験者を中心に運営を行った．また，熊本県などの協力により，活動時の保険，活動費，交通費が支弁された．

なお，2020 年（令和 2 年）7 月の熊本豪雨水害においても，同様の支援活動が行われた．

【文献】

1）熊本県認知症対策・地域ケア推進課：熊本地震発生に伴う復興リハビリテーション活動体制について：http://www.pref.kumamoto.jp/common/UploadFileOutput.ashx?c_id=3&id=16396&sub_id=1&flid=75894

（田代桂一）

B 復興期のリハビリテーション対応

被災地への支援は被災地・被災者のニーズと被災地の人的・物的環境，また社会資源のバランスを考えて行うべきである．災害の種類や規模により，医療・介護施設の再開時期は異なるため，JRAT の活動期間は変化する．平時のサービスを損なうことなく，通常サービスに繋ぐことも含めて，終了時期や支援には慎重な対応が求められる．JRAT 撤退後も，高齢者などの心身機能の低下を防ぐことは重要であるが，状況によっては JRAT の活動内容を地域の医療・介護に直接繋げることができない場合も考えられる．シームレスな支援を継続するためには，その役割をどこに任せるか平時に決めておくことも重要となる．熊本県においては，JRAT 撤退後は熊本県復興リハビリテーションセンターが設置され，その活動を引き継ぐ体制となっている（図Ⅶ-2）．

1. 仮設住宅の環境整備（初期改修評価）

避難所から応急仮設住宅へ移動するにあたり，災害時要配慮者は物的環境や人的環境といった環境因子の急激な変化により「活動（生活行為）」や「参加」が低下し，身体機能低下を引き起こす可能性が高い．建設型応急住宅については，プレハブは大量建設が可能なことと引き換えにバリアフリー対応が難しく，木造は大量建設を行わない代わりに柔軟な設計を行うことができる．令和 2 年 7 月の豪雨における建設型木造応急住宅は，バリアフリーであり車椅子の入居者も生活できるように配慮されていたが，入居者の個別の状況に応じた手すり設置などの住環境整備が一定数必要であった．熊本県における建設型応急住宅に対する初期改修の流れは図Ⅶ-3 の通りである．建設型

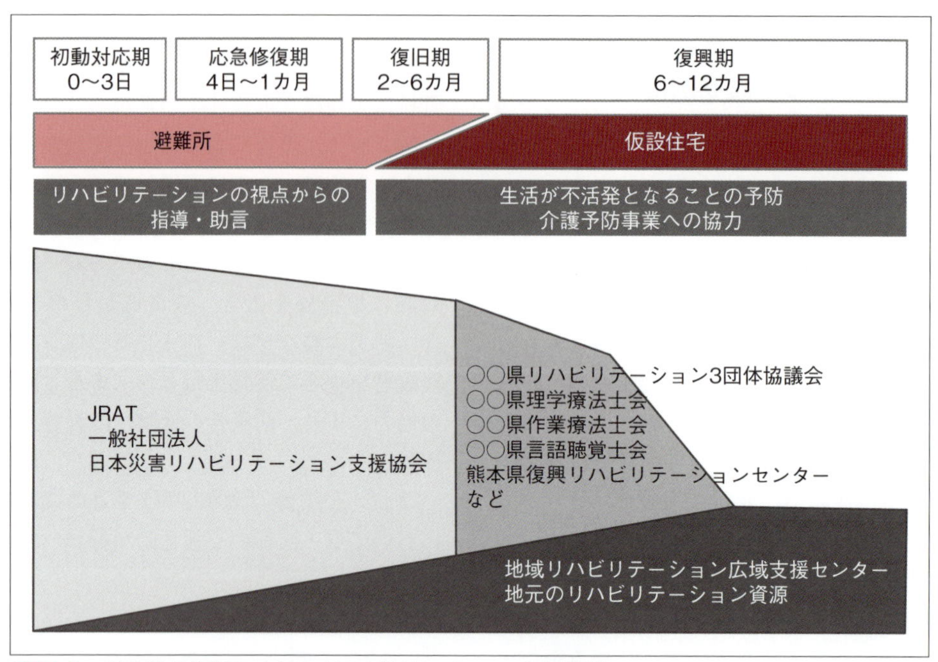

図Ⅶ-2　災害後の復興に向けたリハビリテーション支援体制

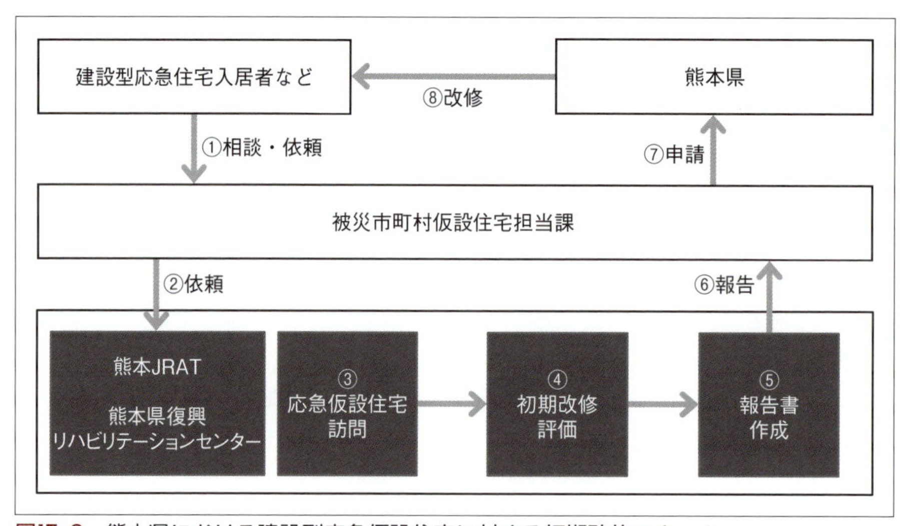

図Ⅶ-3　熊本県における建設型応急仮設住宅に対する初期改修スキーム

応急住宅の着工時期は災害発生の日から20日以内であり，改修費用も災害救助法の適用となるため，できるだけ早く介入する必要がある．このスキームは，介護保険制度利用による住宅改修と同様であり，リハビリテーション専門職の関与が，利用者の自立支援や不要な工事の削減などに繋がる[2]．また，初期改修は暮らしやすさや転倒予防といった明確な生活課題に対する提案であるため，被災者の精神的負担が少なく，入居後早期から介入できる可能性が高い[3]．初期改修の評価を実施する際は，地域包括支援センター・居宅介護支援事業所・かかりつけ医療機関などと連携し情報共有を図る．また，福祉用具で対応する場合は営業を再開している地元業者に依頼することが望ましい．

2．生活不活発病（介護予防）に対する運動指導と運動機能評価

災害救助法では，おおむね50戸以上の仮設団地には集会などに利用するための集会施設を設置できるとしている．東日本大震災では被災県の要介護認定率が震災後１年間に著しく増加した．また高齢者の生活機能低下の原因としては，生活不活発病の可能性が高いことが示唆されている[4]．生活が不活発とならないためにも集会施設を有効に利用し，生活不活発病予防を目的としたリハビリテーション支援を継続的に行う必要がある．熊本地震および令和２年７月豪雨後の熊本県の要介護認定率は維持できている[3]．運動指導の内容については，住民主体の介護予防活動に繋げることを意識し，自主グループを育成し自助・互助による活動となるよう支援する．また並行して運動機能評価を行い効果について検証することが望ましいが，実施については被災者感情に配慮し，同意が得られるよう十分に説明することが必須であり，介入初期から無理に行うべきではない．熊本地震においては，成果を検証する目的で「介護予防のための生活機能評価」をベースとした評価〔①基本チェックリスト（25項目），②簡易栄養状態評価表（Mini Nutritional Assessment；MNA），③握力，④開眼片足立時間，⑤Timed Up & Go Test（TUG），⑥Functional Reach Test（FRT），⑦生活空間評価（Life-Space Assessment；LSA）〕を３カ月ごとに行った．

なお東日本大震災後，賃貸型応急住宅（みなし仮設）や親族宅に居住している高齢者において歩行能力低下の回復率が著明に低下しているとの報告[5]もあり，仮設団地に比べ対象者の早期発見等が困難であるため，自治体を中心にその対策を考える必要がある．

3．新たなコミュニティづくりへの支援とアクティビティプログラムの提供

被災地では独居高齢者の孤立と生活不活発病が大きな問題となるため，被災者が意欲をもち何かに取り組み，心と身体の働きを取り戻すことを目的とした支援を行う．生活行為を向上させるために質と量を担保することが重要となる．東日本大震災後，岩手県大槌町では「一坪農園」を設置し，高齢者に農作業の場の提供が活動促進やコミュニティづくりに効果があった[6]との報告もある．被災者の活動（生活レベル）に働きかけ，参加（人生レベル）の活性化を図り，復興に向けた支援となることが重要である．また，地域の互助による新たなコミュニティづくりを進めるために人材育成も重要であり，最終的には住民主体で活動できる内容を提供する．時間経過とともに仮設団地住民の転入出もあるため，自治体，地域包括支援センター，仮設団地担当支援団体などと連携し，コミュニティの変化には十分注意する．

【文献】

1）熊本地域リハビリテーション支援協議会：熊本県復興リハビリテーションセンター活動報告書，2018，p43.
2）一般社団法人シルバーサービス振興会：住宅改修に係る専門職の関与のあり方に関する調査研究事業報告書：https://www.espa.or.jp/surveillance/h29_02report.html
3）佐藤　亮・他：建設型応急住宅の住環境整備に対するリハビリテーション専門職の介入効果の検証．日本災害医学会雑誌 27 巻 3 号：188-194，2022.
4）東北大学大学院医学系研究科：東日本大震災発生前後における要介護認定率の推移に関する研究：http://www.pbhealth.med.tohoku.ac.jp/node/896
5）日本経済新聞：被災の高齢者２割が歩行困難に：http://www.nikkei.com/article/DGXDASDG2500N_V20C12A6CR0000/
6）公益財団法人いきいき岩手支援財団：応急仮設住宅入居高齢者の活動促進に関する調査研究：http://www.silverz.or.jp/jigyou/nouen/houkoku.pdf

（佐藤　亮）

被災地側の復興期の対応

避難所の閉鎖と仮設住宅などへの入居により新しい生活が始まる時期が復興期である[1].

ここでは，復興期のリハビリテーション支援体制の構築と被災者心理を踏まえた「支援」と「受援」のあり方について整理する.

1. リハビリテーション支援体制の構築

発災後，JRATなど都道府県外からの医療支援活動は介入当初より撤退することを前提に展開しながら，被災地の医療機関や介護保険サービスの再開状況により，円滑かつ段階的な移行を検討することになる．熊本地震の場合は，地域リハビリテーション広域支援センターが整備されており[2]，既存のリハビリテーション資源の有効活用を考え引き継ぎが検討された．ただ，地域リハビリテーション広域支援センターは平時の介護予防活動を担っていることや，被災地域の地域リハビリテーション広域支援センターに負担が集中することを避ける目的で新たな機関の設置が検討され，熊本県復興リハビリテーションセンターが設立された．復興リハビリテーションセンターは，熊本県とリハビリテーション関連職種21団体で構成される熊本地域リハビリテーション支援協議会が共同で設置し，事務局を県医師会内に置いた(p.116, 図Ⅶ-1)[3].

この機関は，リハビリテーション専門職の人材登録を管理し，派遣調整を行うことでリハビリテーション資源の地域格差解消を図るコーディネート機能をもつことが求められた．実際に過去の災害においては，発災後6カ月頃から要介護認定率の上昇がみられることから，この時期の支援体制の構築は重要である．継続的な生活不活発病の予防や主体的な地域作りに関する体制整備には，平時から地域のリハビリテーション資源の質量的な把握とリハビリテーション専門職との協力連携体制によるところが大きいと考える.

2.「支援」と「受援」のあり方

この時期は，被災地内の「支援」と「受援」のあり方を考えさせられる時期ともいえる.

入院生活から退院，在宅生活への移行と例えられるように，集団生活であった避難所生活から仮設住宅などに移り生活することは，現実的な生活に直面することになる．また都道府県外からの支援も終了し，近隣地域は平時の活動に戻り始めるため，仮設団地の被災者の不安と焦りが芽生える時期と理解できる.「いつまでも自分達だけ……」など，その心理面の動きには，十分配慮する必要がある．この時期は，同一地域に支援者と受援者が「復興＝地域作り」という同一目的のもとに活動する関係性が数カ月から数年続くことを理解しておく必要がある．ただ，実際に新たなコミュニティである仮設団地などにおいて課題となるのは，派遣され「点」で関わるリハビリテーション専門職と，その被災者の生活に日常的に関わりコミュニティを「線」で支えている「地域支え合いセンター」との認識や連携のあり方である．点で関わり，運動や活動から主体的な参加の取り組みを提案しても線で関わる立場の方々と「住民主体における活動の習慣化」という共通理解がなければ，支援目標が同一方向とはならない．この時期の対応機関としては，リハビリテーション専門職の派遣調整と並行し，被災者心理に配慮しながら市区町村や仮設団地からの要請・要望に対する協議や調整を進め，また支援・受援窓口を一体化した「自立支援」へ方向性を統一していくコーディネート機能も求められる.

【文献】

1) 地域リハビリテーション推進委員会・地域連携検討委員会：大規模災害リハビリテーション対応マニュアル（東日本大震災リハビリテーション支援関連10団体編），医歯薬出版，2012，pp17-29.
2) 田代桂一：JRAT活動終了後の対応．熊本地震災害リハビリテーション支援報告書．大規模災害リハビリテーション支援関連団体協議会，2017，p96.
3) 熊本県健康福祉部認知症対策・地域ケア推進課地域ケア班：平成28年熊本地震発生に伴う「熊本県復興リハビリテーションセンター」の設置について：http://www.pref.kumamoto.jp/kiji_16396.html

（内田正剛）

地域リハビリテーションへの移行

1．大規模災害

大規模災害では被災者は膨大な数にのぼり，恒久的住宅確保までは応急仮設住宅での避難生活となるが，この避難生活は長期にわたる．加えて，地域医療機関の被災などリハビリテーション資源の被害も想定される．復興期の生活機能低下への支援にあたっては，一時的に生じる大量かつ長期的なニーズに応えるため，復興基金事業で計画される健康支援事業への参画や復興特区制度など復興事業の活用を図りながら，柔軟かつ過渡的な体制構築を図る必要がある．

2011年（平成23年）の東日本大震災の復興においては，「復興特区制度」により，訪問リハビリテーション事業所の開設において要件の緩和を認める特例が設けられ，復興期の被災者支援のニーズ増加に対応できるリソースが確保された．また，応急仮設住宅やみなし仮設住宅などに居住する被災者を対象とする支援は，復興基金や被災者支援総合交付金などの復興財源により，被災地高齢者リハビリテーション事業（岩手県）や健康支援事業リハビリテーション支援事業（宮城県）が実施された．地域でリハビリテーションを提供する医療機関や介護施設などに活動経費が直接補助され，仮設住宅入居者への戸別訪問による福祉用具導入・住環境改善の支援，仮設団地ごとの巡回相談，集会所での集団運動が実施された[1]．

2016年（平成28年）の熊本地震では，県リハビリテーション協議会に「復興リハビリテーションセンター」が設置され，被災地域の地域リハビリテーション広域支援センターと連携し，応急仮設住宅を中心に高齢者の身体機能の低下を防ぐために必要な専門職の派遣調整が行われた[2]．

地域リハビリテーションへの移行は，主に二次医療圏（地域リハビリテーション広域支援センター）内のリハビリテーション資源で地域ニーズに対応しながら，最終的に市町村主体の介護予防事業や居宅サービスなどの支援に移行を図る．東日本大震災以後の大規模災害の教訓としては，建設型応急仮設住宅に加えて賃貸型応急仮設住宅（みなし仮設住宅）による応急居住支援が増加している[3]．被災高齢者の居住住宅の種類と運動機能低下との関連についての調査では，みなし仮設住宅で生活している高齢者では運動機能が低下している人が多くなるため[4]，市町村で実施される応急仮設住宅・民間賃貸借上住宅入居者健康調査結果について情報交換し，支援の方向性などを確認し境目のない支援を実施する必要がある．

2．中小規模災害

局地激甚災害など中小規模災害では，地域医療や介護サービスへの影響は一時的であり，応急居住支援や恒久住宅への移行も早期に行われる．特に高齢者の生活機能低下対策の受け皿となるのは，基礎自治体単位で実施される介護予防事業である[5]．災害発生時の住民への対応は，日常のリハビリテーション医療や介護予防事業の活動の延長にある．

2015年（平成27年）の関東・東北豪雨の際の茨城県内では，「シルバーリハビリ体操」（住民ボランティア）により，行政が直接関与せずに，住民が自主的な判断により避難所被災者への支援が展開されたことが報告されている[6]．地域リハビリテーション活動支援事業においても，災害が発生した際にリハビリテーション専門職が通いの場に派遣され，避難所や仮設住宅での自立支援に取り組むことが推奨されており[7]，復興期の住民主体の地域ケアを促進し，健康課題を解決していくことが求められている．

【文献】

1) 東日本大震災リハビリテーション支援活動報告書ワーキンググループ：東日本大震災リハビリテーション支援活動報告書.岩手県リハビリテーション支援センター，2013，p68.
2) 熊本県医師会：平成28年熊本地震における避難所及び仮設住宅等における高齢者に対する有効な生活不活発

病対策の実証活動・評価に関する調査研究事業，2017，pp33-88.
3）菅野　拓：みなし仮設を主体とした仮設住宅供与および災害ケースマネジメントの意義と今後の論点.日本学術会議第3回防災学術連携シンポジウム資料，2017.
4）Ito K et al：Housing type after the Great East Japan Earthquake and loss of motor function in elderly victims：a prospective observational study. BMJ Open 6（11），e012760，2016. doi：10.1136/bmjopen-2016-012760.
5）厚生労働省：令和２年７月豪雨に伴う避難所等における心身機能の低下の予防及び認知症高齢者等に対する適切な支援について（令和２年７月13日事務連絡）
6）大田仁史：住民主体による介護予防　シルバーリハビリ体操活動の組織化．MB Med Reha 229：13-21.2018.
7）厚生労働省：令和４年度保険者機能強化推進交付金・介護保険保険者努力支援交付金に係る評価指標（都道府県分）

（武田輝也）

VIII 平時の対応（事前準備）

A 個々のスキルアップのための研修

1．災害リハビリテーションの認知

災害時に必要とされる医療支援体制は，1959年に発生した伊勢湾台風を契機に策定された災害対策基本法から始まる．その後，1995年に発生した阪神・淡路大震災への災害対策の検証過程で医療支援の初動体制の未整備が明らかとなり，災害時に提供される救急医療の必要性が指摘されるに至った．その結果，災害拠点病院が整備されDMATが創設された．しかし，阪神・淡路大震災を経験したにもかかわらず，2011年3月の東日本大震災に至る16年間，災害に対するリハビリテーション支援体制の必要性は，リハビリテーション専門職種間でも共有されず，リハビリテーション医療に携わる職種が法律上，明記されることもなかった．

その後，東日本大震災におけるリハビリテーション専門職の活躍が注目され，2013年4月，厚生労働省・社会援護局保護課長通達（表Ⅷ-1）にて「医療需要等に対応した関係医療スタッフの配置」が明記され，災害時支援におけるリハビリテーション専門職の必要性が広く認知されるようになった．

（梶村政司・松岡雅一）

表Ⅷ-1　厚生労働省・社会援護局保護課長通達

平成25年4月10日
社援総発0410第1号
各都道府県災害救助法主観部局長宛
社会援護局保護課長通達
(10) 医療需要等に対応した関係医療スタッフの配置
　救護班として派遣する医師等のスタッフについては，当初は外科・内科系を中心に編成することはやむを得ないとしても，時間の経過に対応し，適宜，口腔ケア，メンタルケア，いわゆる生活不活発病予防等の健康管理に必要な保健医療専門職等のスタッフを加える等，被災地の医療や保健の需要を踏まえた対応を実施すること．

2．JRATの人材育成システム（表Ⅷ-2）

災害時に備えて平時から，地域JRAT代表やその補佐を行う事務局長（または担当者）が中心となり，地域JRATによる，実活動を行うための人材育成が必要である．そのための研修や資格制度はこれまでなかったが，2022年度にJRATにより整理・整備が行われた．

1〕JRAT緊急支援スタッフ：Emergency Assistance Staff（E-スタッフ）

災害発生後の緊急募集に応じる支援スタッフで，事前トレーニングの有無は問わない．

2〕JRAT災害支援スタッフ：JRAT Disaster Assistance Staff（D-スタッフ）

平時は研修会運営など後進指導を行い，災害時はE-スタッフとともに避難所などで支援活動を担うことを目的とする．

D-スタッフは次の各号に基づき事前にトレーニングを受け，地域JRAT代表（もしくはブロック代表）の推薦状を添えて，登録用紙をJRAT事務局に提出することにより，D-スタッフとして名簿に登録され，委嘱状が発行される．

(1) BHELP（地域保健・福祉の災害対応標準化トレーニングコース）およびPFA（Psychological First Aid）の講義を受講する．
(2) JRAT指定のE-ラーニング研修を受講する．
(3) E-スタッフとして3日以上の活動経験者は，経験を証明する資料を提出することにより，(1)号の研修は免除される．

任期は2年間とし，辞退の申し出がされない場合は自動更新とする．

発災時，被災地域内でD-スタッフを要請する場合は，地域JRAT代表が地域内で行い，他地域

表Ⅷ-2　支援スタッフの平時と災害時の役割

	平時	災害時
JRAT初動対応チームスタッフ (JRAT Rapid Response Team Staff；R-Staff)	所属地域JRATの活動支援 既存支援スタッフの教育 新規支援スタッフの養成 研修会の企画・運営	大規模災害発災直後から早期に情報を収集し，現地での本部立ち上げや支援を必要とする初動対応を行い被災地のJRAT体制が整うまで支援する．具体的には被災地域JRAT代表の指示の下で主に以下の活動を行う． ・現地JRAT災害対策本部の立ち上げ ・現地JRAT災害対策本部の運営と運営支援 ・現地JRATとJRAT中央災害対策本部との連絡調整 ・被災状況および避難所についての情報集約 ・その他，現地JRAT活動に寄与する事項
JRATロジスティクススタッフ (JRAT Logistics Staff；L-Staff)	所属地域JRATの活動支援 所属ブロックJRATとの連携 既存支援スタッフの教育 新規支援スタッフの要請 研修会の企画・運営	・JRAT中央災害対策本部や現地JRAT災害対策本部などに赴いて，本部の立ち上げおよびその支援を行う． ・本部運営においてJRAT中央災害対策本部長や地域JRAT代表，現地JRAT災害対策本部長を補佐する．
JRAT災害支援スタッフ (JRAT Disaster Assistance Staff；D-Staff)	所属地域JRATの活動支援 新規支援スタッフの養成 研修会の企画・運営	・現地JRAT災害対策本部，各災害医療保険福祉調整本部との情報の伝達を行う． ・活動本部長の指示のもと避難所などで支援活動を行う． ・支援活動チームの代表として，指示や報告を行う．
JRAT災害支援緊急スタッフ (JRAT Disaster Emergency Assistance Staff；E-Staff)	—	・現地JRAT災害対策本部長や支援活動チーム代表の指示のもと，避難所などで支援活動を行う．

からの応援を要請する場合は，地域JRAT代表がJRAT中央災害対策本部へ依頼し，JRAT中央災害対策本部が要請する．派遣費用については，JRATの派遣に準じる．

3〕JRATロジスティクススタッフ：JRAT Logistics Staff（L-スタッフ）

L-スタッフは次の各号に基づき事前にトレーニングを受け，地域JRAT代表（もしくはブロック代表）の推薦状を添えて，登録用紙をJRAT事務局に提出することにより，L-スタッフとして名簿に登録され，委嘱状が発行される．

(1)大規模災害リハビリテーション支援チーム本部運営ゲーム（REHUG®）（ファシリテーター養成研修会を含む）を受講する．

(2)JRAT指定のE-ラーニング研修を受講する．

(3)R-スタッフ，日本DMAT隊員，JIMTEF災害医療研修アドバンスコース修了者，3日以上の実災害でのロジスティクス業務経験者は，資格・経験を証明する資料を提出することにより，(1)号の研修は免除される．

任期は2年間とし，辞退の申し出がされない場合は自動更新とする．

発災時，被災地域内でL-スタッフを要請する場合は，地域JRAT代表が，地域内で行い，他地域からの応援を要請する場合は，地域JRAT代表がJRAT中央災害対策本部へ依頼し，JRAT中央災害対策本部が要請する．JRAT中央災害対策本部への派遣要請は，JRAT中央災害対策本部が行う．派遣に要する費用は，被災地の現地JRAT災害対策本部への派遣については，JRATの派遣に準じる．JRAT中央災害対策本部への派遣については，都度決定する．

4〕JRAT初動対応チームスタッフ：JRAT Rapid Response Team Staff（R-スタッフ）

1　R-スタッフは次の各号に基づき資格を得て，勤務・所属先の長および地域JRAT代表から推薦を受けることにより，JRATが登録・委嘱する．

(1)勤務・所属先の長および地域 JRAT 代表（もしくはブロック代表）から推薦を受け R-スタッフ養成研修を受講し，試験に合格した者，もしくは同研修の講師を務めた者．

(2)試験合格後，委嘱について勤務・所属先の長の許諾を得られる者．

(3)R-スタッフの JRAT-RRT 活動にかかる一切の費用弁済および身分保障を勤務先より得られる者．

2　R-スタッフは次の各号に基づき資格を更新できることとする．更新の都度，委嘱状を発行することとする．

(1)2 年ごとに委嘱を受ける旨の意思確認を受け，本人が希望し，勤務・所属先の長が許諾する．

(2)転勤の際は，勤務・所属先の長の許諾および地域 JRAT 代表（もしくはブロック代表）からの推薦を受けて継続することができる．

発災時の派遣メンバーは，JRAT 三役（代表・副代表）が選考し委嘱する．

派遣における交通・宿泊費など，活動にかかる費用と活動時の補償は勤務・所属先が負担する．

（冨岡正雄・松岡雅一）

3．地域における防災訓練にリハビリテーション専門職として参加する意義

1〕平時の災害リハビリテーション支援に関する知識と技術の習得

災害リハビリテーションに必要な知識は災害フェーズによって異なるが，基本的には高齢者や障がい者の支援を含めて健康な被災住民の生活不活発の予防が中心となる．特に，急性期の評価は避難者の動線を十分に理解し環境整備に視点を置く必要がある．また，避難所の評価は，一時的とはいえ被災住民にとっては「生活の場」である認識をもち，生活の視点から評価・改善・提案することが重要である．

また，災害による避難生活が長期化してくると，医療的な治療の必要な者とそうでない介護保険領域のケアを必要とする者とを区別する知識とそれを見極める能力が必要とされる．すなわち，災害リハビリテーショントリアージが可能な人材の育成が重要であり，地域リハビリテーションの知識と技術を兼ね備えた学習が必要となる．また，要配慮者以外に対する評価と予防の観点からのアプローチも求められる．

2〕普段の活動期（積極的に防災訓練などに参加する）

(1) 地域での組織や団体レベル

JRAT に加盟する団体の渉外活動として，都道府県や市区町村が主催する広域を対象とした防災訓練に参加できるように働きかける必要がある．この活動により，平時からリハビリテーション専門職とはどんな支援ができるのかを知ってもらい，「顔の見えるお付き合い」の中から双方の理解を深めておくことができる．

(2) 施設レベル

勤務先の防災訓練では「リハビリテーション専門職」という立場から，患者の移動手段（方法）や避難ルートを選択する場面などで率先して専門性を発揮する．災害時の役割を他職種と共有してお互いの専門性を認識する事前の働きかけは本番に備えた準備となる．

(3) 個人レベル

町内会あるいは集合住宅の防災訓練へ積極的に参加する．そうした場で，災害時にリハビリテーション専門職が担う役割を紹介する活動を行う．こうした普段からの「隣近所のお付き合い」が，いざという時の行動に結びつく．

(4) 家庭内レベル

自宅（家庭）内では緊急時の連絡方法はもとより，非常食や避難物品の確認などの準備をしておくことが大事である．また，派遣に備えた装備の準備はもとより，平時から家庭内でも災害時の行動について理解しておくことが重要である．

4．リハビリテーション専門職が参加できる他団体主催の災害研修と学会

1〕JIMTEF 災害医療研修コース[7)]

JIMTEF は 1987 年に創設され，2011 年から内閣府認定の「公益財団法人 国際医療技術財団」として活動している．設立目的は，国際保健医療協

力の増進と人類の福祉の向上に寄与することであり，ここに加盟する医療関連職22団体の構成員（会員）が参加して，多職種で同時に災害支援の研修を行う．

研修は3つのコースが設定され，ベーシック・コースは「災害の概論」から始まり「避難所の運営」など被災地の現場活動を座学とグループワークで学ぶ．またアドバンス・コースでは「本部活動（運営）」を実践形式で学ぶ．そして，スキルアップ研修では，災害医療に関する専門的な知識と技術の維持向上および関係情報の更新を目的として開催される．いずれも対面によるグループワークが中心で，多職種混合の8～9人でチームが形成され，職種特性を理解できる場となっている．しかし，最近は基礎知識の内容においてはe-ラーニング研修も導入されている．基本的に各コースは，東日本と西日本に分かれて年に各1回開催されている．

2〕JDR研修[8)]

JICAでは海外で大規模な災害が発生した場合に，被災国政府または国際機関からの要請に基づき，緊急援助を実施している．その支援の形態の一つに，被災国での医療支援を行う国際緊急援助隊（Japan Disaster Relief Team；JDR）医療チームの派遣がある．

JDR医療チームは，従来外来診療を中心とした基本的診療のみを行っていたが，多様化する被災国のニーズを受け，手術・透析・病棟・リハビリテーションなど，より高度な医療活動も実施可能となった．

大規模災害が発生した際に迅速かつ的確な支援を実施するため，平時の備えの一環として種々の研修・訓練を実施し，隊員候補者の能力強化を図っている．具体的には，国際緊急援助隊の基礎の習得を目的とした導入研修，各専門分野に特化した災害医療技術・知識の向上を目的とした中級研修，派遣時に使用する資機材を展開し，現地での活動を想定した機材展開訓練などを実施している．

3〕日本災害医療ロジスティクス研修（組織の枠を超えたロジスティクス研修）[9)]

岩手医科大学災害時地域医療支援教育センターは，平成25年文部科学省「大学改革推進等補助金」を活用して，全国に発信できる災害時地域医療体制モデルの確立し，実践としての災害医療教育による人材育成を目指して設立された．センターが実施する災害対応医療人育成研修の中の一つに，「日本災害医療ロジスティクス研修」があり，全国初の組織の枠を超えた災害医療ロジスティクスのための大規模研修が行われている．

大規模災害時，被災県に支援に入る医療チームのロジスティクス能力の向上を目的とし，①ロジスティクスの基礎の習得，②各拠点での本部立ち上げと，本部内におけるロジスティクスの役割の理解，③他組織間の連携についての理解，④安全管理，を獲得することが目標となっている．

4〕日本災害医学会[10)]

日本災害医学会（Japanese Association for Disaster Medicine；JADM）は，災害医療に携わる医師，看護師，薬剤師，救急隊員ほかリハビリテーション関連職や防災業務に携わる組織が参加する学会である．

阪神・淡路大震災や地下鉄サリン事件などの多種多様な災害を踏まえて，1995年に日本集団災害医療研究会として発足，2000年に日本集団災害医学会と改称され，2010年には一般社団法人に移行，2018年には日本災害医学会に改称された．

東日本大震災以降，災害医療やDMATがクローズアップされ，日本災害医学会総会・学術集会へのリハビリテーション専門職の参加と演題登録も年々増加している．また，災害医療の基礎知識と技術の修得を目的とした研修会「日本災害医学会セミナー」も充実しており，消防や警察などの機関とDMATとの連携を目指した多数傷病者への医療対応標準化コース（Mass Casualty Life Support；MCLS）コース，薬剤師を対象とした災害薬事研修（Pharmacy Disaster Life Support；PhDLS）コース，保健師を対象とした地域保健・福祉の災害対応標準化トレーニング（Basic Health Emergency Life Support for Public；BHELP）

コースなどがある．BHELPの受講はJRAT災害支援スタッフ（Dスタッフ）登録要件の一つに定められており，学会非会員も受講が可能である．また，インストラクター制度があり，定められた要件を満たした学会会員はBHELPインストラクター資格を取得することができる．なお，本資格を有するリハビリテーション専門職も存在している．

【文献】

1）小原真理子：災害看護学・国際看護学，第1刷，放送大学教育振興会，2014，pp52-67，pp138-148．
2）長尾和宏：大規模災害時医療，第1刷，中山書店，2015，pp49-55．
3）日本看護協会：災害支援ナース派遣要領，2014，pp5-11．
4）山本尚司・他：日本理学療法士協会の災害対策に関する提言，2017，pp54-55．
5）東日本大震災リハビリテーション支援関連10団体：大規模災害リハビリテーション対応マニュアル，第1刷，医歯薬出版，2012，pp43-51．
6）梶村政司：大規模災害時の日本理学療法士協会としての支援体制と理学療法・士の役割．理学療法ジャーナル49（3）：189-195，2015．
7）公益財団法人　国際医療技術財団：https://www.jimtef.or.jp/
8）独立行政法人　国際協力機構：国際緊急援助隊（JDR）について：https://www.jica.go.jp/jdr/about/jdr.html
9）岩手医科大学災害時地域医療支援教育センター：日本災害医療ロジスティクス研修：http://www.iwate-med.ac.jp/saigai/training/logistics/
10）一般社団法人 日本災害医学会：https://jadm.or.jp/

（梶村政司・松岡雅一）

団体としてのスキルアップのための活動

1．はじめに

多団体から構成される地域JRATでは，平時より構成団体間の意思疎通を図る活動が必要である．加えて，自治体や被災地支援に関わるJRAT以外の団体との関係性の構築や情報収集に関わる活動も必要である．

このことを目的としてCOVID-19の蔓延前，千葉県災害リハビリテーション支援関連団体協議会（以下，千葉JRAT）では，九都県市防災訓練や県と担当市で実施する土砂災害避難訓練，DMAT関東ブロック訓練などに参加していた．

本項では，2022年に参加した第43回九都県市合同防災訓練の紹介と，平時の防災訓練への参加意義について考察する．

2．千葉県災害リハビリテーション支援関連団体協議会

2015年9月に発足した．千葉県医師会や歯科医師会，看護協会，理学療法士会，作業療法士会，言語聴覚士会，介護支援専門員協議会，回復期リハビリテーション連携の会，県リハビリテーション支援センターなどの11団体により構成されている．

3．第43回九都県市合同防災訓練への参加

九都県市合同防災訓練は，「首都直下地震」や「東海地震」を想定し，地震による被害を最小限に食い止めるため，埼玉県，千葉県，東京都，神奈川県，横浜市，川崎市，千葉市，さいたま市，相模原市の九都県市で毎年実施されている．

2022年は10月に開催され，COVID-19の影響から千葉JRATは3年ぶりに参加した．

本訓練では，避難所運営訓練，応急給食訓練，防災フェア，災害ボランティアセンター設置運営訓練，ライフライン等応急復旧訓練，救出救助実動訓練，津波避難訓練，孤立避難者救助訓練，応急救護所等設置運営訓練，物資輸送訓練，多数遺体取扱訓練，石油コンビナート等防災訓練など多種多様な訓練が実施された．千葉JRATは参加依頼があった避難所運営訓練と防災フェアへ参加した（図Ⅷ-1）．

避難所運営訓練では，今年度の訓練開催市の担

千葉 JRAT，DWAT，市担当者，住民代表との振り返り

訓練直前の千葉 JRAT と DWAT のミーティング

知事・行政関係者への千葉 JRAT の説明

避難所運営委員や DWAT への車椅子介助方法の指導

図Ⅷ-1　防災フェアでの千葉 JRAT の活動

当者と市民が行う避難所運営に対して，要援護者などの避難所生活に関わる助言，また同じ会場で活動する DWAT と協働し避難所アセスメントを実施した．

防災フェアでは，啓発活動として千葉 JRAT の紹介，2016 年熊本地震，2019 年台風 15 号での活動の紹介，災害リハビリテーション活動に関わるクイズのパネル展示を行った．

千葉 JRAT からの参加者は，主催者よりコロナ禍を鑑み参加人数を減らす要請があったことから，千葉県理学療法士会，作業療法士会，言語聴覚士会，担当地域リハビリテーション広域支援センター，そして千葉 JRAT 事務局から計 7 名のみとした．

訓練への参加は，千葉 JRAT の構成団体間の意思疎通，地域住民や行政・他団体に対する啓発に繋がったと考える．また，今回初めて DWAT と活動することができ，発災時における他団体との連携の重要性を再確認できた．

4. 防災訓練に参加する意義

1〕連携の促進

地域 JRAT の活動は，平時の地域リハビリテーション活動を基盤とする．実際の支援の後は既存の地域におけるリハビリテーション活動に繋げることが求められている．この地域におけるリハビリテーションの活動では，常に多団体・多職種の連携が不可欠である．

防災訓練に参加することで，平時の各団体の連携の重要性を再認識することに意義がある．この連携は 2 つに大別される．

(1) 地域 JRAT 構成団体の会員同士の連携促進

地域 JRAT は多様な職能団体の集合体である．定期的な会議にて活動方針などを議論するのは構成団体の一部の担当者に留まる．しかし，発災時に現場で活動するのは各団体の会員である．職場や職種も異なる各人は日常の繋がりは薄い．防災訓練への参加は，その地域の職場・職種を超えた構成団体の会員の繋がりを作る機会として有効である．

(2) 行政，被災地支援にかかわる各団体，住民組織などとの連携促進

災害時のリハビリテーションは，被災した要配慮者に対して「お世話型のサービス」展開をするのではなく，リハビリテーション専門職として組織的に，要配慮者の自立生活支援を行うことが求められる．

その目的に資する活動のためには，要配慮者を取り巻く保健・医療・福祉・教育・生活の各職種・機関との協働は不可欠であり，各関係機関に平時より地域 JRAT の理解をしてもらうこと，そして他団体が発災時にどのような取り組みをするのかを理解することが必要である．

発災時には，各市区町村からの都道府県への要請に基づき，様々な団体が派遣される．したがって，行政関係者が地域 JRAT を理解していなければ，要請もなく初動が遅れる．また，避難所で活動する保健・医療・福祉の諸団体への理解がなければ協働は難しい．何よりも住民に理解がない状態では避難所などでの受け入れは困難である．

今回の九都県市合同防災訓練では，事前に DWAT 担当者と対面，電話，メールにて何回も打ち合せを行い当日に臨んだ．このことは双方の理解の促進に繋がり実働に向けて非常に意義があったと考える．防災訓練への参加は地域 JRAT を知ってもらう格好の機会となり，多様な連携促進に有効である．

2〕発災時の動きの確認

防災訓練への参加は，発災時の全体の動きを推測するのに有用である．特に九都県市合同防災訓練のように非常に大規模な訓練の場合，その準備段階から様々な団体が関わり，議論がなされる．この際に，その地域での発災時の指揮命令系統が理解される．また，自治会単位の小規模な防災訓練においても，そこに参加することで各自治会における発災時の指揮命令系統を理解することができる．防災訓練は発災時の活動に最も重視される指揮命令系統がその地域でどのようになっているのかを確認する格好の機会といえる．

（田中康之）

C 福祉機器供給の準備

福祉機器は被災者の心身機能の維持・向上を図るうえでは，必要不可欠な道具である．避難所では被災者の生活範囲は極めて狭められ，避難生活の長期化に伴い，生活不活発病などの発症が懸念される．また福祉機器が避難所に届いても，被災者の身体状況に合っていない福祉機器では，転倒・褥瘡・誤嚥といった二次障害に繋がる可能性もある．これらを防ぐために被災者の心身状況や避難所の生活環境を広く的確に把握し，その改善に努める必要があり，平時からこの供給システムを確立し，マニュアルによる周知を行う必要がある．

1．システムの構築

災害時に供給される福祉機器は平時における制度の対象となる標準的な既製品の福祉機器のうち，主に避難所での利用に適した機器を対象としている．これは特に介護保険制度の対象となる貸与品を中心としている．

そのような想定を超えて，医療従事者が必要と判断した用具が制度利用の対象となる．制度利用とは介護保険制度や障害者総合支援法などの制度を利用し，被災者に必要な福祉機器を調達するものである．制度利用は地域の福祉用具事業者が対応するため迅速であり，生活環境や身体状況の変化に合わせて福祉機器の変更・解約もできる．被災者の避難生活終了後にも使用することができる．

また地域により個別協定による調達を行うことも可能である．個別協定とは都道府県，市区町村

が個別に締結する協定に基づき，被災者および避難所共用部分に必要な福祉用具が調達される仕組みである．協定の締結先は主に日本福祉用具供給協会が担っている．個別協定は供給協会のブロック単位で請負い，ブロック長を通じて供給協会に属する地域の福祉用具事業者が対応するため，避難生活の終了後は制度利用へ移行でき，福祉用具を継続的に使用することができる．また，避難所における福祉用具の調達に関わる費用は，協定の範囲内で締結した自治体が支払うため，被災者の自己負担は発生せず，依頼しやすいのが特徴である．一方で個別協定を締結している自治体数は多いとはいえず（2022年4月1日時点で172の自治体），締結していても手続きに時間がかかるのが難点である．

さらに内閣府の物資調達・輸送調整等支援システムによる支援も可能である．このシステムは国と地方公共団体の間で，物資の調達・輸送などに必要な情報などを共有し，迅速かつ円滑な被災者への物資支援を実現するために，2020年度より運用が開始された．段ボールベッドや紙おむつなど，既に登録されている物資から選択して調達するプッシュ型と，被災地のニーズに合わせて調達するプル型がある．支援システムを活用した調達は，制度利用ができない被災者や共有部分の福祉機器，個別協定で対応できない福祉機器の調達に有効である．

2．対応マニュアルの作成

JRATでは「災害時福祉用具等調達支援マニュアル」を作成し，地域JRATの支援活動が円滑かつ迅速に行えるように，福祉機器の選定，既存の福祉用具等の調達の方法や流れ，備えなどの調達支援，福祉機器の搬入と組み立てについて記載している．このマニュアルを周知することにより，避難所関係者に対して適切な助言や依頼をし，被災者が避難所で身体状況を悪化させることなく過ごすことができる．またこのマニュアルを周知させるためには，各地域で避難所関係者，個別協定先，地域におけるDWAT，JMATなどを対象とした研修会を開催して，啓発を行うことが必要である．

3．義肢装具への対応

義肢装具に対する医療福祉体制には，医療として治療の目的で作製する治療用装具，福祉として生じた障害に対して生活での使用を目的に作製する更生用装具がある．発災時には被災者が義肢装具を破損，紛失することがあり，平時から発災時に提供できる体制を整えておく必要がある．治療用装具に関しては災害救助法の適用に伴い，医療として供給されるべきであり，更生用装具は破損や故意ではない損失に対しては新たに供給できるため，制度的には対応可能である．既製品に関しては平時から各地域JRATあるいは地域JRATと提携した義肢装具業者にある程度の在庫を災害用として保管し，発災時速やかに供給できる体制が望ましい．オーダーメイドで作製する義肢装具に関しては，とりあえず既製品で何とか対応可能であれば既製品を処方し，その後に再作製することになる．対応できない場合には早急に現地に出向き，医師が処方を行い，義肢装具士が作製する体制の整備が必要である．

（菊地尚久）

活動のためのデータベース構築

1．データベース構築の必要性

これまで阪神淡路大震災，新潟県中越沖地震など，規模の大きな災害発生時には，それぞれの地域を中心として災害発生後の要配慮者に対応したリハビリテーション専門職や団体があった．その経験を通して，災害発生後の初動体制で求められること，長期化する避難生活の中で災害発生後に二次的な問題として生じてくる問題点とその対応，また復興期の街作りまで視野に入れた

表Ⅷ-3 データベースに盛り込む内容

・行政との関係性の確保
　都道府県，市区町村の防災対策窓口一覧
・広報に関する情報
　広報関連一覧
・災害対応リハビリテーションチームの活動開始のために必要とされる事柄
　・構成諸学協会の平時の連携
　・連絡体制
　・必要機材一覧
　・機材，物資の確保先一覧
　・行政からの確実な情報収集
　・災害対応経験報告書　など

支援のあり方などについてもマニュアルや報告書にまとめられたものがある[1-4,6]．

東日本大震災においてはリハビリテーション専門職が個々の職種としてではなく，10の学協会という複数の組織の集合体として対応を行った．構成員である各団体の統一した意思決定が必要であり，様々な情報を管理し，実行していくための事務局機能を作る必要が生じた．

東日本大震災の発生後に対応した経験から，これまでの過去の災害の報告書にはない部分についても事前準備をする必要性が改めて確認された．東日本大震災のような大規模災害においては，今後もリハビリテーション領域は複数の職種がまとまった形で，対応する必要があると考えられる．今回の経験の蓄積や今後，この経験をどのように次の世代に伝えていくかを考えていかなければならない．災害対応のリハビリテーションチームに関するデータベースが構築され，関連する学協会によってその情報が常に更新されていれば，いつでも最新の情報にアクセスすることが可能となる．

2．データベースの内容（表Ⅷ-3）

1〕行政との関係性の確保

防災計画など具体的な対応は市町村が策定しており，災害時要配慮者支援に関する項目も含まれているところが多い[5]が，災害対応リハビリテーションチームの位置づけは明確でなく，今後の働きかけが必要である．

表Ⅷ-4 熊本地震支援活動にて使用した様式など

・支援チームに関する参考資料
　様式1：エントリーシート
　様式2：個人健康管理自己チェック
　様式3：スタッフ活動場所予定表
・支援チームに関する様式
　様式1：災害リハビリテーション対象者基本票
　様式2：避難所アセスメントシート
　様式3：JRATチーム申し送り書
　様式4：支援部隊活動報告書
・支援活動に関する様式
　参考1：オリエンテーションにおける説明マニュアル
　参考2：JRAT派遣部隊への注意事項
　参考3：JRATの活動内容説明図
　参考4：JRAT熊本名刺3

2〕広報関連URL一覧

情報収集と同時に情報発信も行うことを想定しておく必要がある．

3〕発災時に災害対応リハビリテーションチームの活動を開始させる手続き

JRAT中央災害対策本部を設置し，被災地のニーズを含む情報収集を迅速に開始するためには，平時からの構成学協会の連携体制や研修などが必要であり，構成員の連絡体制，機材・物資の確保，行政との関係性の確保のための情報が必要である．

3．熊本地震以降の取り組み（表Ⅷ-4）

JRATホームページの「地域JRAT専用ページ」において，熊本地震支援活動にて使用した支援チームに関する様式や支援活動に関する様式などが掲載されており，発災時に活用可能となっている[8]．

【文献】

1）日本作業療法士協会：阪神・淡路大震災　巡回リハビリテーションチーム活動報告書，平成7年7月．
2）兵庫県理学療法士会：阪神淡路大震災における巡回リハビリテーションチームの活動報告，平成7年1月．
3）平成16年度厚生労働省科学研究費補助金特別研究事業「新潟県中越地震を踏まえた保健医療における対応・体制に関する調査研究」．自然災害発生時における医療支援活動マニュアル．
4）内閣府：復興支援組織設立に関する検討調査　調査報

告書，平成13年3月：http://www.bousai.go.jp/fukkou/pdf/fukkoukentou.pdf
5）内閣府（防災担当）：災害時要援護者の避難支援に関する調査結果報告書，平成21年3月：http://www.bousai.go.jp/3oukyutaisaku/youengosya/h20/h20_pdf/H20youengosya.pdf
6）東日本大震災リハビリテーション支援関連10団体：派遣活動報告書，平成24年.
7）防災消防博物館：http://www.bousaihaku.com/cgi-bin/hp/index.cgi?Page＝hpd_view&ac1＝ZL16&ac2＝&ac3＝369
8）大規模災害リハビリテーション支援関連団体協議会ホームページ：http://www.jrat.jp/（2023年4月閲覧）

（深浦順一）

E マニュアル・ツールの整備と収集

1．整備の必要性と効果・限界

災害発生後，我々は自身の安全確保や迅速な避難行動から，支援活動へ向けた情報の収集，JRAT中央災害対策本部や現地JRAT災害対策本部の設置，支援活動の展開まで，様々な対応を迫られる．ある日突然訪れるこれらの事象に速やかに対応するためには，平時よりマニュアル・ツールを整備しておくことが重要である．

マニュアル・ツールを整備しておくことにより，災害支援経験の有無を問わず，迅速かつ的確な意思決定や対応ができるようになるなどの効果が期待できる．また収集・整備したマニュアル・ツールを基にしたシミュレーション訓練を実施することによって，具体的な活用について平時から想定することができ，災害支援活動への意識を高めることにも繋がる．

一方で，災害の規模や，情報が錯綜し混乱した状況によっては，マニュアル通りの対応ができないような不確実性が存在することも事実である．またマニュアルに記載されている事項が「こうすべき」という固定観念に繋がり，刻一刻と変化する状況に柔軟に対応できず，新たな問題が生じるリスクにもなり得る．マニュアルの運用においては，その限界についても考慮するとともに，定期的に見直しを行いより実効性の高いものに改変していく必要がある（表Ⅷ-5）．

マニュアル・ツールの整備における一例として日本作業療法士協会では，東日本大震災を経験し，災害発生時の対応の基本として「大規模災害時支援活動基本指針」と「災害支援ボランティア活動マニュアル」および「災害支援ボランティア受け入れマニュアル」を2014年に作成し，平時から災害が発生した場合に速やかに対応できる体制を整備した．その後に災害が発生した際には，この基本指針とマニュアルに沿って，被災県作業療法士会やJRATなどの関連団体との連携を図りながら活動を展開している．

指針では，災害支援活動における協会の組織体制と対応について，（1）平時の対応，（2）災害発生時の対応，①第1次対応，②第2次対応，③第3次対応，④第4次対応，⑤第5次対応，⑥災害支援活動の終了，と時期別に提示している．

表Ⅷ-5　マニュアルの効果と限界

効果	限界
・人員動員が迅速・的確にできる ・役割分担により混乱なく業務を指示できる ・情報収集や伝達が明確になる ・対策や手続きが合理的に判断できる ・対策を実行するための資源の把握，調達・運用がしやすくなる	・習熟は困難である ・マニュアルでは表現しきれない不確実性が存在する ・混乱の中ではマニュアルに書かれている通りの対応はできないこともある

2．マニュアル整備に関する留意点

マニュアルの作成および運用上の一般的留意点を以下に挙げる

(1) 当該地域で発生し得る災害を想定して作成する．
(2) 地域特性（人口動態，地勢，社会資源など）を考慮しながら作成する．
(3) 目的とする活動や適用となる対象者を明確にしておく．
(4) 役割分担や権限を明確にしておく．
(5) 自治体や関係機関・団体（カウンターパート）との連携を重視し，窓口（連絡先）を明確にしておく．
(6) マニュアルを固定的に捉えない．

3．マニュアル・ツールの収集

JRATでは，これまで災害支援活動におけるマニュアル・ツールをいくつか整備してきた．表Ⅰ-2「現地JRAT災害対策本部およびJRAT中央災害対策本部の初動手順」がp.11に掲載されているため参照いただきたい．「オリエンテーションにおける説明マニュアル」「災害時福用具等調達支援マニュアル」については，JRATホームページ内の地域JRAT専用ページに掲載されている．また昨今のCOVID-19感染拡大を受け，支援活動における感染対策マニュアルや避難所マニュアルについても種々作成されている．これらもJRATホームページより参照できる．

他にも様々な団体や関連学会が，災害支援に関するマニュアルやツール・パンフレットなどを作成しホームページへ掲載しており，ダウンロードが可能なものもある．本書も含め，平時からこれらのマニュアル・ツールを収集・把握しておくとともに，災害支援活動時には活用いただきたい．

【文献】

1) 内山量史：マニュアル・ツールの収集・整理・整備．大規模災害リハビリテーション対応マニュアル（東日本大震災リハビリテーション支援関連10団体『大規模災害リハビリテーション対応マニュアル』作成ワーキンググループ編），医歯薬出版，2012，pp56-59.
2) 消防防災博物館：地震災害応急対応マニュアルに関する基本的な考え方：https://www.bousaihaku.com/wp/wp-content/uploads/2017/03/a0021.pdf
3) 日本作業療法士協会：大規模災害時支援活動基本指針（平成26年2月15日改定）：http://www.jaot.or.jp/wp-content/uploads/2014/07/daikibosaigai-kihonshishin.pdf
4) 日本作業療法士協会：災害支援ボランティア活動マニュアル（平成26年2月15日策定）：http://www.jaot.or.jp/wp-content/uploads/2014/07/volunteer-manual1.pdf
5) 日本作業療法士協会：災害支援ボランティア受け入れマニュアル（平成26年2月15日策定）：http://www.jaot.or.jp/wp-content/uploads/2014/07/volunteer-manual2.pdf

（今野和成）

F 現地業務に必要な書類などへの対応

統一した書式の必要性

大規模災害に限らず，局地災害においても，医療・介護施設で平時に構築されてきた診療情報や介護状況などの情報を使用することは極めて困難である．避難所や応急診療所などで，問診や診察，アセスメントにより医療情報・生活情報を再構築し，要配慮者をはじめとした被災者の把握をしていかなければならない．

現地で得られた情報は非常に重要でその後の医療支援活動にはならなくてならないものとなる．得られた情報は，多くの医療従事者やボランティアが活用する．そのため，効率的な情報共有や連携には，必要な情報を統一した形式で記録し，蓄積して活用することが重要である（図Ⅷ-2）．

また，派遣予定表や活動実績など，同様の情報を複数のデータで記録することがないよう，事前の調整が必要である．表Ⅷ-6はJRATで用いる書式を列挙したものである．

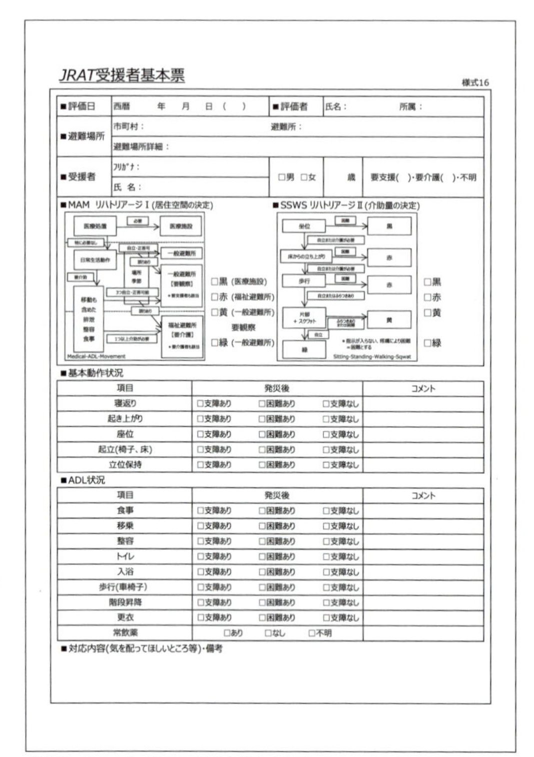

JRAT受援者基本票

様式16

■評価日	西暦　年　月　日（　）	■評価者	氏名：　所属：	
■避難場所	市町村：	避難所：		
	避難場所詳細：			
■受援者	ﾌﾘｶﾞﾅ：	□男 □女	歳	要支援(　)・要介護(　)・不明
	氏 名：			

■MAM リハトリアージⅠ(居住空間の決定)

□黒（医療施設）
□赤（福祉避難所）
□黄（一般避難所）
要観察
□緑（一般避難所）

■SSWS リハトリアージⅡ(介助量の決定)

□黒
□赤
□黄
□緑

■基本動作状況

項目	発災後			コメント
寝返り	□支障あり	□困難あり	□支障なし	
起き上がり	□支障あり	□困難あり	□支障なし	
座位	□支障あり	□困難あり	□支障なし	
起立(椅子、床)	□支障あり	□困難あり	□支障なし	
立位保持	□支障あり	□困難あり	□支障なし	

■ADL状況

項目	発災後			コメント
食事	□支障あり	□困難あり	□支障なし	
移乗	□支障あり	□困難あり	□支障なし	
整容	□支障あり	□困難あり	□支障なし	
トイレ	□支障あり	□困難あり	□支障なし	
入浴	□支障あり	□困難あり	□支障なし	
歩行(車椅子)	□支障あり	□困難あり	□支障なし	
階段昇降	□支障あり	□困難あり	□支障なし	
更衣	□支障あり	□困難あり	□支障なし	
常飲薬	□あり	□なし	□不明	

■対応内容(気を配ってほしいところ等)・備考

■経過記録表

様式16

月/日	経過	対応内容(動作指導・環境整備・リハ医療材料貸与等)	記録者
/			
/			
/			
/			
/			
/			
/			
/			
/			
/			
/			
/			
/			
/			
/			
/			
/			
/			
/			
/			
/			
/			
/			
/			
/			
/			
/			
/			
/			
/			

図Ⅷ-2　JRAT 受援者基本票

1〕活動前の事前登録（医療救護班等）

医療救護班として活動する際は，派遣が確定した時点で事前に日本医師会などに派遣登録を行う．中央JRAT災害対策本部など現地以外に対策本部が設置されている場合は，本部を経由して行うことがある．医療救護班への登録が必要ない場合でも，各種保険の申請にあたっては事前に各所へ申請を行う．

2〕活動後の医療救護班の費用弁済に関わる書類

災害によっては，災害救助法の適用となり，活動費用の弁済がなされる場合がある．その際に活動報告書のほかに，詳細な移動経路などを証明できる資料が必要となる可能性がある．活動直後にそうした情報についても記録し，活動に要した費用の領収書とともに保管をしておく必要があることも心得ておきたい．

（古澤文夫）

表Ⅷ-6　JRATで使用する書式一覧

	分類	様式No.	書式名	目的
本部	基本業務	1	活動予定表.xlsx（図Ⅷ-3）	現地JRAT災害対策本部で記入する．予定を管理する．行は適宜追加する．本部人員と支援部隊人員を記入し，病欠などで急遽当日来なかった者については中止と記載する
		2-1	活動報告日報＿現地対策本部.xlsx（図Ⅷ-4）	現地JRAT災害対策本部で記入し，本部および関係者に毎日送る．ファイルごとコピーして1日1ファイル作成する．各チームの報告書から，対応人数などを「当日分集計用」シートに入力すると，「活動報告日報」のシートに自動計算されるようにしてあるが，使いにくければ，手入力でも可
		2-2	活動報告日報＿中央対策本部.xlsx	JRAT中央災害対策本部ができた場合の日報．ファイルごとコピーして1日1ファイル作成する
		3	クロノロジー.xlsx	発災後，JRAT事務局や，全ての本部で，外部との連絡事項について経時的に記録をしていく．1日1シート
		4	勤務実績表.xlax	現地JRAT災害対策本部で記入する月ごとの出勤簿のようなもの．予定で記入していても良いが，当日現地JRAT災害対策本部に来て予定通りの人員が到着したかチェックし記載．支援者数のチェックの基本になる資料になる．到着しているが体調が悪く支援できなかった日は，1ではなく0を入れる
	人員登録と管理	5	JRAT申込書.docx	支援をしたい人達のグループ用申し込み用紙．現地JRAT災害対策本部，JRAT中央災害対策本部のどちらに送るかはその際の決定による
		6	支援申込者一覧.xlsx	現地JRAT災害対策本部またはJRAT中央災害対策本部が，JRAT支援申し込み者をリストにして，スケジュールを決めたり，回答したり，JMAT申し込みの遂行を管理するために用いる
		7	派遣依頼公文書.docx	JRAT本部から支援チームが所属する施設に送る．送り先は申込書に記載有り
		8	事前送付準備品リスト注意点など	現地JRAT災害対策本部から，チームの責任者に事前に送るもの．熊本地震の際のものをサンプルとして残し，適宜訂正して用いる
		9	JMAT申込書.docx	JRAT本部で派遣期間を決めてチームに通知して了承を得てからJMAT本部に送る
支援チーム	現地活動用（オリエンテーション）	10	オリエンテーション資料	支援チームに対して現地JRAT災害対策本部ロジスティクスが説明する資料
		11	個人支援者エントリーシート.docx	様式6のJRAT申し込みを利用したチーム参加者ではなく，現地JRAT災害対策本部に自発的に駆けつけた支援者用．現地JRAT災害対策本部で受付をし，JMAT登録などについては調整検討する
		12	個人健康管理自己チェック表.xlsx	避難所の避難者の健康を守るため，体調不良で感染の可能性のある支援者には活動をご遠慮いただくためのチェックシート 現地JRAT災害対策本部でのオリエンテーション時に支援者各自に渡す
		13	支援チーム活動報告書.docx/xlsx（図Ⅷ-5）	支援チームが1日1ファイル記載し，現地JRAT災害対策本部に提出する
		14	支援チーム申し送り書.docx	熊本で全チームではないが使用していた．口頭や直接メールで連絡をしていた場合もある
		15	支援チーム費用報告書	支援チームが活動終了後に，本部またはJRAT事務局に提出する．出発前にチーム責任者に送付しておく
		16	JRAT受援者基本票.xlax（図Ⅷ-2）	受援者の基本表．支援チームが記載し，同じ受援者に対しては，別の支援チームも同じシートに記録していく
調整本部		17	リハビリテーション医療機器（福祉用具等）貸与リスト.xlsx	現地JRAT災害対策本部で，福祉用具などの貸与について記録するもの．介護保険が使用できる場合には介護保険を利用してもらう
		18	災害時福祉用具等調達支援チェックリスト.xlsx	該当避難所個々でどのような福祉用具調達の支援ができるか．事前の状況確認と避難所の状況確認・福祉用具の調達方法・調達後の適合に確認を行うためのもの．JRAT隊員が使用する
		19	福祉用具等アセスメントシート兼福祉用具調達依頼書.xlsx	福祉用具を必要とする被災者個々に作成し，どのような方法で調達依頼をしたかを記録する
その他		20	ホームページ用報告書.xlsx	JRATホームページ掲載用に毎日，現地JRAT災害対策本部で記入し，PDFの状態で施設協会の事務局担当の方へ送っていた書式

様式1

スタッフ活動予定表

現地対策本部 体制表						
担当	職種	氏名	所属	AM	PM	活動期間
統括本部長						～
活動本部長						～
副本部長						～
ロジ（担当業務を記載）						～
ロジ（担当業務を記載）						～
ロジ（担当業務を記載）						～
ロジ（担当業務を記載）						～
調整本部（担当）						～
調整本部（担当）						～
調整本部（担当）						～

本日活動開始のチーム

本日活動終了のチーム

●現地避難所支援スタッフ数

Dr	PT	OT	ST	Ns	SW	他	合計
0	0	0	0	0	0		0

●本部スタッフ数

Dr	PT	OT	ST	Ns	SW	他	合計
0	0	0	0	0	0		0

所属チーム（都道府県）	職種	氏名	活動予定		地区名［保健所］	活動予定期間 ※JMAT申請期間	体調不良などで不参加の場合は中止と記載
			AM	PM			
						～	
						～	
						～	
						～	
						～	
						～	
						～	
						～	
						～	
						～	
						～	
						～	
						～	
						～	
						～	
						～	
						～	
						～	
						～	
						～	
						～	
						～	
						～	
						～	
						～	
						～	
						～	
						～	
						～	

図Ⅷ-3　活動予定表

JRAT活動報告日報（現地対策本部）　No. 1

様式2-1

年　月　日　曜日	記載者（都道府県）	

現地対策本部体制

役割	氏名	職種	都道府県/所属	活動期間	AM	PM
統括本部長				～		
活動本部長				～		
副本部長				～		
ロジ（担当業務を記載）				～		
ロジ（担当業務を記載）				～		
ロジ（担当業務を記載）				～		
ロジ（担当業務を記載）				～		
調整本部（担当）				～		
調整本部（担当）				～		
調整本部（担当）				～		

現地支援活動概要　　計　　チーム

職種別	Dr	PT	OT	ST	PO	SW	他	合計
活動者数	0 名	0 名	0 名	0 名	0 名	0 名	0 名	0 名

派遣地域	支援場所数	チーム名	活動者数	対応人数（集団）	対応人数（個別）	福祉用具対応件数
	箇所					
	箇所					
	箇所					
	箇所					
	箇所					
	箇所					
	箇所					
	箇所					
	箇所					
	箇所					
	箇所					
	箇所					
	箇所					
	箇所					
	箇所					
	箇所					
	箇所					
	箇所					
	箇所					
	箇所					

※活動内容、特記事項は2枚目へ

図Ⅷ-4　活動報告日報（現地対策本部）

JRAT支援チーム活動報告書

様式13

	西暦　年　月　日　曜日			
支援チーム	職種	氏名	都道府県	報告者(○)
活動場所	活動地域	訪問場所(避難所)	対応人数(集団)	対応人数(個別)
活動内容	リハ医療材料対応実績(本部に依頼済みのものを記載)			
	場所(避難所)	品目	数量	避難所等担当者
	□避難所情報・支援内容等(個人名の記載厳禁)			
本部への要望				

図Ⅷ-5　支援チーム活動報告書

災害関連情報の収集・整理・分析

1. 国および地方自治体の防災対策

1〕国レベルの防災

中央防災会議は，政府レベルの防災基本計画の作成およびその実施の推進が役割とされており，現組織体制としては防災行政が旧国土庁より内閣府へ移管された後，2001 年度から機能している．会長は内閣総理大臣，委員は防災担当大臣およびその他の国務大臣，さらに指定公共機関の長や学識経験者も含まれており，当会議には幹事会ならびに専門調査会（中央防災会議の議決による）が設置される．

これまで検討された災害案件は，噴火，地震，豪雨など，また避難施設の整備や住宅支援，災害への対応状況，防災基本計画の修正，防災訓練などである．

東日本大震災が発生した後，2011 年 4 月 27 日に開催された第 27 回会議では，これまでの地震・津波対策の振り返りが行われ，現状の課題を分析し，今後の政策へ反映する方向性が協議された．これらは内閣府の防災情報のページから詳細を確認することができる．

2〕地方自治体レベルなどの防災

防災基本計画は，「災害対策基本法」の第 34 条の規定に基づいて，政府が防災対策について定める基本的な計画であり，国や地方自治体のみならず，住民や各主体などそれぞれの責務と対応について，また災害対策の時間的流れにそって，災害予防，事前準備，災害応急対策，災害復旧・復興の順で記載されている．災害対応の教訓を含む形で，大規模災害時や，原子力防災体制，豪雪，台風などに関しても適宜修正されている計画である．

地方自治体では，防災基本計画に基づき，地域防災計画を作成する．あわせて，地区防災計画などがあり，住民のコミュニティにおける共助についてもふれられている．

2. 被災者健康支援連絡協議会

日本医師会を中心とし，政府の被災者健康支援特別対策本部の協力依頼を受けて設置された医療，介護などの団体からなる組織である．

当初は東日本大震災後の国民の健康支援について協議されていたが，2016 年には熊本地震の支援にも関与した．会議では，被災地の支援活動や状況に関する各団体からの情報提供や，政府からの情報提供ならびに提言などについて意見交換がなされている．

3. 医療支援活動の動向

主な医療支援チームとして，日本医師会の JMAT，日本赤十字社救護班，DMAT などがある．

行政の対応を補完する組織としては，NGO や NPO の活動も挙げられる．国境なき医師団，ハンディキャップインターナショナルなどの国際的な非政府組織や，国内では難民を助ける会，また JOCV リハビリテーションネットワークなどがある．NPO 団体は，非営利で社会に貢献する活動などを行う市民組織のことを指すため，法人格の有無は問わないものの，わが国においては，特定非営利活動促進法に基づいて法人格を得た団体を，狭義の特定非営利活動法人，NPO 法人や NPO 団体と呼ぶことが多い．

熊本地震以降，大規模災害時の被災者に対する組織的な支援体制について議論がなされてきた．また災害発生時における厚生労働科学研究の結果などもふまえ，保健・医療・福祉の連携が重要であるとの認識から，厚生労働省関係部署から連盟で，「保健医療福祉調整本部」を設置する通知が発出された．

内容として，発災時に都道府県災害対策本部の下に，災害対策に関わる保健医療福祉活動の総合調整を行うため，保健医療福祉調整本部を設置することが明記された．構成員としては，被災都道府県の医務主管課，保健衛生主管課，薬務主管課，精神保健主管課，民生主管課などの関係課および，保健所の職員，災害医療コーディネーター，災害薬事コーディネーターなどの関係者が参画し，相互に連携して，当該保健医療福祉調整本部に係る事務を行うこととした．本部の長は保健医療福祉を主管する部局の長，または都道府県知事が指名するものがその任に就く．

保健医療福祉調整本部はその機能として連絡窓口をおいて，保健所，DHEAT，DMAT，JMAT，日本赤十字社の他，JRATを含む関連組織との連絡や情報連携を行う．また本部機能などの強化が必要なときは，被災都道府県以外の都道府県などに対して業務を補助するための人的支援などを求めることが望ましいことが通知に記載された．厚生労働省災害対策本部とも緊密な情報連携を行い，必要に応じて必要な助言や，その他の支援を求めることができる．

保健医療福祉調整本部の活動は，①保健医療活動チームの派遣調整，②保健医療福祉活動に関する情報連携，③保健医療福祉活動に係る情報の整理及び分析とされている．通知の内容は，地方自治法第245条の4第1項の規定に基づく技術支援であること，また内閣府（防災担当）と調整済みとのことから，今後の災害発生時には各都道府県で上記のような支援体制の整備がなされていくことになる．

4．災害関連の法規とその変化

1〕災害関連の法規

前項で紹介した通知は各法規を具体的に，あるいは技術的に補足するために遵守される．近年，特に変わった部分は関係各団体が法のもとで協働しながら支援できるようになったことが挙げられるが，DHEAT（災害時健康危機管理支援チーム）をはじめとする情報収集においては前項の通知やガイドラインを，そして最新の資料を掲載するホームページとして，以下がある．

○厚生労働省：災害：https://www.mhlw.go.jp/stf/seisakunitsuite/bunya/0000055967.html

災害関連の法規としては，「災害救助法」，「災害対策基本法」，「大規模地震対策特別措置法」，「地震対策特別措置法」，「原子力災害対策特別措置法」などが挙げられる．これらのうち，特に資金に関連する部分について，「災害対策基本法」と「災害救助法」からいくつか抜粋して以下に記載する．

(1) 災害対策基本法

「災害対策基本法」には，それぞれの行政機関による責務として，①国は災害に係る経費負担の適正化，②都道府県はその区域内の市町村および指定地方公共機関が処理する事務，業務の実施を助けること，③市町村は事務，業務の実施が定められている．

(2) 災害対策基本法：第九十三条および第九十四条

市町村の応急措置および応援のために要した費用のうち，県，国がかかる費用の負担または補助ができる．

(3) 災害対策基本法：第七十一条

「災害救助法」の第二十四条から第二十七条を参照し，都道府県知事が医療関係者へ応急措置の従事命令，協力命令などを発することができる．

(4) 災害救助法：第二十四条の第五項

救助に従事させる場合は，その実費を弁償する義務がある．

(5) 災害対策基本法：第八十四条

応急措置の業務に従事した者に対する損害が市町村によって補償される．

上記より，費用支弁および補償について，以下の通りまとめることができる．

都道府県知事が医療関係者へ応急措置の従事命令，協力命令を発した場合，その実費を弁償する義務があり，応急措置の業務に従事した者に対する損害は，市町村が補償する．

市町村および指定公共機関の業務を都道府県が助け，国は経費負担の適正化を図るとともに，応急措置のために要した市町村などの費用は県や国が負担，または補助できる．

2〕東日本大震災後の医療支援活動の費用支弁

厚生労働省より2011年10月21日に発出された事務連絡『「東日本大震災」における医師等の保健医療従事者の派遣に係る費用の取り扱いにおい

て』において，次の通り費用の支弁について整理された．

(1) 人件費

災害救助費の賃金職員など雇上費として支弁．

(2) 旅費など

災害救助費の旅費，宿泊費として支弁．

(3) 薬剤費など

使用した薬剤，治療材料および破損した医療機器の修繕に要した費用は災害救助費として支弁．

(4) 対象

派遣後に派遣元都道府県を通じて被災県に対して請求を行うことが基本形となる．直接被災県へ請求することも可能だが，派遣実態に応じて都道府県単位および全国単位の団体などがとりまとめなどを行い，それら団体は派遣元都道府県にも連絡することと，派遣元都道府県はそれら団体へ相談助言の協力が記載されている．

(5) 対象期間

避難所の解消に至るまでの時期．

(6) その他

薬剤師，保健師，助産師，看護師，診療放射線技師，理学療法士，作業療法士，歯科衛生士，管理栄養士，精神保健福祉士，公認心理師，臨床心理士・公認心理師などが，医師，歯科医師に同行せずに活動を行う場合も同様の取り扱い．派遣した医療機関などが直接または都道府県単位の団体などを通じて請求．

3〕熊本地震後の災害対策基本法の改正

2016年に熊本地震などもあり，ここ数年，「災害対策基本法」は多く改正された．これは，防災対策推進検討会議最終報告書などを踏まえたものである．例えば2012年には大規模広域な災害に対する即応力の強化や，2013年には通信や減災などが盛り込まれた．

「災害対策基本法」には中央防災会議において，防災基本計画を作成することを規定しており，これがわが国の災害対策の根幹をなすものとして基本的な方針が示されている．なお，地方公共団体は防災基本計画をもとにして地域防災計画を作成することとなっている．ここでは「災害対策基本法」の改正について概要を以下のとおり示す．

(1) 大規模広域な災害に対する即応力の強化など

- 災害緊急事態の布告があった時は，災害応急対策，国民生活や経済活動の維持・安定を図るための措置などの政府の方針を閣議決定し，これに基づき，内閣総理大臣の指揮監督の下，政府が一体となって対処するものとすること．
- 災害により地方公共団体の機能が著しく低下した場合，国が災害応急対策を応援し，応急措置（救助，救援活動の妨げとなる障害物の除去など，特に急を要する措置）を代行する仕組みを創設すること．
- 大規模広域災害時に，臨時に避難所として使用する施設の構造など平常時の規制の適用除外措置を講ずること．

(2) 住民などの円滑かつ安全な避難の確保

- 市町村長は，学校などの一定期間滞在するための避難所と区別して，安全性など一定の基準を満たす施設または場所を，緊急時の避難場所としてあらかじめ指定すること．
- 市町村長は，高齢者，障がい者などの災害時の避難に特に配慮を要する者について名簿を作成し，本人からの同意を得て消防，民生委員などの関係者にあらかじめ情報提供するものとする他，名簿の作成に際し必要な個人情報を利用できることとすること．
- 的確な避難指示などのため，市町村長から助言を求められた国（地方気象台など）または都道府県に応答義務を課すこと．
- 市町村長は，防災マップの作成などに努めること．

(3) 被災者保護対策の改善

- 市町村長は，緊急時の避難場所と区別して，被災者が一定期間滞在する避難所について，その生活環境などを確保するための一定の基準を満たす施設を，あらかじめ指定すること．
- 災害による被害の程度などに応じた適切な支援の実施を図るため，市町村長が罹災証明書を遅滞なく交付しなければならないこととすること．
- 市町村長は，被災者に対する支援状況などの情報を一元的に集約した被災者台帳を作成することができるものとする他，台帳の作成に際し必

表Ⅷ-7　医療および助産

	一般基準	備考
対象者	災害により医療の途を失った者	あくまでも応急的な処置である
医療の実施	救護班により行うこと．ただし，急迫した事情がありやむを得ない場合は，病院又は診療所（注）において医療（施術）を行うことができる	（注）あん摩マッサージ指圧師，はり師，きゅう師，柔道整復師による施術を含む
医療の範囲	①診療，②薬剤または治療材料の支給，③処置，手術その他の治療および施術，④病院または診療所への収容，⑤看護	
救助期間	災害発生の日から14日以内	
対象経費	救護班：使用した薬剤，治療材料，破損した医療器具などの修繕費などの実費 病院または診療所：国民健康保険の診療報酬の額以内 施術者：協定料金の額以内	

要な個人情報を利用できることとすること．

・災害救助法について，救助の応援に要した費用を国が一時的に立て替える仕組みを創設するとともに，同法の所管を厚生労働省から内閣府に移管すること（災害救助法，内閣府設置法などの一部改正）．

(4) 平時からの防災への取り組みの強化

・「減災」の考え方など，災害対策の基本理念を明確化すること．

・災害応急対策などに関する事業者について，災害時に必要な事業活動の継続に努めることを責務とするとともに，国および地方公共団体と民間事業者との協定締結を促進すること．

・住民の責務に生活必需物資の備蓄などを明記するとともに，市町村の居住者などから地区防災計画を提案できることとすること．

・国，地方公共団体とボランティアとの連携を促進すること．

(5) その他

・災害の定義の例示に，崖崩れ・土石流・地滑りを加えること．

・特定非常災害法について，相続の承認または放棄をすべき期間に関する民法の特例を設けること．

また行政では，広域的な大規模災害に備えて，あらかじめ他の都道府県と協定を締結することや，応援要請できる体制を整えておくことが望ましいことが示された．これにより，JRATと都道府県との共同訓練や協定が実現している．

例えば，救助の程度，方法および期間は，応急救助に必要な範囲内において，内閣総理大臣が定める基準（平成25年内閣府告示第228号）に従い，あらかじめ都道府県知事がこれを定める．

これらの基金から支出することができる費用は，以下の①～⑩の通りである．これらは「災害救助法」の規定に従い都道府県知事が行い，市町村長が補助（必要に応じ一部を市町村長が）を行うこととなっており，発災により人口あたり一定数の住家の滅失がある場合などが適用基準となる．

①避難所，応急仮設住宅の供与，②食品の給与，飲料水の供与，③被服，寝具などの給与，④医療，助産，⑤被災者の救出，⑥住宅の応急修理，⑦学用品の給与，⑧埋葬，⑨死体の捜索および処理，⑩住居またはその周辺の土石などの障害物の除去．

上記のうち，④を表Ⅷ-7に示す．対象となる支援がどこにあたるか，情報を収集・整理し，分析しながら，支援活動を平時より準備しておくことが必要となる．

【文献】

1）厚生労働省：災害時健康危機管理支援チーム活動要領について：https://www.mhlw.go.jp/stf/seisakunitsuite/bunya/0000197835.html

（伊藤智典）

資金，人材，物品・装備などの準備

平時から，各施設においても発災時に利用可能な物品・装備を備えておくことが望ましい．災害時に滞ることなく対応するため，日頃から行政や地域と連携を保つことが重要である．避難生活による生活不活発病を予防する機能を発揮することも期待される．

1．準備全般について

危機予知が空振りに終われば対応するコストが莫大になる可能性がある．ただし，準備は安全保障への投資であるため，怠ると何倍にも被害が拡大するといわれている．

平時よりそれぞれ重複する多様な資源を集結して災害発生時に備える必要があり，この準備のためには事務局的な機能が重要である．

準備期において望まれる準備体制は，以下の通りと考えられる．

1〕資金

・即応性の高い活動支援体制を構築するため，団体や個人より資金が集約される．

・突発的な資金調達と，定常的な資金調達の2つに分けられる．定常的な資金の振込は1つの指定口座でもよいが，突発的な資金調達を実施する場合には，いくつかの口座や振込方法(銀行，PayPal，各種クレジットカードやコンビニエンスストアでの決済など）を用意し，資金支援者（ドナー）らの支払いやすさに留意した方法をあらかじめ検討しておく．

・緊急時には各都道府県で引き落としが可能かなど，平時から効率的な活用を想定し，全国レベルで存在する金融機関で資金の管理をすることが望ましい．

2〕人材

・迅速にリハビリテーション専門職を派遣できるように，人材登録制度を採用する．

・人材登録制度には，ロジスティクスの専門家も含めて行う．

・登録者の携帯電話番号およびメールアドレスを管理し，緊急時に連絡がとれるようにする．

・平時より1つの団体のみならず，各都道府県単位で訓練を実施し，同一地域で顔のみえる繋がりを築いておくことが望ましい．

3〕物品・装備

・支援物資のニードは時間的経過とともに変化する．

・被災した際は，各自治体でもニードが十分に把握できていない場合もあるので，先を見越した準備や発注，あるいは発注の中止も含めた検討が重要となる．

・杖，サポーターなどの医療・リハビリテーション関連機材および無線機，ラジオ，ライトなどの装備品は使用期限に注意して定期的にメンテナンスをする．

・食料・水などの備蓄物資は，消費期限が過ぎる前に，災害時の派遣訓練などを行う際などに新しいものへ買い換える．

・これらは全国または主要な都市に分散保管することが望ましい．

事務担当は災害支援の際，プロジェクト全体および前線の活動を円滑に進めるため，ロジスティクスを含む各種業務を担うことを想定して平時から準備をすることが必要となる．各団体はロジスティクスの活動を支援するためにそれぞれの特徴を活かして協働する必要がある．

2．ロジスティクスの確保

ロジスティクスは資金面からみると災害支援活動全体の80％を占めている．このため，災害支援の際はロジスティック業務の重要さを認識し，可能ならば専門家の確保にあたる必要がある．

1〕災害支援のロジスティクス

ロジスティクスは，適切な場所へ，適切な材料を搬送することととらえられがちだが，この業務の副領域として，一連の過程やサイクルにおける調達，製造，分配，資源の企画，輸送などが挙げられ，その業務は多岐にわたる．

2〕災害リハビリテーション支援におけるロジスティクス

緊急医療活動時のDMATにおけるロジスティクス担当者は，資源管理・情報管理・安全健康管理・調整管理・医療補助管理を行うとされている．

DMATの活動と比較して，リハビリテーション支援では上記のうち資源や情報に違いがある．ロジスティクスの準備にあたって考慮すべき点を次に挙げる．

(1) 資金

ドナーが行政機関や日頃から関係の少ない組織ではなく，個人や関連組織から得る場合が多い．したがって，平時からの資金調達および管理を行うこととなる．

(2) 物品・装備

杖，起き上がり台，とろみ食など，リハビリテーション医療に関する物品・装備が必要である．また，分配時には地域の医療施設，介護施設や行政の対応，保険給付など関連する組織や制度の復旧度合いも考慮する必要がある．

(3) 直接的，間接的な支援

他の医療支援団体と連携したアプローチが現場で行われる．

(4) 支援対象

治療の緊急度が低いと判断された方々への対応や介助者への指導も行う．また，リハビリテーション資源の不足している組織や，避難所および仮設住宅を含む住環境への支援も考えられる．

(5) 地域資源

医療過疎地では理学療法士・作業療法士・言語聴覚士が少ない場合もあり，地方自治体などとの調整が必要である．

(6) 情報の管理

要支援者，要介護者に対する介護保険の制度や，障がい者支援に関する福祉サービスなどに関する情報を集めて，復興の時間軸にあわせた支援戦略に活用する．

資源，支援方法，期間，対象を考慮して準備する必要があるため，事務局は災害時において，適切に調達，分配，運用するための要となる戦略的な機能の1つとして存在する．

行政の機能が復旧するまでの間においてもリハビリテーション支援は必要であり，その活動を支えるためには平時より資金の収集と管理が重要となる．

3．積立に関する各団体の注意事項

資金の積立には，加盟団体の法人種別（一般社団法人，財団法人，公益社団法人，任意団体）などを考慮する必要がある．

例えば，「公益社団法人及び公益財団法人の認定等に関する法律」の第十六条では，以下の通り遊休財産額の保有の制限が定められている．

『同条第二項に規定される「遊休財産額」とは，公益法人による財産の使用もしくは管理の状況又は当該財産の性質に鑑み，公益目的事業又は公益目的事業を行うために必要な収益事業等その他の業務もしくは活動のために現に使用されておらず，かつ，引き続きこれらのために使用されることが見込まれない財産として内閣府令で定めるものの価額の合計額をいう』

上記はつまり，公益法人として使用されていない財産が一定金額以上となる場合は認められにくい可能性があることを指しているといえる．

したがって，リハビリテーション支援における資金を積立てる際，例えば各地で合同事務局などへ拠出して確保することが現実的ではないかと考えられる．

4．物品・装備

1〕物品

災害リハビリテーション支援に関わる物品・装備は多種多様である．まずは被災者に必要な物品について記載する．

(1) 災害リハビリテーション支援に関連する物品（被災者用物品）

移動関連物品：杖，車椅子，シルバーカー，靴，杖先ゴム，簡易立ち上がり用手すりなど．

生活関連物品：簡易トイレ，滑り止めマット，簡易装具，自助具など．

その他：組み立てパイプとジョイント，ベッド，立ち上がり台，木槌，マジックテープなど．

東日本大震災後，報道などで要配慮者が集められたある避難所が紹介された．成人用紙おむつを含むおびただしいほどの支援物資が国内外より集まり，施設の駐車スペースを覆い尽くしていた．

その一方，紙おむつメーカー側では生産と販売が追いつかず供給が滞った結果，被災地の老人保健施設では購入が難しく，2時間ごとのおむつ交換ができない事態が発生した．

時間的経過により必要な物が変化する物的支援は，地域や施設間の公平性も関連し，非常に悩ましい課題といえる．

支援者は，物品の量的な偏りが被災地に存在する医療・介護の法人の復興を妨げることもあると認識し，可能な限り支援を集約する必要がある．

(2) 災害リハビリテーション支援に関連する物品（支援者用車両）

支援者に必要な物品として車両がある．車両は輸送用，人員移動用，巡回活動用の3つの種類が考えられる．

輸送用：トラックなど，一度に多数の物品輸送が可能な車両を指す．

人員移動用：バスや大型車など，一括して多くの人員が移動できる車両サイズが望ましい．

巡回活動用：普通車や軽自動車のうち，ハイブリッド車や航続距離の長いタイプの自動車など燃費がよく，また小回りのきく車両が望ましい．

また，使用する車両には，ステッカーなどで団体や組織が一目でわかるようにしておくことが望ましい．

支援者が滞在する宿舎などから，避難所や仮設住宅などの活動先へ毎日移動をすることもあるため，長距離の移動も想定して巡回用車両を選択する．また，急な搬送の可能性を考えると，最低4人乗りで積載能力もある程度確保することが必要となる．遠方より派遣される支援者は土地勘がなく，地図を見ながら移動することがある．したがって，カーナビゲーションシステムの車載は必須である．

寒冷地での移動には，スタッドレスタイヤやチェーンが必要である．一方，沿岸部での活動では満潮時に道路の冠水する地域を移動することもある．また，山間部で支援者が巡回訪問をする場合には，未舗装路や悪路を走行する可能性もある．

平時においては，災害支援の状況を総合的に勘案した車両の選択が必要となる．

(3) 災害リハビリテーション支援に関連する物品（支援者用物品）

必ずしもすべてが必要でないかもしれないが，過去の支援から必要と考えられた物品を以下に記載する．

①現地 JRAT 災害対策本部の立ち上げなどに必要な物品

PC，USB 型の Wi-Fi 接続端末，プリンター，リハビリテーション支援に関するパンフレットやリーフレット，寝袋とウレタンマットまたはエアマット，布団，支援者全体のための常備薬，ゴミ袋，ガムテープ，ノート，筆記用具，携帯電話，無線，常備用水，カセットコンロ，カセットコンロ用のガス，片手鍋，洗剤，ハンガー，掃除道具一式，紙皿や使い捨ての食器，延長コード，ラジオ，缶切り，被災地周辺の地図，食料および飲料水など(すべての支援者が約1週間生活できる程度)．

②その他

支援活動が長期化する場合，現地 JRAT 災害対策本部には冷蔵庫，洗濯機，テレビなどを準備することも検討する．

災害リハビリテーション支援では，被災者用と支援者用で様々な物品が必要となる．状況に応じて活用されたい．

2〕装備

支援者が持っておくべき装備において支援者内で重複する物や，その一部は現地 JRAT 災害対策本部などに保管しておく．また，必要に応じて活動地へ持参するものもある．各地から支援チームが集まる場合，個人の持ち物以外は持ってこなくてもよいように，平時より各地へ装備を点在させておくことが望ましい．

支援者個人装備一覧

支援者個人が持っておくべき装備一覧を**表Ⅷ-8**に示す．チェックリストとして活用してほしい．物品の重複を避けて効率的な支援を実施するため，※印がついている物品は支援活動に行くときのみ持参し，活動時間以外は現地活動拠点に保管しておくことを検討する．

個人装備品は各地へ分散させておくことで，災害時には効率的な移動と支援の開始を目指す．

5．保険

1〕支援時の保険

災害支援活動では，自らの健康管理を徹底し，怪我や病気の発生予防に努めることが支援者自らに課せられた最重要課題の1つといってもよい．一方で，支援活動に人員を派遣する団体組織は，現場の支援者が安心して活動できる体制を準備するため，保険に加入しておく必要がある．

団体保険への加入

①支援者自身に対する保険

所属する団体または個人が契約者となり，保険料を負担する．支援活動中，自らが怪我や病気となった場合のうち，後遺症の有無，就業困難，療養のための補償などに対して一定の条件を満たした場合に補償する制度である．

②第三者に対する保険

所属する団体または個人が契約者となり，保険料を負担する．支援活動中，自らが第三者に対して怪我や病気を負わせた場合のうち，後遺症の有無，就業困難，療養のための補償などに対して，一定の条件を満たした場合に補償する制度である．

災害リハビリテーション支援活動においては，上記2つの種類の保険に加入するか，上記2つを包括する保険に加入しておくことが望ましい．

2〕車両保険

距離の長短にかかわらず，災害リハビリテーション支援活動においては車両での移動頻度が高いことが予想される．したがって，人員を派遣する団体は災害登録車両を自動車保険に加入し，事故発生時に備える．車両保険の中では，事故発生時にロードサービスを受けられるものもあるが，

表Ⅷ-8　支援者個人装備一覧

カテゴリー	物品名	数量	チェック
	携帯電話		□
	トランシーバー		□
	携帯電話充電器（車載含む）		□
	電源装置やバッテリー※		□
	筆記用具		□
	ノートや紙		□
	デジタルカメラ※		□
	ネームプレート(身分証明書)		□
	腕章※		□
	ビブス※		□
	マスク※		□
	長靴※		□
	レインコート※		□
	懐中電灯※		□
	リュックサック※		□
	被災地周辺の地図※		□
	ヘルメット※		□
	手袋※		□
	画板※		□
	災害リハ支援マニュアル※		□
	非常食と飲料水（3日分）※		□
	支援者自らに適した常備薬		□
	自動車運転免許・保険証		□

激甚災害時にはそれが困難な場合もある．

慣れない土地で，慣れない車を運転するため，精神的な疲労はつきものである．運転時には通常よりも休憩を多くとるなどし，事故を起こさない工夫が必要である．

6．緊急車両の証明

災害時には，災害対策基本法施行令（第三十二条）に基づき，公安委員会が車両の通行規制を行うことができる．災害時においても通行規制を受けない車両として，緊急通行車両と交通規制対象除外車両の2種類がある．緊急通行車両と交通規制対象除外車両の申請の手続きについて，以下に記載する．

1〕緊急通行車両

緊急通行車両とは，災害発生時などに災害応急

表Ⅷ-9　緊急通行車両申請手続き（要約）

申請者	緊急通行（輸送）業務の実施について責任を有するもの（代行者を含む）
申請先	当該車両の使用の本拠地を管轄する警察署長又は交通規制課長を経由し，公安委員会へ申請する
申請書類	緊急通行車両等事前届出書2通に当該車両を使用して行う業務の内容を称する協定書等の書類（協定書等がない場合は指定行政機関等の上申書等）を添えて行う
審査	申請に係る車両が緊急通行車両等に該当するか否かの審査は交通規制課長が行う

対策に従事するか，必要な物資の緊急輸送その他の災害応急対策を実施するためなどに使用する予定の車両で，以下に該当する車両であることが定められている．

①指定行政機関の長，指定地方行政機関の長，地方公共団体の長，その他の執行機関，指定公共機関及び指定地方公共機関その他法令の規定により災害応急対策等の実施の責任を有する者（以下「指定行政機関等」という）が保有し，もしくは指定行政機関等と契約等により，常時指定行政機関等の活動のために専用に使用される車両または災害発生時等に他の関係機関・団体等から調達する車両であること〔災害対策基本法（昭和36年法律第223号）に基づく災害応急対策〕．

②申請に係る車両を使用して行う事務または業務の内容が，次に掲げる災害応急対策等または災害応急対策等に必要な物資の緊急輸送その他の災害応急対策に係る措置であること〔大規模地震対策特別措置法（昭和53年法律第73号）に基づく地震防災応急対策〕．

緊急通行車両などは事前届出が必要である．事前届出の目的は，あらかじめ概数を把握すること，災害発生時の事務手続きの省力化と効率化の2点である．届出後，車両が上記の措置に該当するかどうか審査される．

緊急通行車両の事前届出の手続きを表Ⅷ-9に示す．

2〕交通規制対象除外車両

災害対策基本法の規定に基づく交通規制の対象から除外する車両であり，災害発生時などにおいて，緊急通行車両など以外であっても，社会生活の維持に不可欠な車両または公益上通行させることが必要，またはやむを得ないと認められる車両について除外される．

表Ⅷ-10　交通規制対象除外車両申請手続き（要約）

申請者	緊急通行（輸送）業務を理由とし，車両を使用するため，除外標章の交付を受けようとするもの
申請先	原則として，通行しようとする緊急交通路等を管轄する警察署等または交通検問所その他，場合と事情により最寄りの警察本部（交通規制課）警察署等又は交通検問所
申請書類	交通規制対象除外車両通行申請書（第9号様式）1通 緊急通行（輸送）業務を理由とし，車両を使用することを疎明する書面
審査	申請を受理した警察署長等が通行の必要性を認め，かつ緊急通行車両等の通行に支障と認めた場合に，災害発生の時期によって区分されて手続きを実施する 緊急性に応じ，現場の警察官の判断によって申請手続きの省略が行われる

被災状況，緊急交通路などの道路交通状況，当該車両の使用目的の緊急度・重要度などに応じて，段階的，例外的に認めると定められている．

交通規制対象除外車両の事前届出の手続きを表Ⅷ-10に示す．緊急時には車両通行が規制される．交通規制対象除外車両と緊急通行車両の両方を正しく理解し，派遣前に手続きをしておく必要がある．

7．災害時のリハビリテーション支援に関わる各施設の役割と準備

WHOは『Disasters, disability and rehabilitation』の中で，「災害時は医療的リハビリテーションと地域に基づいたリハビリテーションの両方がともに必要である」と述べている．ここでは，わが国において災害時のリハビリテーション支援に関わる施設の役割や準備などについて，公的な機関が記載した内容について紹介する．

わが国においてリハビリテーション医療に関わる施設は，医療施設と社会福祉施設に大きく分かれる．医療施設においては災害拠点病院，リハビリ

テーション専門病院，医院や無床クリニックなどがあり，社会福祉施設としては老人保健施設，障害者支援施設，保護施設（婦人，児童）などがある．また災害時のリハビリテーション支援に関わる施設として避難所，特に福祉避難所が挙げられる．これら大別して医療施設，社会福祉施設，避難所・福祉避難所にかかる省庁・部局はそれぞれ厚生労働省医政局，厚生労働省社会援護局，内閣府（防災担当）など複数にまたがっており，当該の各施設においてリハビリテーション専門職は，可能な限り予防・保健，健康増進，あるいはリハビリテーションサービスを提供することとなる．

WHO は，『Guidelines on Health-Related Rehabilitation（いわゆる Rehabilitation Guidelines）』および『Rehabilitation services in disaster response』において，「障害をもつ人が差別なく幸せに生きる権利を担保するため，リハビリテーション対応は省庁・部局などをまたがる分野横断的かつ長期的な関わりが必要である」としているが，同様にわが国でも担当する省庁がいくつか分かれていることが見てとれる．リハビリテーション対応が達成を目指すアウトカムとしては，表Ⅷ-11 の通りである．

以下，リハビリテーション専門職が関与すると考えられる施設を医療施設，社会福祉施設，避難所の 3 つに分類し，準備などについて記載する．

1〕医療施設

医療施設での準備として，まず災害拠点病院では，電気・ガス・水道などのインフラストラクチャーの整備と建物の耐震性の確保が求められている．

東日本大震災時の対応の経験から得た課題に基づき，厚生労働省医政局は 2012 年 3 月 21 日，医政発 0321 第 2 号の文書で，災害時の医療提供体制の充実強化について各都道府県知事，政令市市長，特別区区長宛に以下のような項目に分け，防災対策を行うよう連絡をしている．

1. 地方防災会議などへの医療関係者の参加の促進
2. 災害時に備えた応援協定の締結
   (1) 広域応援体制の整備
   (2) 自律的応援体制の整備
   (3) 医薬品などの確保体制の整備
3. 広域災害・救急医療情報システム（EMIS）の整備
4. 災害拠点病院の整備
5. 災害医療に係る保健所機能の強化
6. 災害医療に関する普及啓発，研修，訓練の実施
7. 病院災害対策マニュアルの作成など
8. 災害時における関係機関との連携
9. 災害時における死体検案体制の整備

表Ⅷ-11 リハビリテーション対応が達成を目指すアウトカム（WHO）

・機能低下を予防すること
・機能低下の進行を減速させること
・機能の改善と向上をすること
・失った機能を補完すること
・現在の機能を維持すること

チーム医療推進協議会発行の『災害時におけるメディカルスタッフの役割』の中で，リハビリテーション専門種は，高齢者・障がい児・者のコミュニケーション活動の維持・拡大，摂食嚥下能力の維持，コミュニケーション機器の評価，食事形態の評価・相談・助言，生活環境保全や，心身機能・日常生活能力・生活の質の維持・向上，心のケア，生活環境調整，福祉用具などの選定，就労支援，生活不活発病の予防・回復，歩行能力の維持・向上とされている．医療施設では一時的に緊急搬送が増加し，キャパシティを超える患者数に対応すること，あるいは地域の拠点となる病院においては，リハビリテーション室がその面積の広さゆえに避難所のように利用されること，また地域の災害リハビリテーション支援の中核的なロジスティクス機能を担う場合，あるいは外部からの支援者の仮宿泊所になることも想定される．災害時を見据えて，日頃から当該の準備をすることが望ましい．

2〕社会福祉施設

災害時要配慮者関連施設として挙げられている

施設のうち，リハビリテーション専門職が関わる社会福祉施設には老人福祉施設などがあるが，関連する施設として具体的には以下の通りである．

介護老人福祉施設，介護老人保健施設，養護老人ホーム，軽費老人ホーム，有料老人ホーム，認知症対応型共同生活介護，小規模多機能型居宅介護，看護小規模多機能型居宅介護，短期入所生活介護，通所介護事業所および通所介護以外のサービス事業所，障害者支援施設，障害福祉サービス事業所，身体障害者社会参加支援施設，身体障害者更生援護施設，知的障害者援護施設，知的障害者福祉工場，精神障碍者社会復帰施設，福祉ホーム，精神障害者退院支援施設，重症心身障害児（者）通園施設，地域活動支援センターなど．

各施設では，地域の実情や施設の状況に合わせて非常災害対策計画を策定することが求められているが，具体的には立地条件，災害時の情報入手方法，連絡先・通信手段の確認，避難開始時期と判断基準，避難場所，避難経路，避難方法，災害発生時の人員体制と指揮系統，関係機関との連携などが挙げられている．

また，避難計画の内容を職員間で共有するとともに，避難訓練の実施ならびに見直し，混乱が予想される夜間の時間帯に実施することや，特に地域密着型サービスを行っている施設については地域の関係者との連携，協力が求められている．災害発生により物資の供給に支障が生じた場合に備えて，入所者および職員の数日間の生活に必要な食料と飲料水，生活必需品，燃料などの備蓄に努めることが必要とされている．

これらの施設では一般的に常勤で勤務するリハビリテーション専門職が少ないことも考えられるが，その場合に備えて，コミュニケーションや心身機能の維持・向上，生活不活発病予防に対し，施設職員の理解と協力が得られるように準備が必要である．

3〕避難所

一般的に避難所といわれる指定避難所と，福祉避難所に分けられる．避難所における支援として厚生労働省社会・援護局は，生活環境の改善，トイレや風呂の確保，プライバシーの確保，暑さ・寒さ対策，日常生活機器の確保，食事メニューの多様化，適温食の提供，栄養バランスの確保，健康・衛生面の管理，心のケア，住宅相談，情報提供，女性や要配慮者への配慮を挙げている．このため平時からの取り組みとして，必要な物資の備蓄，事業者との事前協定の締結（宿泊施設の確保，仮設トイレや風呂の確保，必要な機材，物資の確保，保健師などの応援，福祉サービスの提供など），運営マニュアルの作成や当事者参加型の訓練などが求められている．

内閣府（防災担当）は2016年4月に，『福祉避難所の確保・運営ガイドライン』を公表した．この中で災害対策基本法施行規則に則り，福祉避難所の基準は以下の通りとされている．

- 高齢者，障がい者，乳幼児その他の特に配慮を要する者（要配慮者）の円滑な利用を確保するための措置が講じられていること．
- 災害が発生した場合において，要配慮者が相談，または助言その他の支援を受けることができる体制が整備されること．
- 災害が発生した場合において，主として要配慮者を滞在させるために必要な居室が可能な限り確保されること．

要配慮者は，「災害時において，高齢者，障がい者，乳幼児その他の特に配慮を要する者」であり，一般的な避難所では生活に支障が想定されるために福祉避難所の設置と受け入れおよび，特別な配慮が必要とされ，また利用する対象者は，社会福祉施設などに入所するには至らない程度の者が想定されている．

平時からの取り組みとしては，福祉避難所の必要数の把握，関係各団体や施設との協定締結，運営マニュアルの作成や当事者参加型の訓練が挙げられている．それぞれの施設，あるいは避難所の設置・支援に関わる地方公共団体などにおいては，該当する要件やガイドラインなどを参照し，要配慮者に対応できるようリハビリテーション専門職の各地方の団体と連携・連絡をとり，有事に備えた準備をすることが求められる．

【文献】

1）Wassenhove LNV：Humanitarian aid logistics：supply chain management in high gear. *Journal of the Operational Research Society* **57**, 2006.
2）吉井博明，田中 淳：災害危機管理論入門，弘文堂，2008.
3）大橋教良：災害医療—医療チーム，各組織の役割と連携，へるす出版，2009.
4）Schulz S：Disaster relief logistics：Benefits of and Impediments to Cooperation between Humanitarian Organizations. Management, Haupt Verlag AG, 2009.
5）Reza Zanjirani Farahani, Shabnam Rezapour, LK：Logistics Operations and Management：Concepts and Models, Elsevier, 2011.
6）一般社団法人日本集団災害医学会：DMAT標準テキスト（日本集団災害医学会DMATテキスト編集委員会，一般社団法人日本救急医学会），へるす出版，2011.
7）厚生労働省事務通知：「東日本大震災」における医師等の保健医療従事者の派遣に係る費用の取扱いについて.
8）国税庁：https://www.nta.go.jp/
9）大規模災害リハビリテーション支援関連団体協議会ホームページ：http://www.jrat.jp/
10）中央共同募金会：http://www.akaihane.or.jp/
11）日本赤十字社：http://www.jrc.or.jp/

（伊藤智典）

IX 心理面への対応

A 災害時の心理的反応

人が災害に見舞われた際，心にも大きなダメージを受けることは想像に難くない．ここでは，発災直後から長期間にわたり人がどのような心理的反応を示すのか，東日本大震災における研究報告や，世界保健機関（WHO）版心理的応急処置（Psychological First Aid；PFA）の内容をもとに述べていく．

1．被災者のストレスとストレス反応

被災者は自分自身の負傷，他人の死亡や負傷を目撃したことにより大きなストレスを感じる．日常生活においても，避難所での集団生活や情報の混乱などで苦痛やストレスを感じることとなる．

人が危機に直面した際に示すストレス反応は表IX-1のとおりである[1]．

表IX-1 人が危機に直面した際に示すストレス反応

- 身体症状（ふるえ，頭痛，ひどい疲労感，食欲不振，痛みなど）
- 泣く，悲しみ，抑うつ気分，悲観
- 不安，恐怖
- 警戒する，びくっとする
- 何か本当にひどいことが起こると不安に思う
- 不眠，悪夢
- いらだち，怒り
- 罪悪感，恥（生き残ったことや他人を助けたり守ったりしなかったことなどに対して）
- 混乱，感情の麻痺，現実感の喪失，ぼんやりしている
- ひきこもっているように見える，身じろぎしない（動かない）
- 他人に反応しない，まったく話さない
- 見当識障害（自分の名前がわからない，自分がどこから来たのか，何が起きたのかわからないなど）
- 自分や子供のケアができない（食べない，飲まない，簡単なことも決められないなど）

（WHO・他，2012）[1]

2．被災者の心の変化[2]

被災者がストレスを感じ，一時的な症状を示す一方，長期的な経過の中で心の変化も現れる（図IX-1）．

1〕茫然自失期（発災直後～数日）

強いショックのために，感情の鈍麻や感情の欠如，あるいは感情や行動の抑制のきかない状態になる．

2〕ハネムーン期（数日後～数週間あるいは数カ月）

被災後の生活に適応し，積極性や明るさをもっ

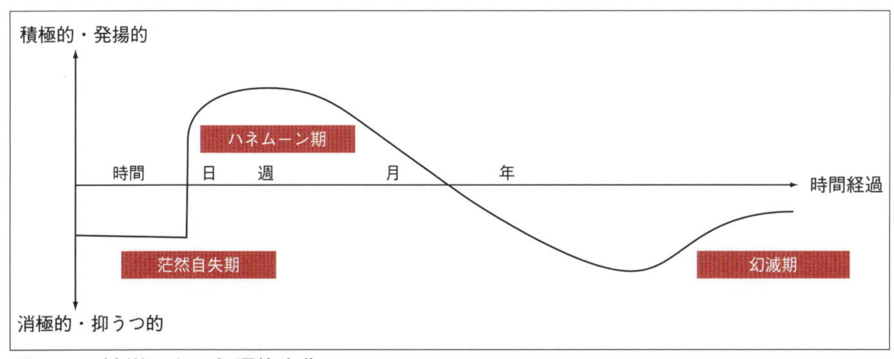

図IX-1 被災による心理的変化

て行動するようになる．連帯感や希望が生まれ，思いやり，あたたかな行動が目立つようになる．

3〕幻滅期（数週間後～1，2年）

災害直後の混乱がおさまり復旧へと向かい始めると，報道も少なくなり，人々は再び無力感や不満・不安を抱き，抑うつ傾向に陥りやすくなる．

3．精神疾患の新規罹患率と持続期間[3)]

東日本大震災における仮設住宅在住の被災者では，震災直後に精神疾患が増加し，震災後3年目で5.6%であり，東日本一般住民の約2倍であった．特に大うつ病，全般性不安障害，PTSD（post traumatic stress disorder，心的外傷後ストレス障害）の新規罹患が一般住民に比べて増加していた．また，震災後の気分・不安障害の平均罹病期間は2年であった．

仮設住宅住民に対して長期の心のケアが必要であることが示されているといえよう．

【文献】

1）World Health organization, War trauma Foundation and World Vision International（2011）. Psychological first aid：Guide for field workers. WHO：Geneva.〔訳：（独）国立精神・神経医療研究センター，ケア・宮城，公益財団法人プラン・ジャパン（2012）〕.

2）金 吉晴編：心的トラウマの理解とケア，第2版，じほう，2006.

3）金 吉晴：厚生労働科学研究費補助金　障害者対策総合研究事業〔障害者政策総合研究事業（精神障害分野）〕，災害時の精神保健医療に関する研究，平成27年度 総括・分担研究報告書.

（大越 満）

B 被災者への対応

1．基本的な対応

1〕基本的心構え

①被災者と関わる際，まずは自己紹介をし，いますぐに必要なことを聞く．そして，秘密の保持を約束する．次に必要なことは，安全と安心感を提供することである．これらが心理面への対応においても重要である．

②発災後初期は，より生活再建に即した「具体的・実際的」な支援が，心理面への対応ともなる．一般的な支援（衣食住の確保，避難所の清掃をする，申請書の書き方を教える，子守りを手伝うなど）を行うことが心理面への対応として望まれる場合もあり，「何が必要とされているか」を常に考えて行動することが重要である．

③被災者の生活上のストレスを重視する．被災者にみられる情動的な反応の多くは，災害によって引き起こされた生活上の問題から生じるものである．災害・支援に関する情報提供や，生活再建のための行政機関の紹介なども視野に入れた対応が必要となる．

④被災コミュニティの特質を考慮するとともに，コミュニティのもつ力を尊重し活用する．特に，復興期においてはコミュニティの力を活用し，できるだけ多くの被災者が「お互いに繋がっている」という実感を得られるようにする必要がある．

⑤被災者達は，自分達が災害のせいでおかしくなってしまったというレッテルを貼られるのではないかと思い，しばしば心理面について支援の申し出を拒むことがある．こうした場合を想定し，生活相談や健康相談といった形でアプローチすることは必要である．

⑥被災者にみられる情動的な反応の多くは，「異常な状況に対する正常な反応」である．眠れない，不安が続くといった反応の多くは正常な反応であるということを被災者にはっきり伝えるようにする．このような災害に遭ったときに起こる反応に関する正確な情報を提供することで，不安を軽減することができる．

⑦側に寄り添い，共感的に話を聴くこと（傾聴）は，被災者を落ち着かせるうえで効果的である．しかし，話すことを積極的に促したり，感情を表現させたりすることは逆効果になること

表Ⅸ-2　PFA の基本的な方針

- 実際に役立つケアや支援を提供する，ただし押し付けない
- ニーズや心配事を確認する
- 生きていくうえでの基本的ニーズ（食料，水，情報など）を満たす手助けをする
- 話を聞く，ただし話すことを無理強いしない
- 安心させ，心を落ち着けるように手助けする
- その人が情報やサービス，社会的支援を得るための手助けをする
- それ以上の危害を受けないように守る

（WHO・他，2012，文献 2，p13）

表Ⅸ-3　PFA の行動原則

見る
- 安全確認
- 明らかに急を要する基本的ニーズがある人の確認
- 深刻なストレス反応を示す人の確認

聞く
- 支援が必要と思われる人びとに寄り添う
- 必要なものや気がかりなことについてたずねる
- 人びとに耳を傾け，気持ちを落ち着かせる手助けをする

繋ぐ
- 生きていくうえでの基本的なニーズが満たされ，サービスが受けられるよう手助けする
- 自分で問題に対処できるよう手助けする
- 情報を提供する
- 人びとを大切な人や社会的支援と結びつける

（WHO・他，2012，文献 2，pp63-64）

があるため注意が必要である．被災者が自然に話し出したときに聴くという姿勢が大切である．

2）心理的応急処置（PFA）

災害発生後早期（直後～4 週間程度）に推奨されている心理的な支援法として，世界保健機構（WHO）が心理的応急処置（PFA）を示した．PFA は治療的な介入ではなく，混乱した被災者が，安心し落ち着いて，人と繋がっている感じがもて，長期的には希望がもてることを目的とした初期介入である．これらの対応は，精神科の専門的対応というよりは，多くの支援者が基本的にもつべき態度として推奨されているので，リハビリテーション専門職も研修を受け，身につける必要がある．

ここでは，PFA とは何か，その基本的な方針（表Ⅸ-2），行動原則（表Ⅸ-3）を示す．

【文献】

1）内閣府：被災者のこころのケア都道府県対応ガイドライン，2012．
2）World Health organization, War trauma Foundation and World Vision International（2011）. Psychological first aid：Guide for field workers. WHO：Geneva.〔訳：（独）国立精神・神経医療研究センター，ケア・宮城，公益財団法人プラン・ジャパン（2012）〕.

（信澤直美）

2．専門的な対応

予期せぬ災害は多くの人に，深刻な心理的負担を与える．大きな災害に遭遇し，家族などの大切な人を失ったり，財産を失ったりすることには大きな悲しみや苦しみを伴う．この心理的な痛手を乗り越えていくには時間を要することが多い．災害後には避難所や仮設住宅などでの生活によるストレス，いつまで続くか見通しが立たない将来の生活への不安は，大きなストレスとなる．リハビリテーション専門職が対応することが多い高齢者や障がい者などは，災害後の生活に適応することが難しく，ストレスの度合いが高い．そのために，従来からの心身の疾患が悪化したり，新たに生じることもある．特に，災害後に治療が中断した場合には，精神疾患の場合はもちろんのこと，身体の疾患であっても，精神的な健康に悪影響を与える．また災害によっては，人の死傷の現場を目撃したり，地震や火災を体に感じることによって，そのショックがいつまでも刻み込まれ，フラッシュバックのようによみがえることもある．

災害時に体験する精神的な変化として気持ちの落ち込み，意欲の低下，不眠，食欲不振，涙もろさ，苛立ちやすさ，集中力の低下，記憶力の低下，茫然自失などがよくみられる．その多くは一時的なもので自然に回復するが，ストレスが長引くと長期化することもある．症状の程度，持続期間によっては，うつ病，パニック発作，PTSD（心的外傷後ストレス障害）などの精神疾患の診断が付くこともある．

表Ⅸ-4　DPATの活動内容

1．**災害によって障害された既存の精神保健医療システムの支援**
　1）災害によって障害された地域精神保健医療機関の機能を補完
　　・外来・入院診療の支援
　　・保健所などでの相談業務の支援
　2）避難所や在宅の精神障がい者への対応
　　・症状の悪化や急性反応への対応
　　・薬が入手困難な患者への投薬
　　・受診先がなくなる，または，受診先と連絡がとれない患者への対応や現地医療機関への紹介
　　・移動困難な在宅患者の訪問
2．**災害のストレスによって新たに生じた精神的問題を抱える一般住民への対応**
　　・災害のストレスによって心身の不調をきたした住民または事故などに居合わせた者への対応
　　・今後発生すると思われる精神疾患，精神的不調を防ぐよう対応
3．**地域の支援者への対応**
　　・地域の医療従事者，被災者の支援を行っている者（行政職員など）への対応

このような問題に対しては，専門チーム（災害派遣精神医療チーム，DPAT）が現地に派遣されているので，必要に応じて，そのチームに情報提供し，専門的な支援を受けられるように繋いでいく必要がある．

DPATの活動内容は表Ⅸ-4のようになる．これらの役割を認識したうえで，連携を進めていくことが重要である．

【文献】

1）厚生労働省：社会・援護局障害保健福祉部 精神・障害保健課災害派遣精神医療チーム（DPAT）：https://saigai-kokoro.ncnp.go.jp/pdf/dpat_001_20130816.pdf

（香山明美）

3．災害時要配慮者への対応

災害時要配慮者の中には，それぞれの障害特性などによりさらなるストレスを受ける方もいる．

1〕子ども

災害の状況を理解することが難しく，自分で対処できることも少なく，災害から受ける心の衝撃は大人より大きいといわれており，心理的な問題が大人と違う形で現れる傾向がある．心理面の葛藤を言語表出することが難しい乳幼児では，身体症状や行動上の問題，赤ちゃん返りなどが，幼児や低学年児童では，わずかな物音で起きる，夜泣き，指しゃぶり，夜尿，親の姿が見えないとパニックになる，甘えなどが，高学年児童では，年齢のわりに大人びた態度，わがまま，反抗的な態度，集中力の低下，感情鈍麻，集団への不適応などが現れる．その他，喘息，アレルギー症状，頭痛，吐き気，食行動の異常などの身体症状にも注意する．

対応としては，食事や睡眠などの生活リズムを整えること，信頼・安心できる大人が一緒にいる時間をもつこと，話を聞くなどして見守ることが必要である．

2〕認知症高齢者

被災地の現場では，認知機能を改善するための医療よりも，幻覚，妄想，暴言，徘徊，焦燥（イライラ）といった種々の行動・心理症状で困っている認知症の人や家族などへの対応が中心になる．認知症の人の心は，周囲の状況の鏡とも表現される．周りの人が穏やかだと落ち着くが，周りの人がイライラしているとイライラしてしまう．あなたは1人ではないのですよ，周りにはあなたのことをよくわかっている，あなたのことを気に掛けている人間がいるということを，言語を通してあるいは非言語的な手段を用いて本人に伝える努力が，周囲の人々には求められる．

3〕障がい児・者

身体障がい児・者や内部障がい児・者は必要とされることの個人差が大きい．医療へ繋げることが第一優先となることもある．難病者においても同様である．

視覚障がい児・者や聴覚障がい児・者の場合，情報収集や他者とのコミュニケーションで困難を抱える．適切な情報提供と，周囲から孤立しない関わりが必要である．

知的障がい児・者では，被災の状況が理解できずに不安と混乱を起こすこともある．その都度，理解できているかを確認しながら，具体的で簡潔な言葉での話しかけが必要である．

精神障がい児・者では，初期はパニックなどの不安症状，中～長期になると服薬中断による精神症状の悪化が懸念される．落ち着いた環境の提供，穏やかな話し方での対応，また，適切な医療や平時から当人に関わっていたスタッフへ引き継ぐ支援が必要である．

発達障がい児・者では，一般的なストレス反応に加えて，いったんは消失していた発達障害による症状が再出現したり，より強くなったりすることもある．多動・衝動性が強くなり，落ち着きのなさや苛立ちが目立ち，周囲とトラブルになる可能性がある．こだわりが強くなり，特定の食事や衣服しか受け付けなかったり，トイレや風呂に時間がかかったり，ルールが守れなかったり，周囲からみるとわがままなようにみえる．感覚過敏性が亢進し，思い通りにならないことも増え，パニックを起こしやすくなったり，独り言や常同行動が長く続くようになる．対応として，避難所の環境調整をし，本人が安心できる生活パターンや作業活動を準備することで，少しでも落ち着くように支援する．

4〕家族や介護者

それぞれの要配慮者の家族や介護者には，災害そのものに加えて，その介護に伴う心理的ストレスが大きくかかっていることを考慮する．災害のために平時よりも不安定になった認知症高齢者や発達障がい児・者などの行動障害が周囲の迷惑になるのではないかと支援を受ける機会を逃してしまい，結果として要配慮者の行動障害を増幅させてしまうことも危惧される．家族や介護者を含めて，コミュニティから孤立しないような支援が必要である．

【文献】

1）中村耕三 編：災害時の発達障害児・者支援エッセンス，2015.
2）日本認知症学会被災者支援マニュアル作成ワーキンググループ 編：被災した認知症の人と家族の支援マニュアル<医療用>，2 版.
3）東京都福祉保健局：災害時の「こころのケア」の手引き，2008

（信澤直美）

C 支援者としての心構え

支援活動時の基本的留意事項

支援者もまた，使命感のために心理的ストレスが生じる．これは，支援前（派遣日程の決定前後），支援中，支援後それぞれの時期に，心理・精神的問題として生じる場合がある（図Ⅸ-2）．支援者（救援者）を守るための「惨事ストレス」への対応について，まとめられているものも参考になる[7]．

被災地での支援活動では，少しでも役に立ちたいとの思いから，普段以上に気負ったり，無理を重ねがちである．

支援者としての心構えとしては以下の 3 点が求められる．

①支援者自身も心理的ストレスを受けるため，適切なストレス対処が必要なこと．
②自身やチームでセルフチェック・モニタリングできる準備をしておくこと．
③不調があれば申し出て，中止することは恥じるべきことではないこと．

1〕平時からの心構え

支援経験がなく被災地に入った場合，目の前の光景や雰囲気に強いストレスを受けるため，以下のような準備が望まれる．

まず災害そのもの，被災地の状況，災害支援の状況について知る．災害で起きた様々な状況を知り，フェーズに合わせた支援がどのように行われてきたのか映像や報告などで知る．被災地のリアルな状況や緊迫感は文字では伝わりにくいため，報道番組の映像などで確認しておきたい．

また災害支援の研修会，PFA などに参加して，災害支援に必要な知識や，携わる場合のシミュ

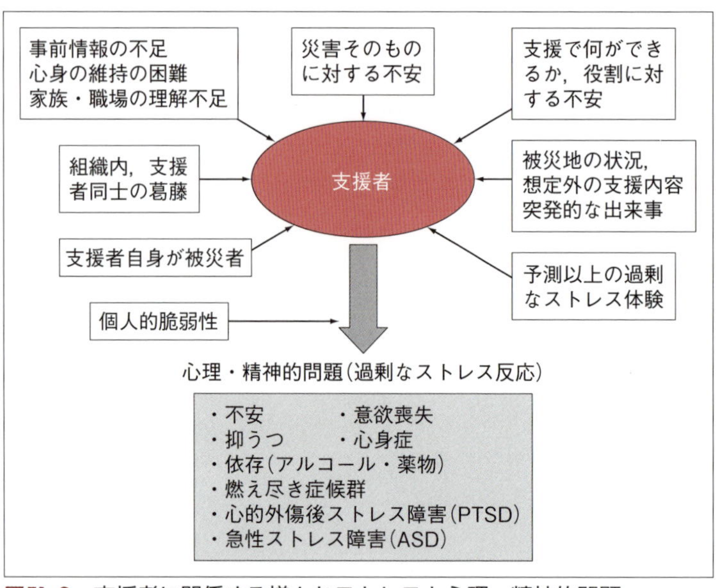

図Ⅸ-2　支援者に関係する様々なストレスと心理・精神的問題

レーションやロールプレイを体験する．

さらに，有事の際には「災害支援に行く可能性がある」ことを，家族や職場に伝えておくことで支援前・支援後の理解が得られやすく，安心して支援に携わることができる．

2〕支援前（派遣日程の決定前後）

派遣の日程調整から派遣までの期間は，職場の調整，現地の情報収集・出発準備・「何ができるか」の不安などで，一気にストレスが高まる．フェーズによっては，余震などによる二次災害や地域・交通状況・滞在場所・食事・衛生面が不十分な環境であることも考えられ，不安な情報が多くなる．

心身の状況を把握し，自分らしくない，眠れない，感情の起伏が極端であるなどの不調があれば，派遣責任者や周囲に相談し，派遣を中止する勇気・判断が必要である．

3〕支援中

支援中は，自分自身も周囲も高揚していて，健康問題を自覚しにくい．活動量も多く睡眠時間が短くなる．また，被災体験を聞いたり被災地を実際に目の当たりにしたりすることで，支援者自身も二次的な被災者となり，過剰なストレス反応が起きたり，チームや組織内の葛藤，役割の負荷，被災者からやり場のない怒りをぶつけられたり，多くのストレスに直面する．

心身の不調を感じても，使命感やチームへの迷惑になる可能性を考えると，不調の報告や休息を求めることが難しい状況にあるが，兆候があれば速やかに報告し対応することが必要である．

またチームとしてモニタリングできるシステムがあれば，迅速に対応できる．

4〕支援後

支援後にストレスの影響が心身に現れる場合がある．過度な緊張感から開放され，燃え尽き症候群を起こしたり，十分に責務を果たせなかった，役に立たなかったのではないか，といった罪悪感や無力感に苛まれたりすることがある．

自分らしくない，疲れがとれない，意欲がでない，眠れないなど，心身の不調があれば，セルフケアを積極的に行う．

また，家族や職場の仲間，支援者が平時の生活や職務に戻るまで，環境のギャップを汲み取り，過剰なストレス反応がないか見守る必要がある．

5〕支援者自らが被災しながら，現地スタッフとしての支援活動を行う場合

被災者でありながら，現地スタッフとして支援活動をする場合，自身や家族のことを犠牲にし

この1カ月の間にどれくらいの頻度で次のことがありましたか？
全くない＝0点，少しだけ＝1点，ときどき＝2点，たいてい＝3点，いつも＝4点

1．自分が神経過敏になっていると感じましたか？（　）
2．自分がそわそわ，落ち着かなくなっていると感じましたか？（　）
3．気分が沈み込んで，何が起こっても気が晴れないように感じましたか？（　）
4．何をするのも面倒だと感じましたか？（　）
5．絶望的だと感じましたか？（　）
6．自分は価値のない人間だと感じましたか？（　）

＊合計得点が13点以上であれば，「要注意」とされる．

図Ⅸ-3　K6テスト

て，長期にわたり活動を強いられる．より大きな心理的負担がかかり，疲弊してくる可能性が高い．支援組織のリーダーが職務内容を管理し，定期的にスタッフの心身の状況をモニタリングできる体制作りが必要である．

また，週替わりで支援者の受け入れを調整することも，大きな負担である．このことを，短期間に携わる支援者は十分理解し，現地スタッフに対応すべきである．

6〕セルフチェックリスト

支援者ストレスを確認するための項目として「心的トラウマの理解とケア　第2版[6]」や，日本赤十字社の「災害時こころのケア[3]」の援助者のストレス処理にチェックリストが掲載されている．他にも，心理的状態を6項目・5段階で評価する，「K6テスト」がある（図Ⅸ-3）．

【文献】

1）日本作業療法士会災害対策室：日本作業療法士会ボランティア活動マニュアル．
2）東日本大震災リハビリテーション支援関連10団体『大規模災害リハビリテーションマニュアル』作成ワーキンググループ編：大規模災害リハビリテーション対応マニュアル．医歯薬出版，2012．
3）日本赤十字社：災害時のこころのケア：http://www.jrc.or.jp/vcms_lf/care2.pdf
4）アメリカ国立子どもトラウマティックストレス・ネットワーク，アメリカ国立PTSDセンター：サイコロジカル・ファーストエイド　実施の手引き，第2版．
5）青森精神保健福祉センター：災害時こころのケアガイドライン（改訂版）．
6）金　吉晴・編：心的トラウマの理解とケア，第2版，じほう，2006．
7）国立がん研究センター東病院：惨事ストレス（臨界事態ストレス）における支援者のストレス対策（2020年3月12日版）：https://www.ncc.go.jp/jp/epoc/division/psycho_oncology/kashiwa/020/v1_1.pdf

（遠藤浩之）

災害リハビリテーションをめぐる国際動向

A 国際リハビリテーション医学会（ISPRM）の取り組み

1．災害リハビリテーションの位置づけ[1,4)]

1999年設立の国際リハビリテーション医学会（International Society of Physical and Rehabilitation Medicine；ISPRM）は，2022年時点で加盟国73を数え，世界保健機関（WHO）などの国際機関との連携のもとで，世界のリハビリテーション医学の牽引役を担っている．ISPRMは災害リハビリテーションを重要な活動課題と位置づけ，2009年に災害リハビリテーション委員会（Disaster Rehabilitation Committee；DRC）を設置した．DRCは，災害で外傷を受けた人や既存障害をもつ人の機能および健康関連QOLを最適化するうえでのリハビリテーション医学の視点の重要性を提唱し，WHO，国際連合，地方自治体，非政府組織などに災害時におけるリハビリテーションマネジメントに関するアドバイスを提供してきた．特にもともと社会インフラが脆弱な国や地域では，大規模災害により利用可能なサービスへのアクセスと質が大幅に低下し，さらに大きな危機に陥ることから，DRCはこれらの国々における支援活動を重視してきた．2022年時点でDRCは各国からの委員67名で構成され，日本からは2名が参加している．

2．DRCの活動内容

以下の活動を展開している[1,2,4)]．

1〕WHOとの連携

ISPRMは，リエゾン委員会を通してWHOと協力関係にあり，DRCは災害時に効果的かつ調整されたケアを提供するための緊急医療チーム（Emergency Medical Team；EMT）イニシアティブをサポートしている．EMTイニシアティブではリハビリテーション医療が災害時の医療対応と患者中心ケアの不可欠な要素と位置づけられており，DRCは，様々なガイドライン/プロトコル作成，EMT会議への参加，EMT手順，リハビリテーション専門家チームの認定などに関するISPRMメンバーへの助言などを通して貢献してきた．2016年に発表された「緊急医療チーム：リハビリテーションのための最低限の技術基準と推奨事項」は，その成果の1つである[4)]．現状ではISPRMは，組織的な災害派遣を行ってはおらず，あくまでDRCメンバーを中心とした個別の支援活動にとどまるが，各国ISPRM加盟学会のリハビリテーション科医データベースを作成しつつあり，将来起こり得る災害に際し，必要があれば組織的な支援活動を展開することを視野に入れている．

2〕教育・トレーニング，知識の普及

WHOの「リハビリテーション2030：行動の呼びかけ」に沿って，DRCとリエゾン委員会は教育と訓練を通じて，低中所得国におけるリハビリテーションの意識と能力を強化する取り組みを進めている．その具体例の1つがオーストラリアリハビリテーション研究センターのRehabilitation Flying Facultyであり，これまでマダガスカル（2014年），ネパール（2015年），モンゴル（2016年），ナイジェリアとモロッコ（2017年，2018年），パキスタン（2003～2018年），モンゴル（2016年），サウジアラビア（2018年），タイ（2018年），バングラデシュ（2018年），中国（2016～2018年），インドネシア（2019年），ブルネイとスーダン（2019年）などの多様な医療専門家グループに対し，様々な教育/能力開発プログラムを実施してきた[4)]．さらに，DRC Educational and Training

Workgroupは，ISPRMメンバーがそれぞれの地域で効果的な災害対応者として機能できるようにするために，世界的に認められた人道的能力の枠組みに基づいたオンライン教育カリキュラムの開発を支援している．

3〕災害リハビリテーション研究の実施・促進

DRCの重要なミッションの1つは，研究と出版物を通じてエビデンスを創出し，高品質で最新のエビデンスに基づいて災害リハビリテーション医療の提供を改善することである．設立以来，DRCメンバーは，研究と学術論文の発表に多大な貢献をしており，災害リハビリテーションのエビデンス基盤を構築してきた[3]．

4〕災害リハビリテーション対応計画の策定

DRCは，構造化された災害リハビリテーション対応計画を策定し，WHO-EMTイニシアチブおよびその他の関係者との連携/調整において，ISPRMがリーダーシップを発揮し，災害時にリハビリテーションのインプットを提供できるようにしてきた．

5〕シンポジウム，ワークショップの主催

DRCはシンポジウム，ワークショップなどを定期的に開催し，そこでのプレゼンテーションをDRCのホームページ上に収録している[3]．日本からも第6回ISPRM学会（2011年，プエルトリコ）の災害リハビリテーションシンポジウムにおいて，当時日本リハビリテーション医学会理事長であった筆者が「Faced with the Great Eastern Japan Earthquake Disaster-What can the Japanese Association of Rehabilitation Medicine (JARM) do?-」のテーマで発表し，第10回ISPRM学会（2015年，ベルリン）では，木村慎二先生が「Great East Japan Earthquake & Tsunami (2011) -activities in the Japanese Association of Rehabilitation Medicine (JARM) and Niigata prefecture-)」を報告している．

6〕パンデミックにおけるリハビリテーション対応[4]

過去20年間に流行した重症急性呼吸器症候群ウイルス，中東呼吸器症候群，H1N1インフルエンザ，ジカウイルス，エボラウイルスなどは局地的流行であったが，2019年から始まったCOVID-19パンデミックは，世界規模の公衆衛生・社会経済上の緊急事態となった．急性期，回復期および長期に渡る包括的ケアの中で，リハビリテーション医療の果たす役割は大きく，DRCは災害リハビリテーション対応計画をCOVID-19などのパンデミックに拡張することを提案するとともに，COVID-19リハビリテーション関連の論文を積極的に発信している．

3. JRATとの関わり

ISPRMは災害リハビリテーションを強力に推進しているが，現時点で組織的な派遣や支援活動は行っていない．また，活動の焦点は，社会インフラが整っていない発展途上国にあり，日本のような災害が多発する先進国における活動とは状況が異なる．ただし，人道支援の原則とリハビリテーション支援活動の方法論は共通であり，JRATが学ぶことは多い．併せて，JRATの活動の経験を積極的に世界に発信して，災害に立ち向かう人類の共有財産としていくことが重要である．

【文献】

1）Disaster Rehabilitation Committee（DRC）: https://isprm.org/collaborate/drc/
2）Disaster Rehabilitation Committee : Role and future agenda September 12, 2018 : https://isprm.org/disaster-rehabilitation-committee-role-and-future-agenda/
3）ISPRM : DRC Resources : https://isprm.org/drc-resources
4）Khan F, Amatya B : Update in disaster rehabilitation : an International Society of Physical and Rehabilitation Medicine（ISPRM）perspective. *Am J Phys Med Rehabil* **100** : 1021-1026, 2021.

（里宇明元）

国際脊髄学会（ISCoS）の取り組み

国際脊髄学会（International Spinal Cord Society；ISCoS）は，パラリンピックの原型となったInternational Stoke Mandeville Gameの際に開催された医師の会合が発展し，1961年に創設された．脊髄損傷を主な研究対象とする学会であり，脊髄損傷の臨床・基礎研究のみならず，脊髄損傷に対する包括的治療の啓発活動を学会の大きな活動方針の1つとしている．開発途上国でのワークショップ開催，医師の研修制度などをもち，世界保健機関（WHO）にNGOとして協力している．

脊髄損傷は阪神淡路大震災[1]，東日本大震災では少なかったものの，2005年のパキスタン地震では700人前後，2008年の四川地震や2010年のハイチ地震でも150人以上が受傷したとされる．脊髄損傷に対しては受傷早期からの包括的治療が必要であるが，発災前から体制が整っていない場合は早期対応が遅れ，合併症が多発し，機能的予後だけでなく，生命的予後も不良となる．

脊髄損傷治療にあたる専門施設がなかったハイチに2010年に発生した地震の際には，大規模かつ継続的な支援が，フランス語圏に活動拠点をもつNGOであるHumanity & Inclusion（HI）などによって行われた．急性期の対応に始まり，現地での治療・ケア体制構築を目指した．これにあたったカナダ・スイス・英国などからのスタッフの多くはISCoS会員であり，ISCoSは彼らを中心とする災害委員会Disaster Committeeを設けた．

ネパールでは1934年にマグニチュード8.0の地震が発生して以来，大規模な地震が発生しておらず，危険性が叫ばれていた．災害委員会の委員が頻回に現地に入り，ネパールに唯一ある脊髄損傷センター（SIRC）のスタッフ教育にあたったり，ISCoSの傘下にあるAsian Spinal Cord Network（ASCoN）を中心とした近隣諸国の脊髄損傷センターとの連携を強化していた．2015年4月の地震では180人程度の脊髄損傷が発生したと推測されているが，支援は速やかに行うことができた[2]．発災数日後からウエッブカンファレンスがSIRCとカナダとの間で開始され，50床から140床に早急に増床されたSIRCでは，災害委員の1人でハイチでの経験が豊富な看護師が長期滞在し，スタッフ教育にあたった．

ハイチ，ネパールでの経験から災害医療における脊髄損傷治療の重要性の認識は高まり，国際的災害医療チームの1つであるUK Emergency Medical TeamはISCoS，HIの協力のもとに，災害医療の現場で脊髄損傷治療における必要最小限の要件を“Minimum Technical Standards and Recommendations for Spinal Cord Injury Specialist Care Teams”としてまとめた．さらに，WHOが災害医療に派遣される医療団に必要なリハビリテーション医療についてまとめた“Minimum Technical Standards and Recommendations for Rehabilitation”にも災害委員会のメンバーが参画し，災害医療の現場での脊髄損傷者の標準を示した[3]．

2022年のウクライナ紛争では，発生した脊髄損傷者・頭部外傷者のために新設される病棟（100床）に必要な設備・人員・物品などについてWHOを通じて提案し，スタッフの教育などの支援を行っている．

国際的な災害支援では，man-made disasterも対象として大きな位置を占めること，直接支援は容易ではないが経験豊富な有識者を数多く抱える学会ならではの支援方法があることなど，国内での災害支援とは異なった面が少なくない．

【文献】

1) Maruo S, Matumoto M：Spinal fractures resulting from the 1995 Great Hanshin Earthquake of the Kobe-Osaka area of Japan. *Spinal Cord* **34**：382-386, 1996.
2) Groves CC et al：Descriptive study of earthquake-related spinal cord injury in Nepal. *Spinal Cord* **55**：705-710, 2017.
3) World Health Organization：Minimum technical standards and recommendations for rehabilitation in emergency medical teams：https://www.who.int/publications/i/item/emergency-medical-teams

（加藤真介）

世界理学療法連盟（WCPT）の取り組み

1．災害支援における理学療法士の役割

理学療法士が災害対応において果たし得る重要な役割に鑑み，世界理学療法連盟（World Confederation of Physical Therapy；WCPT）は，第16回総会（2007年）において災害マネジメントに関する政策表明を採択している（第17回総会，2011で改定）[1]．

2015年にシンガポールで開催されたWCPT学会では，災害支援における理学療法士の役割について検討会が開催され，その意見交換をもとにした報告書「The role of physical therapists in disaster management（災害支援における理学療法士の役割）」[3]が2016年3月に発行された．報告書の中には，災害フェーズに応じた理学療法士の役割が示されており，障害をもつ人々を含めた脆弱（性）に対する防災のプランニングから，コーディネーションに対する平時の準備について記載されている．報告書に記載されている事例には，ネパール，日本，イギリス，フィリピン，ハイチ，パキスタンでの支援事例などがあり，日本理学療法士協会も執筆に参加した．

同連盟のホームページ上では様々な情報提供が行われ（表X-1），災害発生時における理学療法士の関与の促進および災害マネジメントに関する事前準備と組織的なサポートの促進を図っている．また，理学療法士が災害前，災害中，災害後に，様々な方法で災害支援に貢献することができることも記載されている．以下にその内容を紹介する．

・政策開発と地方の災害計画に貢献する．
・組織の災害管理計画を支援するために理学療法士協会と協力する．
・リスクと予防戦略について学び，自宅，職場，地方，地域，さらに遠方の災害に対応する準備をする．
・災害支援に関わるNGOの救援活動や資金調達に寄付する．
・災害救助機関を支援し，災害救助，リハビリテーション医療と開発の間の連携の必要性の認識を高める．
・高齢者や障がい者などの脆弱なグループを擁護し，災害時のニーズへの意識を高める．
・生存者にリハビリテーション医療を提供するためのボランティア活動によって，救援活動に積極的に関与する．

表X-1　世界理学療法連盟による情報提供の項目

・災害マネジメントへの取り組みの必要性
・災害マネジメントとは：災害のタイプ，予防，事前準備，支援，復興
・災害マネジメント―各国理学療法組織がいかに貢献しうるか
・災害マネジメント―個々のPTがいかに貢献しうるか
・災害マネジメント―ボランティア志願
・災害マネジメントに関与する組織：国連，国際赤十字，国際NGO，各国組織
・災害マネジメント―情報源
・災害マネジメント―用語解説

（世界理学療法連盟）[2]

1〕地方の災害の計画と準備に貢献する

地方自治体，都市などの組織は緊急事態を想定し計画をする．理学療法士は勤務地域あるいは居住地域の災害計画に対して貢献できる．

2〕理学療法士が自身に尋ねるべき内容

・自身の勤務環境と地域において，災害管理計画はあるか？
・自身の勤務場所で緊急事態に対する計画に貢献できるか？
・地域の災害管理計画などがない場合は，どのように障害のある人々のニーズと，災害の結果として障害を生じる人々のニーズを十分に考慮して，計画の作成開発に貢献することができるか？

3〕寄付をする行為

設立されたNGOへの資金提供は，災害に対応する最も効率的な方法である．資金拠出により，専門の救援組織は，緊急時に最も必要なものを正確に購入し，これらの供給品の配給に必要な輸送費を支払うことができる．消耗品は現地で購入することが多く，輸送コストと保管コストを削減し，地域経済を刺激し，雇用を提供し，消耗品ができるだけ早く届くようにする．しかし，機器や消耗品の寄贈により受け入れ側の手続きが煩雑になる可能性もある．物理療法装置や支援機器の必要性を事前に確認するなど，被災地域のニーズを的確に分析してから対応策を決定することが有用である．

救援のための資金提供については，意図した目的のために使用されているかどうかモニタリングする必要がある．

4〕災害救助機関の支援

災害の影響を受けた人々を支援するためには，現場での支援以外の方法もある．救援組織の事務所でのボランティアは，現場支援に必要な手助けになるかもしれない．キャンペーンや啓発活動，災害準備活動に協力することもできる．ただし災害時はすべてのエネルギーが救援活動に費やされており，通常新しいボランティアを募集しているような余裕はない．

5〕ボランティア

積極的に災害地域で支援したい場合は，単独で行うのではなく，確立されたグループを通じて活動することが重要である．多数の個人および小規模な組織が個別に活動をしようとすると，支援によるメリットよりも多くの問題が発生する可能性がある．政府や地域の行政機関，大規模な支援機関では，組織的な短期間の活動支援ができるだろうが，個人的な活動は実施できない．

NGO や慈善団体が主催するボランティア活動は，災害地域のニーズを満たすために地元の資源が不十分な地域に保健人材と資源をもたらすことを目指している．これらの団体は，無料で災害支援を提供できる（希望する）個人を募集している．ある団体は数週間，国内で支援するためにチームを編成することもあろうが，またある団体では長期間にわたり（数カ月または数年間）支援できるボランティアスタッフを配置していることもある．短期任務のボランティアは，保健医療従事者の地域的不足の修正を目指すのではなく，現地システムが発展するまで既存のニーズを満たすことを目指している．

ほとんどの機関では，災害救助のための人材募集において，専門的な練習経験と国際的な経験をもつ人材を求めている．支援経験のないボランティアは，一般的に救援派遣に選ばれない．ボランティアが特定の災害に取り組むために，少なくとも 3 カ月以上，しばしばそれ以上の時間を費やすことは珍しくない．

2．最新の状況

2017 年に南アフリカ共和国で開催された WCPT 学会において，Humanitarian response（人道的支援）の検討会で「Displaced and disabled：what can the physical therapy profession offer?（避難と障害：理学療法専門職は何が提供できるのか？）」について検討された．

この検討会では，近年の緊急支援の経験をふまえ，自然災害ならびに社会的不穏を含めた広い意味での災害に対する理学療法士の関わりにおいて，求められる実践技術や，他分野横断的な中で，避難した障害をもつ人々への役割などについて，受入側・派遣側の観点も含めて議論された．

2019 年の世界理学療法連盟総会に，日本理学療法士協会から議題が提出された．内容は，気候変動や，自然災害により影響を受ける人々を守るための連帯を提案するものだった．議論の結果，採択され，その後，専門家グループで検討され，最終草案が提示された．草案は2023年の世界理学療法連盟総会で決議される見込みである．

【文献】

1）世界理学療法連盟：Policy statement（Disaster management）：http://www.wcpt.org/sites/wcpt.org/files/files/PS_Disasters_Sept2011.pdf
2）世界理学療法連盟：http://www.wcpt.org/
3）世界理学療法連盟：WCPT report（The role of physical therapists in disaster management）：http://www.wcpt.org/sites/wcpt.org/files/files/resources/reports/WCPT_DisasterManagementReport_FINAL_March2016.pdf
4）世界理学療法連盟：WCPT Policy statement（Climate change and health, Final draft）：https://world.physio/policy/policy-statement-climate-change-and-health

（伊藤智典）

X

世界作業療法士連盟（WFOT）の取り組み

世界作業療法士連盟（World Federation of Occupational Therapists；WFOT）は，1951年，国際障害者リハビリテーション学会（ISL）の議会などで議論が重ねられた後，1952年に英国リバプールにおいて，米国，英国（イングランド，スコットランド），カナダ，南アフリカ，スウェーデン，ニュージーランド，オーストラリア，イスラエル，インド，デンマークの10団体により発足した．

1．WFOTミッション

WFOTは，芸術と科学としての作業療法を国際的に推進し，世界中の作業療法の開発，使用，実践を支援し，その関連性と社会への貢献を実証していく．

2．基本的な信念

- 作業療法は，人々の健康と福祉に影響を与えるため，彼らの作業遂行に多大な貢献をもたらす．
- 国際的なレベルで，健康，福祉，教育，職業に好影響を与えるものである．
- WFOTの有効性は，その貢献と他の国際機関との協力にかかっている．
- WFOTは，専門職としての卓越性の獲得に好影響をもたらすものである．
- WFOTの有効性は，会員・加盟団体の専門的なニーズ，問題，要件に対応できるかどうかにかかっている．
- WFOTは，あらゆるレベルでの協力，高い倫理基準，相互尊重に基づいて構築されなければならない．
- WFOTは，目的達成に直接関連する問題に対して政治活動とアドボカシー活動を行う．WFOTの目的に関連しない限り，特定の国内政党，国際政党，またはいずれかの国の政治課題についての立場を表明することはない．
- WFOTの成功は，WFOT評議会の強力で統一感のあるリーダーシップの発揮と維持にかかっている．
- WFOTにとって会員・加盟団体が最も重要な財産である．

1959年，WFOTはWHOと公式に関係を結び，1963年，WFOTは国連にNGOとして認められた．2022年現在，WFOTは世界の633,000人以上の作業療法士を代表し，107の加盟協会のグローバル組織として活動している．

3．災害対応への取り組み

WFOTは，世界中の作業療法士がその専門性を世界的に発信できるように，作業療法士向けのオンライン学習コースであるWFOT Learningコンテンツを作成ししている．その中に災害対策に関する研修プログラムがある．そのプログラムは作業療法士が災害時に「ボランティア」として行動する際に，災害時対応，復興，災害リスクの軽減などの複雑な問題に取り組む際のスキルと知識を得ることができる．

災害対策プログラムの目的は，次の通りである．

- 災害リスクと脆弱性を潜在的に減らすことができる災害管理サイクルと，平等で持続可能な人間の生活活動パターンを理解する．
- 災害発生後の個人，コミュニティ，ポピュレーションを対象とした緊急時対応と長期間にわたる復興における作業療法士の役割を認識する．
- リスク削減戦略と緊急時対応計画策定のための戦略的計画と地域社会，州，および国の調整された努力を理解する．
- 復興を促進し，人々の健康と意味のある作業を取り戻す方法についての知識を得る．
- 災害の備えと対応に役立つツールが存在することを人々に周知する．
- 脆弱で社会的に疎外された人々の経験を理解して，既に障害を有している，または新しい障害を受傷した人々に寄り添い，短期的および長期的な支援を提供するための基本を実践する．

さらにWFOTでは2022年に「Disaster Preparedness and Risk Reduction（DPRR）Manual 2022」を発表し，「災害への備えとリスク軽減のための活動（DPRR）」としての原則を次のように示している．

A．DPRRに関連するサービスを提供するコミュニティのニーズを特定する．

B．災害の影響を受けた人々や地域社会における作業参加を可能にし，作業パフォーマンスを向上させるためのサービスを開始する．

C．地域，国，国際的なレベルでDPRR政策を実施する．

D．DPRRにおいて，障害者や危険にさらされている人々と共に参加する．

E．DPRRのすべての活動において，「Build Back Better」の哲学を実践する．

F．DPRRにおける作業療法を実施するための教育的・専門的能力を身につける．

G．DPRRにおける作業療法のための研究に従事する．

【文献】

1）世界作業療法士連盟：WFOT：https://www.wfot.org/

（香山明美・高橋香代子・上 梓・大庭潤平）

X

XI 困ったときのQ&A

Q1 JRAT-Rapid Response Team（JRAT-RRT）の役割とは？

A1：発災後早期に被災地で活動できる人員とそれを派遣する仕組みの一環として創設された．JRAT-RRT は，事前にトレーニングを受け，登録した隊員（R-スタッフ）により構成される．JRAT-Early Warning Score（JRAT-EWS）の基準値を参考に，JRAT 本部の判断や被災地の地域JRAT からの要請に基づいて，JRAT 代表が派遣を決定する．

➡Ⅱ-B：災害発生時の体制（p.33）

Q2 発災時に，JRAT 中央災害対策本部（支援側）がまず準備することは，具体的に何か？

A2

	誰を/何を	どこから/どこへ	どうやって
人員	本部員	構成団体会員	登録制（メール，電話）
	被災地支援協力員	地域 JRAT（チームで）	
情報収集（受信）	被災状況（被災者数，被災病院数，交通・道路状態，他），避難所の状況（避難所数，避難者数，他），支援ニーズ，など	被災地の地域 JRAT，JMAT，DMAT，構成団体（支部，士会），マスコミ，他	メール（メーリングリスト作成―平時からの準備，訓練），電話，FAX，など
情報発信		被災地の地域 JRAT，被災地外の地域 JRAT，派遣員，JRAT 構成団体，JMAT，DMAT，厚生労働省，災害医療関連団体，他	
物品	本部運営・被災地域本部運営に必要なもの	被災地外なので，どこででも手に入る（買い物できる）が，平時からの準備が望まれる	
資金	物品・資材など購入費	JMAT，支援員所属構成団体，支援員勤務先，構成団体会員	平時からの調整（陳情），寄付
	支援活動費用		

➡Ⅲ-B1：JRAT 中央災害対策本部におけるロジスティクス―熊本地震の活動をもとに（p.52）

被災地外の地域 JRAT として，派遣支援チームを組織するときに準備することは？

A3

	誰を/何を	どこから/どこへ	どうやって
人員	被災地支援協力員	地域 JRAT，支援協力員	地域内登録制
情報収集（受信）	被災状況（被災者数，被災病院数，交通・道路状態，他），避難所の状況（避難所数，避難者数，他），支援ニーズ，など	JRAT 中央災害対策本部，構成団体（支部，士会），マスコミ，他	メール（メーリングリスト作成一平時からの準備，訓練），電話，FAX，など
情報発信		被災地外の地域 JRAT，派遣員，JRAT 構成団体，災害医療関連団体，他	
物品	JRAT 中央災害対策本部・現地 JRAT 災害対策本部運営に必要なもの	被災地外なので，どこででも手に入る（買い物できる）が，平時からの準備が望まれる	
資金	物品・資材等購入費	JMAT，支援員所属構成団体，支援員勤務先など（平時からの事前調整）	平時からの調整（陳情），寄付
	支援活動費用		

➡Ⅲ-B3：外部支援チームにおけるロジスティクス（p.54）

発災時に，現地 JRAT 災害対策本部（受援側）がまず準備することは，具体的に何か？

A4

	誰を/何を	どこから/どこへ	どうやって
人員	受け入れ体制準備員	JRAT 本部（JRAT 中央災害対策本部）	被災状況に応じて
	被災地支援協力員	地域 JRAT，支援協力員	
情報収集（受信）	災害の種別，災害発生場所，侵入経路，災害の種別，今後の危険，患者数，重症度，ニーズ，緊急対応期間	JMAT，DMAT，構成団体（支部，士会），マスコミ，他	メール（メーリングリスト作成一平時からの準備，訓練），電話，FAX
情報発信		被災地の地域 JRAT，被災地外の地域 JRAT，派遣員，JRAT 構成団体，JMAT，DMAT，厚生労働省，災害医療関連団体，他	
物品	JRAT 中央災害対策本部運営・現地 JRAT 災害対策本部運営に必要なもの	被災地外なので，どこででも手に入る（買い物できる）が，平時からの準備が望まれる	
資金	物品・資材など購入費	行政（地方自治体），医師会，他	平時からの調整（陳情）
	支援活動費用		

➡Ⅲ-B4：受援体制におけるロジスティクス（p.56）

発災時，受援側本部内のすべての人が共有する情報とその表示例は？

A5：すべてをクロノロジーに記載し，そこから指揮系統図，連絡先リスト，資源情報，需要情報，要対処リストに落とし込む．

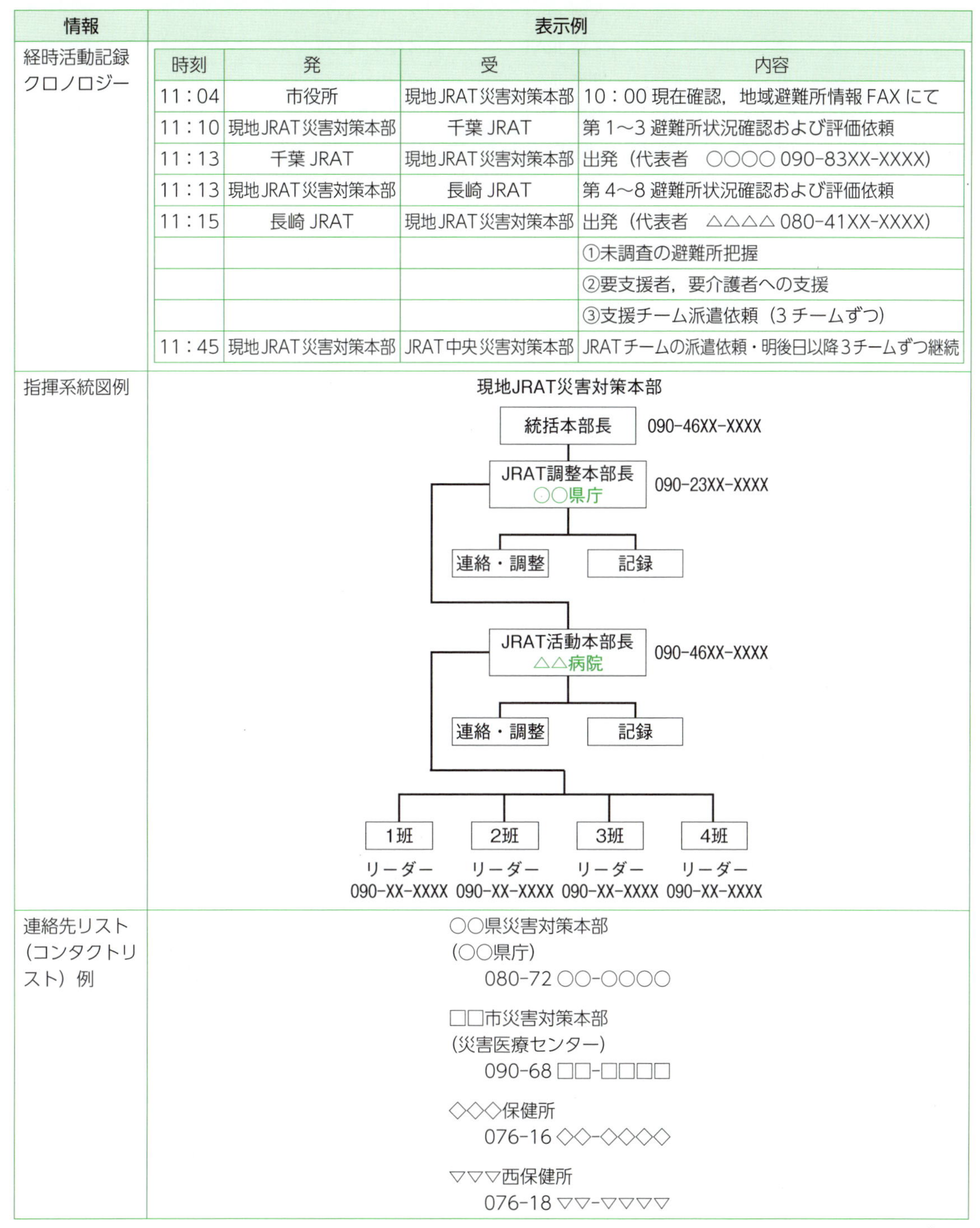

情報	表示例
経時活動記録クロノロジー	（下表）
指揮系統図例	（下図）
連絡先リスト（コンタクトリスト）例	（下記）

経時活動記録クロノロジー

時刻	発	受	内容
11：04	市役所	現地JRAT災害対策本部	10：00 現在確認，地域避難所情報 FAX にて
11：10	現地JRAT災害対策本部	千葉 JRAT	第 1～3 避難所状況確認および評価依頼
11：13	千葉 JRAT	現地JRAT災害対策本部	出発（代表者　○○○○ 090-83XX-XXXX）
11：13	現地JRAT災害対策本部	長崎 JRAT	第 4～8 避難所状況確認および評価依頼
11：15	長崎 JRAT	現地JRAT災害対策本部	出発（代表者　△△△△ 080-41XX-XXXX）
			①未調査の避難所把握
			②要支援者，要介護者への支援
			③支援チーム派遣依頼（3 チームずつ）
11：45	現地JRAT災害対策本部	JRAT中央災害対策本部	JRATチームの派遣依頼・明後日以降3チームずつ継続

指揮系統図例

連絡先リスト（コンタクトリスト）例

○○県災害対策本部
（○○県庁）
080-72 ○○-○○○○

□□市災害対策本部
（災害医療センター）
090-68 □□-□□□□

◇◇◇保健所
076-16 ◇◇-◇◇◇◇

▽▽▽西保健所
076-18 ▽▽-▽▽▽▽

（つづく）

(つづき)

<table>
<tr><td>資源情報例</td><td>

チーム名	活動可能期間
宮崎 JRAT	4/16〜4/22
鹿児島 JRAT	4/16〜4/21
佐賀 JRAT	4/20〜4/25
千葉 JRAT	4/23〜4/27
沖縄 JRAT	4/25〜4/29
兵庫 JRAT	5/2〜5/7

</td></tr>
<tr><td>需要情報例</td><td>

対象者	年齢	性別	症状	避難場所
竹○久○	65	男	腰痛	○○避難所
木○道○	78	女	嚥下障害疑い	△△避難所
○崎○子	55	女	うつ状態	西区◇◇町 4-3-2 自宅
南○は○	58	男	活動性低下？	◇◇避難所

</td></tr>
<tr><td>要対処リスト
(To do list)
例</td><td>

To do リスト
支援者オリエンテーション資料作成
PC ウイルスソフト導入
業務集約の方法検討→実施
追加訪問先（避難所）へチームの割り振り
急：嚥下障害疑い→食形態変更

</td></tr>
</table>

Q6 現地への派遣については，どのように動けばよいか？

A6：JRAT は公式な活動であるため，派遣にあたっては派遣者の所属長の許可を得る．JRAT の災害派遣は，地域 JRAT が都道府県と協定を結んで活動する方針が打ち出され，各地域 JRAT が協定締結へ向けて動いている．これらによって，派遣者の活動中の事故などへの対応，費用支弁などの適応になる可能性が高くなる．

➡V-A：被災混乱期・応急修復期における支援活動の原則と留意点（p.69）

Q7 被災混乱期の対応はどのように動けばよいか？

A7：急性期医療の対応として重要なことは，少ない情報と限られた支援の中で，需要の優先度を決めて「防ぎ得た」災害死と生活機能低下を予防することである．そのためには，MIMMS（Major Incident Medical Management and Support）が提唱する急性期医療対応の原則，C（Command & Control；指揮・統制），S（Safety；安全），C（Communication；情報伝達），A（Assessment；評価），T（Triage；トリアージ），T（Treatment；治療），T（Transport；搬送）に準じて活動することで，十分な後方支援と情報管理に基づいた組織的かつ適切な活動を提供することが求められている．

➡V-C：急性期医療とリハビリテーション支援（p.73）

Q8 災害発災後に生じやすい健康問題は？

A8：脱水やストレスが要因となる循環器疾患（脳卒中，心筋梗塞，深部静脈血栓症など），運動器疾患（転倒による骨折，関節炎症状の増悪，腰痛など），避難所のほこりやダニによる呼吸器疾患（肺炎，喘息発作など），感染性疾患（インフルエンザ，ノロウイルス，胃腸炎，麻疹など）が挙げられる．また，平時とは違う生活環境であるために二次的に疾病が発生する場合や活動性低下による廃用（生活不活発病）も挙げられる．また，家屋倒壊によって発生する圧挫症候群（クラッシュシンドローム）や神経損傷など災害の種類によって生じやすい問題も変わってくる．

➡V-C：急性期医療とリハビリテーション支援（p.73）

Q9 リハビリテーショントリアージとは？

A9：刻一刻と変化する被災地の状況を把握し続け，状況に応じた効率的なリハビリテーション支援を行うための要になるのが，リハビリテーショントリアージである．重症度に応じて，4段階に分類される．「レベル1（緑）」は個別介入の必要性は少ないが予防的介入・指導が必要，「レベル2（黄）」は支援者に対するリハビリテーション指導のうえ介入が必要，「レベル3（赤）」はJRATによる個別介入を検討，「レベル4（黒）」は当該施設への搬送を検討，に分けられる．また，中長期化する避難生活にて生活不活発病などの問題が新たに顕在化することもあるため，トリアージは繰り返し行われる必要がある．

➡V-E：リハビリテーショントリアージ（p.78）

Q10 福祉避難所の役割は？

A10：指定避難所での生活が困難な要介護者などへの対応としては，「災害救助法」による福祉避難所の設置が進んでいる．福祉避難所は，「バリアフリー」，「支援者をより確保しやすい施設」に主眼をおいて選定され，所在地，使用可能なスペースの状況，施設・設備の状況，職員体制，受け入れ可能人数などが整理されている．

➡V-F：被災混乱期・応急修復期の避難所・福祉避難所におけるリハビリテーション対応（p.83）

Q11 被災地における感染対策として注意すべき点は？

A11：基本的な感染対策としては，手指衛生の徹底，マスクなどの個人防護具の着用，清掃や換気などの環境対策，自身の体調管理，食中毒対策などが挙げられる．また，二次感染の予防として，最善の対策は予防接種である．被災地に入るすべての医療従事者は麻疹や水痘をはじめとした予防接種を事前に受けておく必要がある．避難所におけるCOVID-19対策としては，(1) 予防のための環境整備〔三密の回避，人流（人の交差）の抑制〕，(2) 感染者（濃厚接触者）の早期探知，(3) ゾーニングが重要なポイントである．

➡V-I：被災地における感染対策（p.93）

Q12 安否確認の方法と注意点は？

A12：自らの安全の確保ができた後は，速やかに要配慮者などの安否の確認を行う．特に発災当初は，住民相互での活動が中心になる．地区の避難所などで自主防災組織や民生児童委員などの情報共有者からの情報収集を行う．

➡Ⅴ-J：災害時における安全確保と避難行動要支援者の支援（p.96）

Q13 復旧期において避難生活が長期にわたる場合の対応のポイントは？

A13：ストレスなどをはじめとする精神面への支援も重要である．避難所内に多くの人が集うことのできる共有スペースなどを設けるとともに，集団での体操やアクティビティなどの活動を展開することにより，避難者同士の関係性の構築や精神面の活性化に繋げていく．

➡Ⅵ-A：復旧期における支援の原則と留意点（p.107）

Q14 復旧期における避難所での基本的なリハビリテーション対応とは？

A14：この時期は避難所内の環境整備も進み，生活再建への動きが徐々に始まる時期であるが，仮設住宅への入居や自宅再建などの目処が立たない被災者はさらに長期の避難所生活を余儀なくされるなど，避難者間の格差も表面化してくる．つまり，避難所の生活上の問題は，個人の心身の状況から発生するものだけではなく，被災者を取り巻く被災地・避難所などの外部の環境因子が阻害因子として作用することで発生する．そのため，機能回復や起居動作の獲得にとどまらず，生活動線の工夫，食事や物資の受け取り方法の工夫，寝食分離や避難者同士や外部との交流の場の確保など被災者も含めた避難所運営の役割分担を，避難所の統合や避難スペースの移動のタイミングに応じて対応する．また，心理・社会面の変化にも十分に配慮し，必要に応じて他の支援者やサービスに繋ぐことも検討する．

➡Ⅵ-B：復旧期のリハビリテーション対応（p.108）

Q15 応急仮設住宅への移行時の支援のポイントは？

A15：応急仮設住宅は，規格が画一的であり，要配慮者などに対し，個別に対応する必要性が生じる．各自治体での運用を効果的に行うことが求められる．対応が必要な対象者とその内容について，スクリーニング調査やリハビリテーション専門職による戸別訪問にて洗い出す．

➡Ⅵ-C：応急仮設住宅におけるリハビリテーション対応（p.111）

Q16 応急仮設住宅で起こりやすい問題は？

A16：玄関の段差，通路の砂利敷きなどによる外出の困難，ユニットバスの縁が高いことによる入浴の困難などがある．これらのバリアフリー化の対応は，各自治体が担っている．入居者のニーズの把握には，リハビリテーション専門職による訪問アセスメントや，パンフレットなどを用いた周知活動が有効である．

➡Ⅵ-C：応急仮設住宅におけるリハビリテーション対応（p.111）

Q17 復旧期における地域との合意のポイントは？

A17：外部からの支援は一時的なもので，最終的には被災地域のスタッフが継続的に支援を担っていく必要がある．そのため，支援方法の最終決定は地域スタッフが行うことを確認しつつ，その時点で最良の解決策を共に探し出すことが重要である．

➡Ⅵ-D：地域リハビリテーションの理念に基づいた災害支援戦略（p.112）

Q18 集会場などにおける生活不活発病予防に関するポイントは？

A18：集会施設を有効に利用し，生活不活発病予防を目的としたリハビリテーション支援を継続的に行う必要がある．運動指導の内容については，自主グループを育成し自助・互助による活動となるよう支援する．また並行して運動機能評価を行い効果について検証することが望ましいが，実施については被災者感情に十分配慮する．

➡Ⅶ-B：復興期のリハビリテーション対応（p.117）

Q19 復興期における新しいコミュニティづくりの支援のポイントは？

A19：被災地では独居高齢者の孤立と生活不活発病が大きな問題となるため，被災者が意欲をもち，心と身体の働きを取り戻すことを目的とした支援を行う．被災者の活動に働きかけ，参加の活性化を図る．また，地域の互助による新たなコミュニティづくりを進めるために人材育成も重要であり，最終的には住民主体で活動できる内容を提供する．

➡Ⅶ-B：復興期のリハビリテーション対応（p.117）

Q20 復興期のリハビリテーション支援体制構築のポイントは？

A20：発災後，JRAT など都道府県外からの医療支援活動は介入当初より撤退することを前提に展開しつつ，被災地の医療機関や介護保険サービスの再開状況により，円滑かつ段階的な移行を検討する．一方でこの時期における被災者の不安や焦りに十分配慮する必要がある．市区町村や仮設団地からの要請・要望に対する協議や調整など支援・受援窓口を一体化した「自立支援」へ方向性を統一していくコーディネート機能も求められる．

➡Ⅶ-C：被災地側の復興期の対応（p.120）

Q21 平時にリハビリテーション専門職が研修に参加する意義は何か？

A21：平時より災害リハビリテーション支援に対する知識と技術を習得しておくことが望まれる．その際，普段から職場や居住地域で開催される防災訓練などに「リハビリテーション専門職」という立場から積極的に参加する行動が，本番に備えた準備になる．また，リハビリテーション専門職が参加できる他団体主催の災害研修や学会に参加することによって，災害に関わる多職種を理解することに役立つ．

➡Ⅷ-A：個々のスキルアップのための研修（p.123）

Q22 都道府県や政令指定都市の防災訓練に参加することの意義は何か？

A22：地域JRATによる災害リハビリテーションの活動は，平時の地域リハビリテーション活動を基盤とする．復興期には既存の地域リハビリテーション活動に繋げることが求められている．実働の場である防災訓練に関わることで，平時の各団体の連携の重要性を参加者が再認識することに意義がある．

➡Ⅷ-B：団体としてのスキルアップのための研修（p.127）

Q23 災害対応のリハビリテーションチームに関するデータベースに盛り込む内容は具体的には何か？

A23：行政防災対策窓口，広報に関する情報，災害対応リハビリテーションチームの活動開始のために必要とされる事柄（関連する学会や協会の平時の連携，連絡体制，必要機材一覧，機材・物資の確保先一覧，行政からの確実な情報収集，災害対応経験報告書など）を含める．

➡Ⅷ-D：活動のためのデータベース構築（p.130）

Q24 災害リハビリテーション支援におけるロジスティクスの準備にあたって考慮すべき点は何か？

A24：資金の調達と管理，物品・装備，介入方法，介入期間，介入対象，地域資源，情報の管理などについて，発生の規模や時期，住民サービスや各種事業所の復旧度合いなどに応じて適切に調達，分配，運用する必要がある．

➡Ⅷ-H：資金，人材，物品・装備などの準備（p.141）

Q25 平時の準備として社会福祉施設が行う内容として何が挙げられるか？

A25：非常災害対策計画を，地域の実情や施設の状況にあわせて策定することが求められている．具体的には立地条件，災害時の情報入手方法，連絡先・通信手段の確認，避難開始時期と判断基準，避難場所，避難経路，避難方法，災害発生時の人員体制と指揮系統，関係機関との連携などが挙げられている．

➡Ⅷ-H：資金，人材，物品・装備などの準備（p.141）

Q26 人が危機に直面した際に示すストレス反応には，どのようなものがあるか？

A26：不安，過敏，緊張，イライラ，落ち着きのなさ，集中力の低下などの精神症状と，動悸，呼吸困難，めまい，首や肩のコリ，震え，不眠などの身体症状が挙げられる．

➡Ⅸ-A：災害時の心理的反応（p.149）

Q27 被災者の心理的状態は，長期的な経過とともにどのように変化していくか？

A27：発災直後から数日は，感情の鈍麻や欠如あるいは感情や行動の抑制が効かない状態になる（茫然自失期）が，その後は被災後の生活に適応し，積極性や明るさをもって行動するようになる（ハネムーン期）．しかし，災害直後の混乱が収まり，復旧へと向かい始めると，再び無力感や不満，不安を抱き，抑うつ傾向に陥りやすくなる（幻滅期）．

➡Ⅸ-A：災害時の心理的反応（p.149）

Q28 被災者に接する際の基本的な対応として留意すべき点は？

A28：自己紹介をし，今すぐに必要なことを聞く，そして秘密の保持を約束する．安全と安心感を提供することが重要である．発災後初期は，より生活に即した「具体的・実際的」な支援が，心理面への対応ともなる．側に寄り添い，共感的に話を聴くこと（傾聴）は，被災者を落ち着かせるうえで効果的である．しかし，話すことを積極的に促したり，感情を表現させたりすることは逆効果になることがあるため注意が必要である．

➡Ⅸ-B1：基本的な対応（p.150）

Q29 被災者の心のケアとして，専門的な対応にはどのようなものがあるか？

A29：災害時に体験する精神的な変化に関しては，その多くは一時的なもので自然に回復するといわれているが，症状の程度や持続期間によっては，急性ストレス障害（ASD）や心的外傷後ストレス障害（PTSD），うつ病などの精神疾患を発症することもある．こうした被災者に対する心のケアについては，災害派遣精神医療チーム（DPAT）が専門的なチームとして支援活動を行っているため，連携を取り，繋いでいくことが重要である．

➡Ⅸ-B2：専門的な対応（p.151）

Q30 支援活動時の基本的留意事項は何か？

A30：支援者もまた，支援前，支援中，支援後それぞれの時期に心理的ストレスが生じるため，自身やチームでセルフチェック・モニタリングをしながら，適切なストレス対処が行えるようにしておくことが重要である．心身の不調を感じたら，周囲に相談し，自身のセルフケアを積極的に行う．時には支援活動を中止する勇気・判断も必要であり，それは恥じるべきことではない．

➡Ⅸ-C：支援者としての心構え（p.153）

（川上途行）

Ⅺ

XII 資料

A 災害関係法令

1．災害救助法（昭和22年10月法律第118号）の概要

1　目的

災害に際して，国が地方公共団体，日本赤十字社その他の団体及び国民の協力の下に，応急的に，必要な救助を行い，災害にかかった者の保護と社会の秩序の保全を図る．

2　実施体制

災害救助法による救助は，都道府県知事が行い（法定受託事務），市町村長がこれを補助する．

なお，必要な場合は，救助の実施に関する事務の一部を市町村長が行うこととすることができる．

3　適用基準

災害救助法による救助は，災害により市町村の人口に応じた一定数以上の住家の滅失がある場合（施行令第1条第1項第1号～第3号），多数の者が生命又は身体に危害を受け，または受けるおそれが生じており，継続的に救助を必要としている場合（同第4号）に行われる．

4　救助の種類，程度，方法及び期間

（1）救助の種類

①避難所及び応急仮設住宅の供与

②炊き出しその他による食品の給与及び飲料水の供給

③被服，寝具その他生活必需品の給与又は貸与

④医療及び助産

⑤被災者の救出

⑥被災した住宅の応急修理

⑦学用品の給与

⑧埋葬，死体の捜索及び処理

⑨障害物の除去

（2）救助の程度，方法及び期間

内閣総理大臣が定める基準に従って，都道府県知事が定めるところにより現物で行う．

5　強制権の発動

災害に際し，迅速な救助の実施を図るため，必要な物資の収容，施設の管理，医療，土木工事等の関係者に対する従事命令等の強制権が確保されている．

6　経費の支弁及び国庫負担

（1）都道府県の支弁：救助に要する費用は，都道府県が支弁

（2）国庫負担：（1）により費用が100万円以上となる場合，その額の都道府県の普通税収入見込額の割合に応じ，次により負担

ア　普通税収入見込額の2/100以下の部分 ―― 50/100

イ　普通税収入見込額の2/100を超え4/100以下の部分 ―― 80/100

ウ　普通税収入見込額の4/100を超える部分 ―― 90/100

（以下略）

2．災害救助事務取扱要領〔令和4年7月内閣府政策統括官（防災担当）発出〕（抜粋）

8　救助の実施体制に関する事項

（1）指定避難所

ア　指定避難所の指定

（ア）市町村は，災害対策基本法の基準を踏まえて，指定避難所を指定して公示するものとする．

（イ）災害対策基本法施行令第20条の6第1号から第4号までに定める基準に適合する指定避難所（同条第1号から第5号までに定める基準に適合するものを除く．以下「指定一般避難所」という．）を指定したときは，当該指定一般避難所の名

称及び所在地その他市町村長が必要と認める事項を公示するものとする．

（ウ）指定一般避難所の指定にあたっては，当該地域の大多数の住民が避難生活をすることも想定し，その必要な量の確保を図っておくこと．

（エ）指定一般避難所として指定する施設は，原則として耐震，耐火，鉄筋構造を備え，できる限り，生活面での物理的障壁の除去（バリアフリー化）された公民館等の集会施設，学校，福祉センター，スポーツセンター，図書館等の公共施設とすること．

（オ）上記（イ）に定めるもののほか，災害対策基本法施行令第20条の6第1号から第5号までに定める基準に適合する指定避難所（以下「指定福祉避難所」という．）を指定したときは，当該指定福祉避難所の名称，所在地及び当該指定福祉避難所に受け入れる被災者等を特定する場合にはその旨その他市町村長が必要と認める事項を公示するものとする．

（カ）指定一般避難所内の一般避難スペースでは生活することが困難な要配慮者のために特別な配慮がなされた指定福祉避難所を必要に応じて指定しておくこと．

（キ）指定福祉避難所として指定する施設は，原則として耐震，耐火，鉄筋構造を備え，物理的障壁の除去（バリアフリー化）された施設とし，要配慮者の円滑な利用を確保するための措置が講じられており，また，災害が発生した場合において要配慮者が相談等の支援を受けることができる体制が整備され，主として要配慮者を滞在させるために必要な居室が可能な限り確保されるものとすること．

（ク）指定一般避難所及び指定福祉避難所を指定しようとするときは，当該施設の管理（所有）者の理解・同意を得て指定するとともに，物資の備蓄，災害時の利用関係，費用負担等について明確にしておくこと．

（ケ）学校を指定一般避難所又は指定福祉避難所として指定する場合には，学校が教育活動の場であることに配慮し，指定一般避難所及び指定福祉避難所としての機能は応急的なものであることを認識の上，教育委員会等の関係部局と調整を図ること．

（コ）市町村が指定一般避難所及び指定福祉避難所の指定又は指定の取り消しをした場合は，都道府県に通知するとともに，公示すること．都道府県は，市町村から通知を受けた場合は，消防庁を通じて，遅滞なく内閣府に報告すること．

イ　指定一般避難所の周知・運営等

（ア）管内の公共施設のみでは避難所を量的に確保することが困難な場合は，旅館，ホテル，企業の社屋の一部（ロビー，会議室等），企業の研修施設や福利厚生施設（運動施設，寮・保養所等），私立学校等を活用できるよう事前に協定を締結するなどしておくこと．

（イ）指定一般避難所を指定した場合は，広報紙等により，地域住民に対し周知を図るほか，防災の日等を活用して年1回以上は広報を行うなど，その周知徹底を図ること．

（ウ）指定一般避難所として指定した施設については，住民にわかりやすいよう指定一般避難所である旨を当該施設に表示すること．

（エ）指定一般避難所の運営が円滑かつ統一的に行えるよう，あらかじめ指定一般避難所の運営の手引きを作成し，指定一般避難所の運営基準や方法を明確にしておくこと．なお，「避難所における良好な生活環境の確保に向けた取組指針」及び取組指針に基づく「避難所運営ガイドライン」等を配布しているので，作成する際の参考にされたい．

（オ）手引きは，要員不足にも対応できるよう，災害救助関係職員以外の者の利用を想定したものとすること．

（カ）手引きに基づき，関係部局・機関の理解及び協力も得て，平常時から指定一般避難所の管理責任予定者を対象とした研修を実施すること．

（キ）指定一般避難所を指定した場合は，原則として各指定避難所に管理責任者を配置できる体制の整備に配慮しておくこと．なお，管理責任者は，原則として市町村（都道府県）職員とすることが望ましいが，必要に応じて，市町村（都道府県）との連携体制を確保しつつ，施設管理者や近隣住民の代表者等を充てることとして差し支えない．

（ク）災害発生直後から当面の間，管理責任者の配置が困難なことも予想されるため，当該施設の管理者又は職員を管理責任者に充てることも考えられるので，事前に関係部局・機関及び当該施設管理者の理解を十分に得ておくこと．特に，学校等が指定されていることが多いことから，学校職員等を管理責任者に充てることについて教育委員会，学校等の理解を十分に得ておく必要がある．

（ケ）指定一般避難所を設置した場合は，被災者による自発的な指定避難所での生活のルールづくり等，指定一般避難所の自治会等による自主的運営が行われるよう，あらかじめ地域の自治会等，地域社会からの理解及び協力を得られるようにしておくこと．さらに，指定一般避難所の運営に当たっては，女性等の視点を取り入れ，様々な配慮が行えるよう検討すること．

（コ）巡回パトロールによる指定一般避難所における個別的需要の把握及び防犯対策等のため，あらかじめ警察等と連絡調整を図り，連携を図れる体制を確立しておくこと．

ウ　指定福祉避難所の周知・運営等

（ア）指定福祉避難所の指定又は指定の取り消しをした場合は，その施設の情報（場所，受入可能人数，設備内容等）について，要配慮者を含む地域住民に対し，周知するとともに，周辺の福祉関係者の十分な理解を得ておくこと．

（イ）指定福祉避難所の運営が円滑かつ統一的に行えるよう，あらかじめ指定福祉避難所の運営の手引きを作成し，指定福祉避難所の運営基準や方法を明確にしておくこと．なお，「避難所における良好な生活環境の確保に向けた取組指針」及び「福祉避難所の確保・運営ガイドライン」等を配布しているので，作成する際の参考にされたい．

（ウ）市町村は，指定福祉避難所の対象者をあらかじめ把握することが望ましい．

（エ）常時の介護や治療が必要となった者については，速やかに特別養護老人ホーム等への入所や病院等への入院手続きをとるような状況を想定し，あらかじめ関係機関と連絡調整しておくこと．

（オ）指定福祉避難所として指定された場合には，指定一般避難所と指定福祉避難所間（指定福祉避難所から指定一般避難所へ，また，指定一般避難所から指定福祉避難所へ）の対象者の引き渡し方法等についてあらかじめ定めておくことが望ましい．

（カ）指定福祉避難所を設置した場合は，要配慮者に配慮した簡易便器等の器物並びに日常生活上の支援を行うために必要な紙おむつ，ストーマ用装具等の消耗器財が提供できるよう必要な体制を整備しておくこと．

（キ）民間施設を発災後に福祉避難所として使用する場合には，施設との間であらかじめ協定を締結しておく必要がある．協定の締結に当たっては，手続き，福祉避難所での援助の内容・方法，費用負担等について明確にしておくこと．

エ　指定避難所における備蓄

（ア）指定避難所として指定した施設には，あらかじめ応急的に必要と考えられる食料・飲料水・生活必需品等を備蓄しておくことが望ましい．

この場合，指定避難所に指定されている施設は，他の用途に使用されていることから，関係部局・機関及び当該施設の管理者等の理解を得た上で実施すること．

（イ）指定避難所や備蓄倉庫等が被災した場合，備蓄物資が利用できなくなる可能性もあることから，備蓄の地域分散についても考慮するとともに，平素から構造等の点検に努めること．

オ　トイレ，風呂の整備

トイレ，風呂が設置されていなかったり，災害時に不足することが予想される場合には，あらかじめ，仮設トイレや簡易シャワー・簡易風呂等の調達方法について検討したり，ポータブルトイレ等の備蓄を進めるなど対策を講じておくこと．また，要配慮者が使いやすい洋式トイレ等も開発されていることから，あらかじめ事業者と協定を結ぶなど，事前準備を進めておくこと．

カ　女性避難者への配慮

仮設トイレを設置する際には，男性用と女性用とを衝立で仕切る等の女性への配慮を行うとともに，衛生面についても注意すること．また，更衣室や授乳場所の確保など女性の避難者やボランティアの声を十分に聞き，女性の利用に配慮すること．

キ　避難所における健康管理・福祉的対応

（ア）発災後速やかに保健師等による健康相談やこころのケアの専門家の派遣などの対策を実施するとともに，あらかじめ他の地方公共団体と保健師等の応援協定を結んでおくなど事前準備を進めておくこと．

（イ）介護福祉士やホームヘルパーなど，介護・福祉の専門家は被災者の日常の生活リズムを取り戻す支援等の重要な役割を担うものであり，発災後速やかに介護・福祉職の派遣など福祉的サービスの提供が可能となるよう，あらかじめ福祉関係者と協定を締結するなど事前準備を進めておくこと．

ク　ホテル・旅館等との協定

（ア）発災後にホテル・旅館等と協議等を行うことは，被災者の迅速な避難に支障が生じるおそれがあることから，あらかじめホテル・旅館等の事業者と，料金・提供されるサービスの内容等を含めた以下の点などについて事前に協議し，協定を締結しておくことが望ましい．

①申し込み方法

②実施期間

③利用料金（食事の提供やリネンの交換等提供されるサービスの内容を含む）

④キャンセル料金などの取扱い

⑤その他の事項

（イ）ホテル・旅館等事業者との協議等については，地域の実情に詳しいのは市町村であるが，救助の実施主体は都道府県であり，又，事業者団体・組合は都道府県単位で組織されているものもあること等から，都道府県及び市町村は，あらかじめ互いに連絡調整を図ることが望ましい．

（笠松信幸）

評価と様式

1．避難所アセスメントのポイント（図Ⅻ-1）[1)]

避難所評価において最初に把握すべきは，管理者に関する情報である．多くの指定避難所では，当該市町村職員が管理しているが，大規模災害時や指定外の避難所においては，管理できていない場合もある．避難者の健康面を管理する保健師からはリハビリテーションニーズのありそうな避難者について相談をされることもあるため，直接情報収集・共有をすることが重要となってくる．

聴取する避難所の情報として，避難者数とライフラインの状況は必須である．

避難者の情報については，収容人数だけではなく，要配慮者の人数を具体的に把握しておくことが望ましい．また発熱や下痢などの有症状者に関する情報は，食中毒やインフルエンザなどの感染症流行の兆候を把握するうえで重要となる．さらに専門的医療ニーズの高い，小児疾患，妊産婦，透析患者などについても把握しておく．リハビリテーションニーズの観点からは，高齢者や要介護認定者，障がい者を把握しておくことが望ましい．

ライフラインの状況については，電気・水道・通信といった生活インフラの復旧状況や，食事に関すること（飲料水は確保できているか，食事が配給されているか），トイレに関すること（水洗トイレは使用可能か，トイレの数は足りているか）などを把握しておく．また，衛生状態や冷暖房の有無などの生活環境に関する情報も把握しておくことが望ましい．リハビリテーションニーズの観点からは，入り口や通路の広さや段差の状況，トイレまでの動線，一日のスケジュールなどが評価できていると良い．

2．個別アセスメントのポイント（図Ⅻ-2）[1)]

常々，病院や施設ではADL（日常生活動作）をBI（Barthel Index）やFIM（Functional Independence Measure）で評価することが多いが，災害時においては，避難所での能力と被災前の能力を比較して評価することが，必要な支援に繋がる．

発災前後では，寝返りや起き上がり，立ち上がり，歩行などの基本動作に変化がないか確認する．災害前はベッド使用していたが，避難所では床での生活となり起き上がりが困難になった場合や，膝や腰の痛みを訴える対象者も多い．福祉用具などで環境調整ができる場合は，環境調整を試みる．ADLにおいても，発災前に軟飯や，やわらかい食形態を好んで食べていた方は，支援物資として届けられる食事は飲み込みにくいことがあるため，食事の状況を確認することが必要である．避難所ではトイレを使用しにくいために飲水を控える方もいるため，トイレの使用状況なども確認しておく．

避難所生活においては，当初問題がなくても，長期化に伴う疲労やストレスの蓄積により，不調をきたす方もいるため，心理面を評価しておくことも重要である．

3. 避難所などでの保健医療福祉活動の記録および報告のための様式について

保健医療福祉調整本部および保健所は，当該保健医療福祉調整本部及び保健所の指揮等に基づき活動を行う保健医療活動チームに対し，避難所等での保健医療活動の記録及び報告のための統一的な様式を示すこと，とされている（図XII-3～7）[3]．

今後の災害支援において，保健医療福祉活動を行う際には，前述の様式を共通言語として情報共有されることが予測される．

平時の準備として，JRATが用いる評価表や他団体が使用する評価表を理解し，評価表を基に情報共有や保健医療福祉活動の報告ができるようにすることが重要である．

※災害リハビリテーションに関する最新の評価表や報告書などについてはJRATのホームページ（https://www.jrat.jp/）で随時更新されるため，そちらも参照いただければ幸いである．

【文献】

1）一般社団法人　日本災害リハビリテーション支援協会：https://www.jrat.jp/
2）厚生労働省：大規模災害時の保健医療福祉活動に係る体制の整備について：https://www.mhlw.go.jp/content/10900000/000992401.pdf
3）厚生労働省：災害時健康危機管理支援チーム活動要領について：https://www.mhlw.go.jp/stf/seisakunitsuite/bunya/0000197835.html

（根岸　昌・今野和成）

避難所アセスメントシート Ver. 15

記入救護判名： ＿＿＿＿＿＿＿＿＿＿＿＿＿＿＿ 西暦　　年　　月　　日

***アラート情報**：□なし　□あり→

組織	地区名：	避難所名：	避難所電話：□普通　□開通→電話番号：
	リーダー氏名：	リーダー電話番号：	メールアドレス：
	既医療支援	□DMAT　□JMAT　□日赤　□大学　□国病　□AMAT　□都道府県　□リハ団体　□その他　□なし	

人数	収容人数：　　人	有症状者総数：　　人	発熱(≧38℃)(　　)　頭痛(　　)　咳(　　)　外傷(　　)
	一人当たり専有面積：　　㎡くらい	症状内訳(人)※右に記入 →	嘔吐(　　)　下痢(　　)　その他(　　)
	うち要配慮　要支援　　人→	全介助(　　)人　一部介助(　　)人　認知障害(　　)人　乳幼児(　　)人　外国人(　　)人 その他(　　)人 →	
	うち要配慮　要医療　　人→	要酸素(呼吸困難含む)(　　)人　慢性透析(　　)人　インフルエンザ(　　)人 その他(　　)人 →	

専門的医療ニーズ	小児疾患	有(緊急)・有(≠緊急)・無	1歳未満(　　)人
	精神疾患	有(緊急)・有(≠緊急)・無	不眠・不安(　　)人　精神科疾患(　　)人
	周産期	有(緊急)・有(≠緊急)・無	妊婦(　　)人　産褥期(　　)人
	歯科	有(緊急)・有(≠緊急)・無	歯痛(　　)人　入れ歯紛失/破損(　　)人

専門的医療ニーズ	飲料水	◎・○・△・×	□水道　□給水車 □井戸　□ペットボトル
	食事	◎・○・△・×	
	電気	◎・○・△・×	
	毛布等の寝具	◎・○・△・×	
	冷暖房	◎・○・△・×	
	衛生環境	◎・○・△・×	生活用水(手洗い等)：◎・○・△・× 下水：□有　□無　土足：□可　□不可
	トイレ	◎・○・△・×	汲み取り：(十分または不要)：◎・○・△・×
その他			

図XII-1　避難所評価書式

(作成者: 石井　正, 許諾を得て転載)

7.災害リハビリテーション　対象者基本票　1

避難所用

★初回評価日：　平成28年　月　日（　）

★担当者名：　所属

氏名：

★生活不活発のおそれ

有　・　要注意　・　無

コメント

★避難場所　※詳細は裏面に記載

★氏名	★性別	★年齢	★生年月日
	男　・　女	歳	M・T・S・H　年　月　日

★介護保険関係

震災前	介護認定状況：介護認定なし／要支援1・2／要介護1・2・3・4・5
震災後	介護認定状況：介護認定なし／要支援1・2／要介護1・2・3・4・5

その他（サービス等）：

★基本動作状況

項目	震災前	震災後	コメント
寝返り	自立・要介助・不可	自立・要介助・不可	
起き上がり	自立・要介助・不可	自立・要介助・不可	
座位	自立・要介助・不可	自立・要介助・不可	
起立（椅子、床）	自立・要介助・不可	自立・要介助・不可	
立位保持	自立・要介助・不可	自立・要介助・不可	

★ADL状況

項目	震災前	震災後	コメント
食事	自立・要介助・不可	自立・要介助・不可	
移乗	自立・要介助・不可	自立・要介助・不可	
整容	自立・要介助・不可	自立・要介助・不可	
トイレ	自立・要介助・不可	自立・要介助・不可	
入浴	自立・要介助・不可	自立・要介助・不可	
歩行（車椅子）	自立・要介助・不可	自立・要介助・不可	
階段昇降	自立・要介助・不可	自立・要介助・不可	
更衣	自立・要介助・不可	自立・要介助・不可	
常飲薬	あり・なし・不明	あり・なし・不明	種別

★対応内容（気を配ってほしいところ等）・備考

月/日	経過	処置及び指導内容	職種・サイン
/			
/			
/			
/			
/			
/			
/			
/			
/			
/			
/			
/			
/			
/			
/			
/			
/			
/			
/			
/			
/			
/			
/			
/			
/			
/			
/			
/			
/			
/			
/			
/			

山形災害リハ支援気仙沼チーム編改

図XII-2　対象者評価書式

（作成者：髙木理彰，許諾を得て転載）

調査票を配布した避難所名：

被災者アセスメント調査票

この調査票は、被災状況を直ちに把握し、適切に関係機関と共有することを目的とした調査票であり、本調査票に記載いただいた情報の共有に当たっては、災害時における支援活動のために使用いたします。

記入者のお名前:	記入日時:　月　日　時　分	
記入者の生年月日:	年齢:	性別:
自宅住所:	固定電話:	
	携帯電話:	
記入者を含む被災された方の世帯人数:		

1 被災状況

被災により使用できなくなったライフライン	□ ガス □ 水道 □ 電気 □ 下水道 □ 固定電話 □ 携帯電話 □ インターネット通信
家屋（建物）の被害の状況	□ 家屋に極めて大きな被害があった (家が流れてしまった、家が倒壊した、家が土砂によって埋没したなど) □ 家屋に修繕が必要な程度の大きな被害があった（瓦が落ちた、外壁がはがれたなど） □ 家屋に被害があった ［被害の概況：　］ □ 被害はなかった

2 現在の御自身の状況や、御自身と一緒に避難している御家族の状況

現在の宿泊場所	□ 避難所 □ 自宅 □ 知人宅 □ 車中泊 □ その他		
避難所の利用	□ 利用している ［□ 応急給水 □ 食事 □ トイレ □ 生活物資 □ 入浴 □ 行政やボランティア等から提供される各種の情報］ □ 利用していない		
医療サポートを利用されているか。	□ 人工呼吸器 □ 在宅酸素 □ 透析 □ インスリン注射 □ 緊急性のある精神疾患 □ 緊急治療歯科疾患 □ 要緊急処置妊婦 □ 定期的投薬が必要（現在、［中断・継続］） □ 降圧薬 □ 糖尿病 □ 向精神薬 □ その他 ［医薬品名：　］		
かかりつけの医療機関名			
妊産婦や乳幼児の方がいるか	□ 有 □ 無	食物アレルギーを有しているか	□ 有 ［原因食物　］ □ 無
要介護（支援）認定を受けられているか	□ 有（□ 要支援1 □ 要支援2 □ 要介護1 □ 要介護2 □ 要介護3 □ 要介護4 □ 要介護5 □ 介護区分不明） □ 無		
障害等手帳をお持ちか	□ 有［□ 身体障害者手帳 □ 精神障害者保健福祉手帳 □ 療育手帳］ ［具体的な障害の種類等： □ 身体障害 □ 知的障害 □ 精神障害 □ 発達障害］ □ 無		
デイサービス・ヘルパーなどの公的サービスを利用されているか	□ 有［□ 被災前と変わらず利用の見通しが立っている □ 利用の見通しが立たない □ わからない］ ［利用している事業所名：　］ □ 無		
その他			

本調査票に記載した情報を、地方自治体が設置する避難所の管理者、当該地方自治体の災害対策本部及び保健医療福祉調整本部等において共有することに同意します。

年　月　日

氏名＿＿＿＿＿＿＿＿

図XII-3　被災者アセスメント調査票

（別添２）

施設・避難所等ラピッドアセスメントシート (OCR 対応様式)

ver.20210907

□の欄は、使用可能・該当・対応済であれば、✓を入れてください

＊ A: 充足　B: 改善の余地あり　C: 不足　D: 不全

避難所コード									

調査日	2	0			年			月			日
	AM		PM					時			分

#A-D 選択式の項目が全て A 評価になるまで連日記入

人数は概算可

調査者氏名		調査者所属	
電話連絡先			

施設名		固定電話	
所在地		携帯電話	
		FAX	

避難所運営組織	□	代表者名	

避難者数（人）（A）		内訳 男性（人）		内訳 女性（人）	
食事提供人数（B）		避難所以外の避難者数（推計）※食事提供数（B）－避難者数（A）			

避難者数（再掲）	昼間人数（人）		夜間人数（人）		車中泊人数(人)	
	75 歳以上（人）		未就学児（人）		乳児（人）	

ライフライン / 通信	飲料水	A～D		食事	A～D		使用可能トイレ	A～D	
	電気	A～D		ガス	A～D		生活用水	A～D	
	固定電話	□	携帯電話	□	衛星電話	□	データ通信	□	
医療支援	救護所設置	□	医療チームの巡回	□					

避難所の環境	過密度	A～D		毛布等寝具	A～D		室温度管理	A～D		手洗い環境	A～D	
	トイレ掃除	□	土足禁止	□	下水	□	ごみ集積場所	□	館内禁煙	□	ペット収容所	□
	男女別更衣室	□	男女別トイレ	□	男女別居住スペース	□	授乳室等母子専用スペース	□		□	障害者用トイレ	□
	感染予防・清掃用物品	□	パーティションによる区切り	□	段ボールベッド	□						

伝達事項	

問合せ先: 芝浦工業大学 システム理工学部 市川 学 (m-ichi@shibaura-it.ac.jp)

図XII-4　施設・避難所等ラピッドアセスメントシート

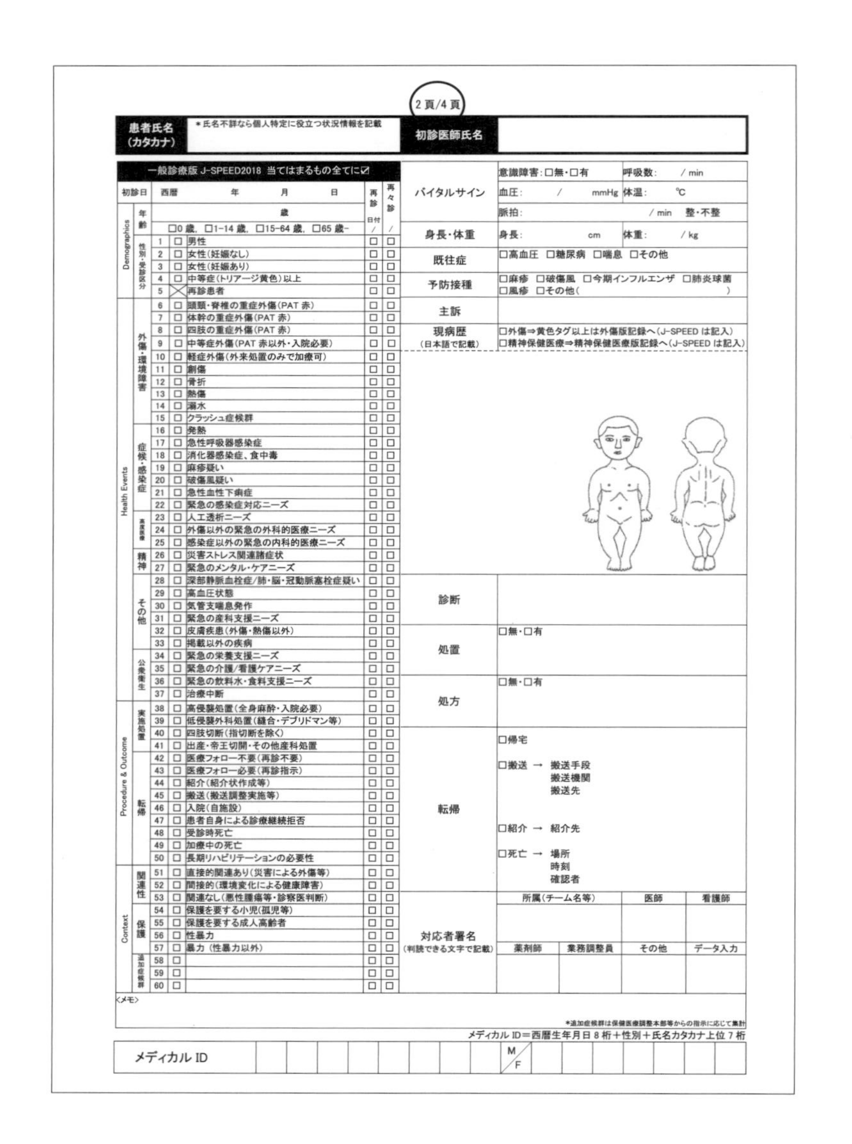

(別添３)

災害診療記録2018

1頁/4頁

＊は必須記録項目

＊初診日	西暦　　年　　月　　日
＊初診医師氏名	
＊患者氏名(カタカナ)	最初の7文字をメディカルIDに転記
(漢字等)	氏名不詳なら個人特定に役立つ情報(救出された場所や状況等)を記載 性別：　男・女
＊生年月日・年齢	西暦・明治・大正・昭和・平成　　年　　月　　日(　　)歳 年齢不詳の場合は推定年齢
保険証情報	保険者番号：　　記号：　　番号：
[携帯]電話番号	
＊住所	自宅：〒　　状態：□健存　□半壊　□全壊
	□避難先1：□避難所名(　　)□知人宅　□テント　□車内　□その他
	□避難先2：□避難所名(　　)□知人宅　□テント　□車内　□その他
連絡先	□家族・□知人・□その他・□連絡先なし
職業	

【禁忌事項等】
□アレルギー
□禁忌食物

【特記事項(常用薬等)】
□抗血小板薬(　　)
□抗凝固薬　□ワーファリン(　　)
□糖尿病治療薬　□インスリン　□経口薬(　　)
□ステロイド(　　)
□抗てんかん薬(　　)
□その他(　　)
□透析
□在宅酸素療法(HOT)
□災害時要配慮者：□高齢者　□障害者　□乳幼児　□妊婦　□日本語が不自由□その他(　　)

【要保護者】□支援者のいない要配慮者等　該当状況：□身体的/□精神的/□社会的/□その他(　　)

＊傷病名	＊開始	診察場所	＊所属・医師サイン
	年　月　日		

メディカルID＝西暦生年月日8桁＋性別＋氏名カタカナ上位7桁
例)1950年09月08日生まれ　男性　トヨトミヒデヨシ⇒　19500908M トヨトミヒデヨ

トリアージタグ	□赤　□黄　□緑　□黒　番号：
メディカルID	M/F

2頁/4頁

患者氏名(カタカナ)	＊氏名不詳なら個人特定に役立つ状況情報を記載	初診医師氏名	

一般診療版 J-SPEED2018 当てはまるもの全てに☑

初診日　西暦　年　月　日　　再診(日付)　再々診

年齢		□0歳、□1-14歳、□15-64歳、□65歳-
性別・受診区分 (Demographics)	1	男性
	2	女性(妊娠なし)
	3	女性(妊娠あり)
	4	中等症(トリアージ黄色)以上
	5	再診患者
外傷・環境障害 (Health Events)	6	頭頸・脊椎の重症外傷(PAT赤)
	7	体幹の重症外傷(PAT赤)
	8	四肢の重症外傷(PAT赤)
	9	中等症外傷(PAT赤以外・入院必要)
	10	軽症外傷(外来処置のみで加療可)
	11	創傷
	12	骨折
	13	熱傷
	14	溺水
	15	クラッシュ症候群
症候・感染症	16	発熱
	17	急性呼吸器感染症
	18	消化器感染症、食中毒
	19	麻疹疑い
	20	破傷風疑い
	21	急性血性下痢症
	22	緊急の感染症対応ニーズ
慢性疾患	23	人工透析ニーズ
	24	外傷以外の緊急の外科的医療ニーズ
	25	感染症以外の緊急の内科的医療ニーズ
精神	26	災害ストレス関連諸症状
	27	緊急のメンタル・ケアニーズ
その他	28	深部静脈血栓症/肺・脳・冠動脈塞栓症疑い
	29	高血圧状態
	30	気管支喘息発作
	31	緊急の産科支援ニーズ
	32	皮膚疾患(外傷・熱傷以外)
	33	掲載以外の疾病
公衆衛生	34	緊急の栄養支援ニーズ
	35	緊急の介護/看護ケアニーズ
	36	緊急の飲料水・食料支援ニーズ
	37	治療中断
実施処置 (Procedure & Outcome)	38	高侵襲処置(全身麻酔・入院必要)
	39	低侵襲外科処置(縫合・デブリドマン等)
	40	四肢切断(指切断を除く)
	41	出産・帝王切開・その他産科処置
転帰	42	医療フォロー不要(再診不要)
	43	医療フォロー必要(再診指示)
	44	紹介(紹介状作成等)
	45	搬送(搬送調整実施等)
	46	入院(自施設)
	47	患者自身による診療継続拒否
	48	受診時死亡
	49	加療中の死亡
	50	長期リハビリテーションの必要性
関連性 (Context)	51	直接的関連あり(災害による外傷等)
	52	間接的(環境変化による健康障害)
	53	関連なし(悪性腫瘍等・診察医判断)
保護	54	保護を要する小児(孤児等)
	55	保護を要する成人高齢者
	56	性暴力
	57	暴力(性暴力以外)
追加症候群	58	
	59	
	60	

バイタルサイン	意識障害：□無・□有　呼吸数：　/min 血圧：　/　mmHg　体温：　℃ 脈拍：　/min　整・不整
身長・体重	身長：　cm　体重：　/kg
既往症	□高血圧　□糖尿病　□喘息　□その他
予防接種	□麻疹　□破傷風　□今期インフルエンザ　□肺炎球菌 □風疹　□その他(　　)
主訴	
現病歴(日本語で記載)	□外傷⇒黄色タグ以上は外傷版記録へ(J-SPEEDは記入) □精神保健医療⇒精神保健医療版記録へ(J-SPEEDは記入)
診断	
処置	□無・□有
処方	□無・□有
転帰	□帰宅 □搬送 → 搬送手段 搬送機関 搬送先 □紹介 → 紹介先 □死亡 → 場所 時刻 確認者
対応者署名(判読できる文字で記載)	所属(チーム名等)　医師　看護師 薬剤師　業務調整員　その他　データ入力

<メモ>

＊追加症候群は保健医療調整本部等からの指示に応じて集計

メディカルID＝西暦生年月日8桁＋性別＋氏名カタカナ上位7桁

メディカルID	M/F

図XII-5　災害診療録 2018（一般診療版）

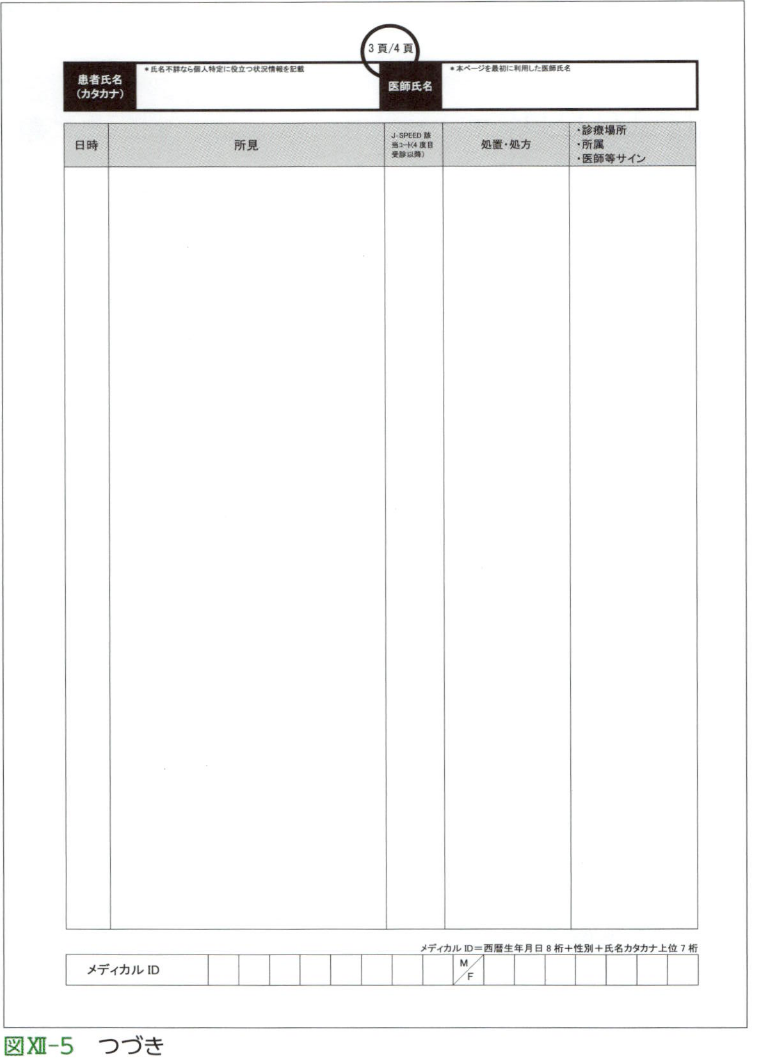

3 頁/4 頁

患者氏名（カタカナ）
＊氏名不詳なら個人特定に役立つ状況情報を記載

医師氏名
＊本ページを最初に利用した医師氏名

日時	所見	J-SPEED 該当コード(4 度目受診以降)	処置・処方	・診療場所 ・所属 ・医師等サイン

メディカル ID＝西暦生年月日 8 桁＋性別＋氏名カタカナ上位 7 桁
メディカル ID
M/F

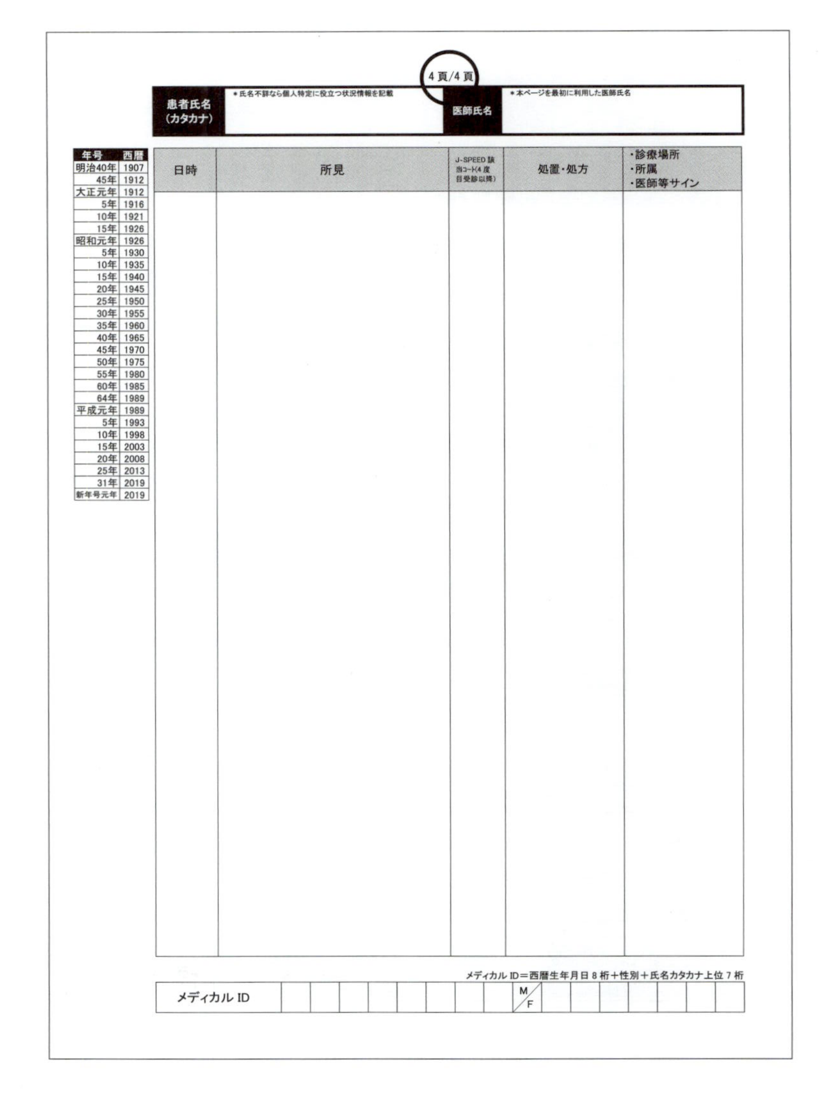

4 頁/4 頁

患者氏名（カタカナ）
＊氏名不詳なら個人特定に役立つ状況情報を記載

医師氏名
＊本ページを最初に利用した医師氏名

年号	西暦
明治40年	1907
45年	1912
大正元年	1912
5年	1916
10年	1921
15年	1926
昭和元年	1926
5年	1930
10年	1935
15年	1940
20年	1945
25年	1950
30年	1955
35年	1960
40年	1965
45年	1970
50年	1975
55年	1980
60年	1985
64年	1989
平成元年	1989
5年	1993
10年	1998
15年	2003
20年	2008
25年	2013
31年	2019
新年号元年	2019

日時	所見	J-SPEED 該当コード(4 度目受診以降)	処置・処方	・診療場所 ・所属 ・医師等サイン

メディカル ID＝西暦生年月日 8 桁＋性別＋氏名カタカナ上位 7 桁
メディカル ID
M/F

図XII-5 つづき

（別添４）

避難所日報（避難者状況）

避難所名		避難所コード	

活動日	年　月　日	記載者(所属・職名・職種)	

◆配慮を要する者◆

	人数	うち要継続支援人数
高齢者(65歳以上)	人	人
うち75歳以上	人	人
要介護認定者	人	人
妊婦	人	人
じょく婦	人	人
乳児	人	人
幼児・児童	人	人
うち障害児・医療的ケア児	人	人

	人数	うち要継続支援人数
障害者	人	人
身体障害者	人	人
知的障害者	人	人
精神障害者	人	人
難病患者	人	人
在宅酸素療法・呼吸器療法	人	人
透析(腹膜透析含む)	人	人
アレルギー疾患	人	人

	人数	うち要継続支援人数
服薬者	人	人
降圧薬	人	人
糖尿病薬	人	人
向精神薬	人	人
他の治療薬	人	人
その他	人	人
要継続支援合計人数(実人数)		人

特記事項	

◆対応すべきニーズがある者◆　＊まだ解決しておらず、速やかに対応しなければならないニーズがある避難者数を記載する。

	該当	特記事項(→左の欄のその内容、アセスメント等記載)
医療ニーズのある者	□無・□有　人	
うち医薬品がない者	□無・□有（　人）	

	該当	特記事項(→左の欄のその内容、アセスメント等記載)
保健福祉ニーズのある者	□無・□有　人	
高齢者	□無・□有（　人）	
障害者・児	□無・□有（　人）	
その他	□無・□有（　人）	
こころのケアが必要な者	□無・□有（　人）	

◆感染症・食中毒等症状がある者◆

	該当	特記事項(→左の欄のその内容、アセスメント等記載)
総数(実人数)	□無・□有　人	
発熱	□無・□有（　人）	
咳・痰	□無・□有（　人）	
下痢・嘔吐	□無・□有（　人）	

対応内容・結果

課題／申し送り

（2020年版）　　写真送信の場合は再度記載→　避難所コード

図XII-6　避難所日報

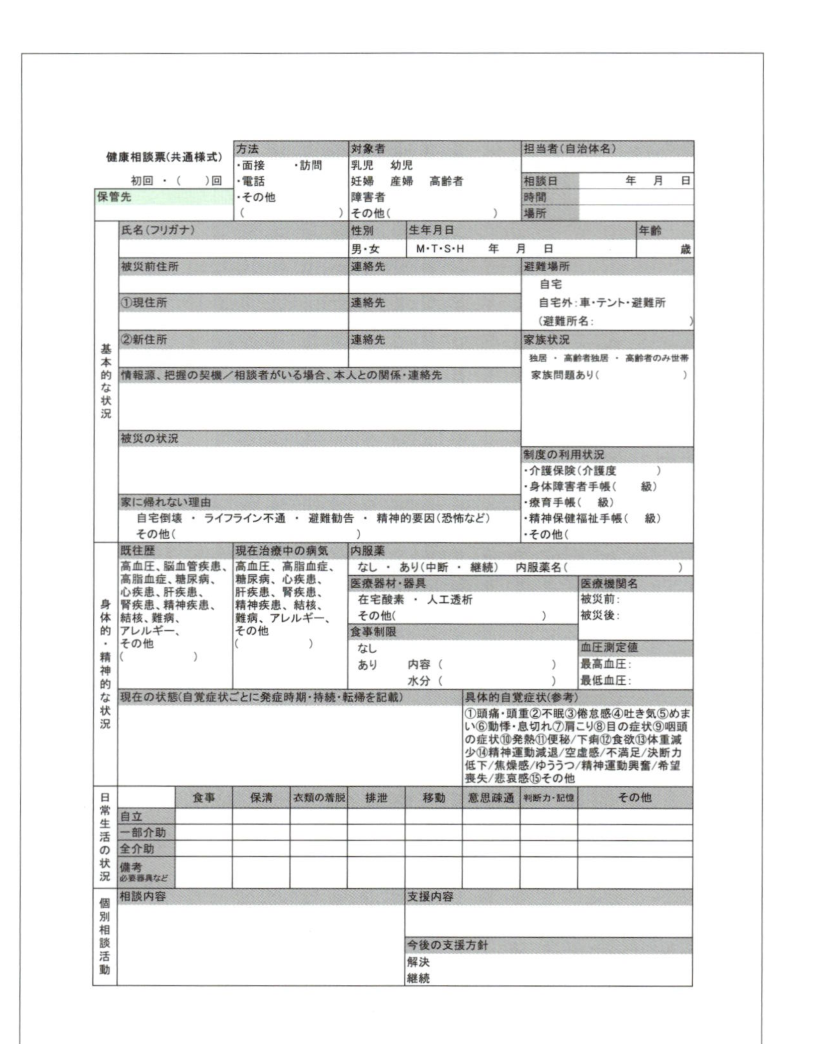

健康相談票(共通様式)

初回・（　）回

保管先	方法：・面接　・訪問　・電話　・その他（　）	対象者：乳児　幼児　妊婦　産婦　高齢者　障害者　その他（　）	担当者(自治体名)
			相談日　年　月　日
			時間
			場所

基本的な状況			
氏名(フリガナ)	性別　男・女	生年月日　M・T・S・H　年　月　日	年齢　歳
被災前住所	連絡先	避難場所：自宅　自宅外：車・テント・避難所（避難所名：　）	
①現住所	連絡先		
②新住所	連絡先	家族状況：独居・高齢者独居・高齢者のみ世帯　家族問題あり（　）	
情報源、把握の契機／相談者がいる場合、本人との関係・連絡先			
被災の状況		制度の利用状況：・介護保険(介護度　)・身体障害者手帳(　級)・療育手帳(　級)・精神保健福祉手帳(　級)・その他	
家に帰れない理由：自宅倒壊・ライフライン不通・避難勧告・精神的要因(恐怖など)　その他（　）			

身体的・精神的な状況			
既往歴：高血圧、脳血管疾患、高脂血症、糖尿病、心疾患、肝疾患、腎疾患、精神疾患、結核、難病、アレルギー、その他（　）	現在治療中の病気：高血圧、高脂血症、糖尿病、心疾患、肝疾患、腎疾患、精神疾患、結核、難病、アレルギー、その他（　）	内服薬：なし・あり(中断・継続)　内服薬名（　）	
		医療器材・器具：在宅酸素・人工透析　その他（　）	医療機関名：被災前：　被災後：
		食事制限：なし　あり　内容（　）水分（　）	血圧測定値：最高血圧：　最低血圧：
現在の状態(自覚症状ごとに発症時期・持続・転帰を記載)		具体的自覚症状(参考)：①頭痛・頭重②不眠③倦怠感④吐き気⑤めまい⑥動悸・息切れ⑦肩こり⑧目の症状⑨咽頭の症状⑩発熱⑪便秘/下痢⑫食欲⑬体重減少⑭精神運動減退/空虚感/不満足/決断力低下/焦燥感/ゆううつ/精神運動興奮/希望喪失/悲哀感⑮その他	

日常生活の状況

	食事	保清	衣類の着脱	排泄	移動	意思疎通	判断力・記憶	その他
自立								
一部介助								
全介助								
備考 必要器具など								

個別相談活動

相談内容	支援内容
	今後の支援方針：解決　継続

図XII-7　健康相談票

これまでの活動の概要

平成23年東北地方太平洋沖地震（東日本大震災）

（1）災害の概要

①**発生日時**：2011年3月11日（金）14時46分頃

②**災害規模・被害状況**：震源は三陸沖（牡鹿半島東南東130 km付近）．マグニチュード9.0，深さ24 km，余震マグニチュード7.0以上が6回，マグニチュード6.0以上が89回，マグニチュード5.0以上が552回．地震や津波の被害が確認され，浸水面積は約561 km^{2}に及んだ．

③**被害状況**

人的被害：死者1万5,829名，行方不明者3,725名，建物被害：全壊11万8,822戸，半壊18万4,615戸（2011年10月26日時点）．災害救助法の適応は1都7県で237市町村．被害総額は16兆9千億円といわれている．避難者（避難所生活者）数は，発災1週間後では38万6,739名で，7カ月後でも2万1,899名と避難が長期化し，応急仮設住宅は2011年10月24日時点で5万1,537戸が完成．なお，この時の災害直接死者数15,882名のほとんどが津波による溺死．また災害関連死の2022年3月31日現在の集計では1都9県で合計3,789名．福島県が最多で，宮城県，岩手県の順となり，この3県で98%を占める．年齢別では66歳以上が88%である．

④**災害の特徴**：自然災害では最大級の記録的被害．特に太平洋沿岸部で広範な津波被害となり，復旧・復興に時間と費用を要し避難時間が長期化．犠牲者の多くは津波によるものであり，外傷者は少なかった．建物の倒壊や瓦礫の下敷きによる多数死者や外傷者が多かった阪神淡路大震災とは被災状況は大きく異なっていた．また，被災地の多くは高齢化率が高い地域で，発災前から医療や介護サービスの過疎地であった．加えて原子力発電所の事故がさらに災害を拡大したということも特徴となった．

（2）災害リハビリテーション支援活動の概要

4月18日に「東日本大震災リハビリテーション支援関連10団体（以下，10団体）」を設立（詳細はp.4，Ⅰ-Cを参照）．10団体発足から，支援地3カ所の全撤退完了までの期間は167日．支援は生活不活発予防，深部静脈血栓症（DVT）予防，二次的合併症の予防など生活環境とリスクに関わることや，コミュニティづくり，生活移行支援，支援者間の連携に関わることなど地域リハビリテーションに基づいた種々の活動に取り組み，避難者が仮設住宅などで可能な限り安心・安全で自立した生活が可能となるように環境調整などを含め対応した．

【宮城県石巻市】

①活動期間：5月6日～9月26日（計144日間）

②活動場所：桃生農業トレーニングセンター（福祉避難所）

③活動内容：12施設から医師，看護師，理学療法士，作業療法士，介護福祉士が64名（延べ538名）が参加．新規開設の福祉避難所におけるリハビリテーション支援活動（他団体とともに）となった．初期には避難所運営そのものの円滑化に労力を費やした結果となった．仮設住宅の整備とともに移行支援の割合が高くなり，避難所は閉鎖となる．

【宮城県気仙沼市】

①活動期間：6月13日～9月30日，計110日間

②活動場所：気仙沼ホテル観洋（二次避難所）

③活動内容：13施設から理学療法士，作業療法士が46名（延べ372名）が参加．新規開設の二次避難所におけるリハビリテーション支援活動（他団体とともに）となった．ホテルでの個室避難所では，一部屋ずつ対応することが基本となる．その他現地の災害医療コーディネーターや保健行政とともに活動の幅を広げたが，仮設住宅の整備とともに避難所も閉鎖となり活動は終了した．

【福島県猪苗代町】

①活動期間：6月15日～9月30日，計108日間

②活動場所：リステル猪苗代（遠隔避難）

③活動内容：7施設から医師，理学療法士，作業療法士が53名（延べ308名）が参加．原発事故関係の避難者であり，約800名もの人が個室に避難しているということが特徴的であった．当該ホテルはバリアブルな環境であり，一部では生活不活発に伴う廃用性の機能低下が心配されていた．当時は複数の避難所を移動していた避難者にとっては先の見えない中で，引きこもり気味となった暮らしぶりであった．関節痛を訴える方が9割近くにのぼった．

(3) 総括

東日本大震災ではリハビリテーション関連団体が災害リハビリテーション支援チームと協働して被災地に派遣するという試みが初めて行われた．これは派遣する側の都合だけでなく，支援者を引き受ける現地の担当者にとっては窓口が明確化し，外部への対応負担（対応ストレス）が軽減されるという点では双方に有効であったと思われる．被災者への対応では人は変わってもその人の背景は変わらないという安心感と継続性は担保できたと考えている．これは避難者の発言からもみてとれる．ともすれば入れ代わり立ち代わりの支援者に，同じ話を何回も聞かれてうんざりという気持ちになりがちな避難所において，平時のリハビリテーション現場で情報の共有化が非常に重要であることを経験・熟知したリハビリテーション専門職が災害時に活躍することで前記のような状況にはなりにくかったと思われる．

地元との連携という観点から，気仙沼市での支援の経験は学ぶところが大きかった．支援開始に際して心がけたのは地元の保健所との対話であった（ニーズの理解など）．また同時に宮城県地域リハビリテーション広域支援センターとの打ち合わせ（特に支援に関する指示・命令はセンターに集約するとの取り決めなど）は，支援活動への円滑な導入と展開に非常に有用であったと考える．撤退も理解を得て計画的に行えた事例であった．

避難者が自らの判断・努力によって暮らしの主体的再建を図る，自立支援とはいかなることかを平時から意識した活動を行っていくことが重要である．

本災害でリハビリテーション医療の観点から組織的に活動したわれわれの実績は，それまで短期の救命救急（DMAT活動）にのみ軸足を置いていた災害医療支援のあり方を問うものであった．その後のDMATからのJRAT会議へのオブザーバー参加・平時からの連携申し入れなど，JRAT活動には高い評価が得られている．

【文献】

1）東日本大震災リハビリテーション支援関連10団体：派遣活動報告書，2012.
2）内閣府：東日本大震災災害概要資料.
3）復興庁：震災関連死の死者数.

（栗原正紀）

気仙沼の被災状況（2011年5月撮影）

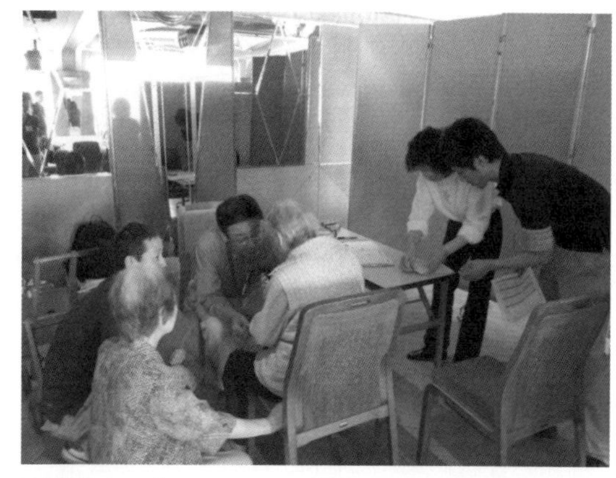

宮城県リハビリテーション支援センター長の避難所におけるリハビリテーション整形相談会（2011年6月ホテル観洋にて）

平成 27 年 9 月関東・東北豪雨（常総市鬼怒川水害）

(1) 災害の概要

①発生日時：2015 年 9 月 9 日（水）～9 月 11 日（金）

②災害規模・被害状況：台風第 18 号（2015 年 9 月 7 日発生）の影響などによる観測史上最多雨量を更新する関東・東北地方での記録的大雨で，鬼怒川堤防が決壊し，18 市 4 町で浸水などによる被害が発生．常総市で 7 カ所溢水．10 日に堤防が約 200 m 決壊，市面積約 1/3 相当が浸水．人的被害（市/県）は死者 2/3 名，負傷者 44/54 名，住家被害（市/県）は全壊 53/54 件，半壊 5,064/5,496 件，床上浸水 151/188 件，床下浸水 3,070/3,766 件（2018 年 4 月 1 日時点）であった．

③災害の特徴：小貝川，鬼怒川に挟まれた地域の甚大被害で建物流失・広域浸水・長期湛水が特徴．北の「石下地区」から市役所がある南の「水海道地区」までの冠水が 1 日のうちに発生．災害対応拠点の市役所が浸水．屋外に設置してある非常用電源設備が使用不能になる被災があった．氾濫流により地盤が侵食，宅地などの浸水解消に 10 日を要した．

(2) 災害リハビリテーション支援活動の概要

①活動期間：9 月 12 日～11 月 15 日

②活動場所：急性期（発災～1 週間）の現地災害対策本部（以下本部）は筑波大学附属病院とつくば保健所．活動場所は各避難所．亜急性期（1 週間～1 カ月程度）の本部は筑波大学附属病院のみ．慢性期（1～3 カ月程度）の本部は筑波メディカルセンター病院と JA とりで総合医療センターとなり活動場所は 4 避難所．中・長期（3 カ月以降）の本部は筑波メディカルセンター病院のみ．

③活動内容：茨城 JRAT（リハビリテーション専門職，医師，医療ソーシャルワーカー，介護福祉士）を編成し，現地災害対策本部に茨城 JRAT 災害対策本部を設置．発災翌日から各避難所へ JMAT の一員および JRAT 単独チームを派遣．各避難所にてリハビリテーションニーズを評価．環境調整・運動指導・助言などを実施．義肢装具士，県福祉サービス振興会と福祉用具供給システムを構築し運用．県立健康プラザ，県シルバーリハビリ体操指導士連合会（以下，指導士会）と協議を開始．亜急性期から茨城 JRAT 単独の活動開始．9 月 27 日に茨城 JRAT 解散．同 28 日から県地域リハビリテーション支援体制による災害リハビリテーション支援に移行．慢性期に入り，県地域リハビリテーション支援体制による指導士会の活動支援を主とする災害リハビリテーション支援に完全移行．11 月 15 日で県地域リハビリテーション支援体制による災害リハビリテーション支援は終了．指導士会によるボランティア活動は 11 月 30 日まで継続．

(3) 総括

今回の災害は，医師およびロジスティクスを除いては全国からのチーム派遣を必要とすることはなかった．その背景には①リハビリテーション専門職による初動と急性期からの関与，②JRAT が発災時から現地災害対策本部に参画，③県・県医師会などの多職能団体と良好な関係性を構築していた県リハビリテーション専門職協会の連携と活動の成熟，④地域リハビリテーション支援体制が機能したこと，⑤ソーシャルキャピタルである指導士会の秀逸性，⑥初動から支援終了まで全体をマネジメントできる理学療法士などの存在などが挙げられる．最終的に茨城 JRAT に対して費用支弁がなされ，県 JRAT および地域リハビリテーション支援体制における災害リハビリテーション支援が重視される契機となった．

【文献】

1）長谷川大悟・他：関東・東北豪雨による常総市災害支援　茨城 JRAT の活動報告（第 1 報）　フェーズ 1～フェーズ 3 までの対応（会議録）．茨城県総合リハビリテーションケア学会誌 **24**：27，2015．

2）斉藤秀之，大場耕一：多職種連携の未来　関東・東北豪雨による常総市災害支援　茨城 JRAT としての活動（会議録）．日集団災医会誌 **20**(3)：470，2016．

3）王子野麻代：多様な災害医療派遣チームの「連携」に関する研究　一なぜ連携不全は起きるのか？鬼怒川水害の経験から活動調整メカニズムを考える一．医総研ワーキングペーパー，No.383，2017 年 6 月 23 日．

（斉藤秀之）

保健師の方との直接的支援開始前の打ち合わせ

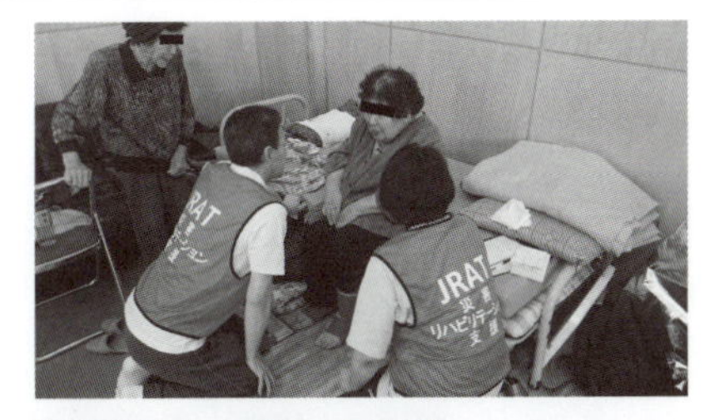

理学療法士 2 名による対応

シルバーリハビリ体操指導士による集団体操（廃用予防活動）

平成 28 年熊本地震

(1) 災害の概要

①**発生日時**：2016 年 4 月 14 日 (木) 21 時 26 分 (前震)，2016 年 4 月 16 日 (土) 1 時 25 分 (本震)

②**災害規模・被害状況**

【前震】 震源地：熊本県熊本地方（北緯 32 度 44.5 分，東経 130 度 48.5 分)，深さ 11 km，規模：マグニチュード 6.5，震度 7，熊本県：益城町宮園．

【本震】 震源地：熊本県熊本地方（北緯 32 度 45.2 分，東経 130 度 45.7 分)，深さ 12 km，規模：マグニチュード 7.3，震度 7，熊本県：益城町宮園，西原村小森，人的被害：死者 228 名(直接死 50 名)，重傷者 1,149 名，軽傷者 1,604 名，建物被害：全壊 8,697 棟，半懐 34,037 棟，一部破損 155,902 棟．(消防庁情報：2017 年 4 月 13 日 18：00 時点)．避難所への避難者最大数：熊本県 183,882 名（2017 年 4 月 17 日：855 カ所開設)．大分県：12,443 名（2017 年 4 月 17 日：311 カ所開設)．九州電力管内：最大 47 万 7,000 戸停電 (2017 年 4 月 16 日 2：00 時点)．西部ガス管内：最大 10 万 5,000 戸供給停止．最大 44 万 5,857 戸断水 (各自治体の最大断水戸数の累計)．

③**災害の特徴**：震度 7 を観測する地震が 4 月 14 日 (前震) と 4 月 16 日（本震）と 28 時間以内に 2 回発生するという観測史上初の災害であった．4 月 14 日に熊本県は県内全 45 市町村に災害救助法の適用を決定した．4 月 25 日に激甚災害法に基づき，熊本地震による災害が「激甚災害」として指定され，4 月 28 日には特定非常災害特別措置法に基づき，熊本地震による災害が「特定非常災害」に指定．5 月 10 日には大規模災害復興法に基づき，熊本地震による災害が「非常災害」として指定され，これは東日本大震災を踏まえて 2013 年に制定された初の適用事例となった．

(2) 災害リハビリテーション支援活動の概要

①**活動期間**：初期～後期(2016 年 4 月 15 日～7 月 16 日)

②**活動場所**：御船保健所管内避難所（益城町・御船町・嘉島町・甲佐町)，宇城保健所管内避難所（宇城市・美里町)，阿蘇保健所管内避難所〔西原町・南阿蘇村（旧白水・久木野・長陽)〕，菊池保健所管内避難所（大津町)，熊本市保健所管内避難所（東区・中央区・北区・南区)

③**活動内容**：深部静脈血栓症（DVT）・生活不活発病に対する予防活動，避難所（一次，二次，福祉）の環境評価・整備支援，福祉用具・歩行補助具の適用と配布，必要に応じた個別リハビリテーション実施，応急仮設住宅の初期改修などを行った．避難所の集約化に合わせて徐々に活動を縮小し，熊本復興リハビリテーションセンター，地域リハビリテーション広域支援センターなどに引き継ぎ，活動を終了した．

【上記活動の総数（現地集計実数)】

延べ活動数：554 隊，延べ避難所支援者人数：1,774 名 (医師：354 名，理学療法士：832 名，作業療法士：373 名，言語聴覚士：122 名，看護師：86 名，その他：7 名)，現地 JRAT 災害対策本部ロジスティクス延べ人数：765 名，中央 JRAT 災害対策本部ロジスティクス延べ人数：346 名，避難所訪問延べ回数：1,891 回

(3) 総括

発災当初，JRAT の知名度は発災段階では不十分であり，DMAT や JMAT などの関連団体傘下で協働（Command & Control Safety Communication Assessment；CSCA）するためには，各地域 JRAT が平時から関係構築を進めていくことが重要である．また，熊本県災害リハビリテーション推進協議会（KumamotoJRAT）が熊本地震前の 2015 年に設立されていたが，活動のための帳票などは完全には確立されておらず，宮崎 JRAT から持参された JRAT 活動の簡易パンフレットがシンプルで理解しやすく大いに役に立った．今回使用した帳票などを含め，各地域 JRAT が共通で使えるものを用意しておく必要性がある．平時の地域リハビリテーションにかかる取り組みを中心として災害リハビリテーションを発展させる形が望まれており，日頃からの体制作りが重要である．また，被災者に不安を与えることなく，災害リハビリテーションが平時の体制に移行し自然撤退するためには，県外から支援に訪れる支援部隊に対して，被災地域平時の地域リハビリテーションにかかる取り組みなどの状況を提供する必要性もある．なお，熊本地震における JRAT 活動では問題とならなかったが，余震が続く被災地の初期段階での安全確保の手段や基準を設けておくことも必要である．

(船越政範)

避難生活で抱える問題，ニーズなどを聞き取る場面

平成 28 年台風第 10 号（岩泉町豪雨災害）

（1）災害の概要

①発生日時：2016 年 8 月 31 日（水）～9 月 1 日（木）
②災害規模・被害状況：岩泉町の災害状況は，死者 24 名，（うち災害関連死 3 名），被災住宅は 2018 年 1 月 19 日の時点で，住家の全壊 452 棟，大規模半壊は 236 棟，半壊 255 棟，半壊に至らない被害が 41 棟，非住家の被災は 931 棟であった（2018 年 1 月 19 日現在）．2016 年 8 月 30 日時点の避難者数は，町内 6 カ所に 677 名，9 月 8 日には 7 カ所に 645 名，12 月 15 日では 3 カ所に 52 名へと減少した．
③災害の特徴：8 月 19 日に八丈島の東海上で発生した台風第 10 号が，強い勢力を保ちながら日本列島に接近し，30 日午後 6 時前に本県の大船渡市付近に上陸し，それに伴う大雨により，1 時間雨量が統計開始以来の最大数値である岩手県宮古市に 80.0 mm，岩泉町に 70.5 mm の雨量をもたらし，県内の岩泉町を中心に河川の氾濫や土砂災害が発生した．岩泉町災害の特徴は，石灰質の地層による地下水の噴出と河川の増水が相乗効果となり，多くの住民が避難所への避難生活を余儀なくされたことであった．

（2）災害リハビリテーション支援活動の概要

①活動期間：2016 年 9 月 6 日～10 月 31 日（計 52 日間）
②活動場所：最大 7 カ所の避難所の被災者延べ 279 名，在宅の被災者延べ 321 名に，医師，事務職員，理学療法士，作業療法士，言語聴覚士の支援者，延べ 315 名のスタッフが対応した．

（3）活動内容および総括

当初は，JMAT 傘下による避難所でのリハビリテーション支援を行っていたが，岩泉町で唯一の介護保険による施設である，老健・ふれんどりー岩泉で行われていた通所リハビリテーションが，施設の大きな被災により中断され，106 名の利用者が在宅にてリハビリテーション医療の提供がなされずにいることが判明した．このため，いわて JRAT としては，これまでの介護保険利用ということではなく保健活動という立場で，在宅に訪問するという形式で支援を行うこととした．まず，岩泉町在住理学療法士および作業療法士の 6 名全員をいわて JRAT として登録，これまでのいわて JRAT のメンバーを加えてチームを 3 班に分け，避難所支援 1 班（2 人），訪問支援班 2 班（各 2～3 人）とし，被災前の通所リハビリテーション利用者 106 名の内 84 名について訪問リハビリテーション類似の提供を行った．この中でわかったことは，地元の療法士がいなければ自宅訪問が不可能な場所が多いということであった．すなわち携帯電話の電波が届かない，カーナビが使えない箇所が多く，彼らの JRAT 参加が結果的に奏功した．そして最終的に，10 月 31 日でこの老健が独自に訪問リハビリテーションを開始できることになり，いわて JRAT の支援は終了した．

【文献】
1）大井清文：平成 28 年熊本地震　平成 28 年台風 10 号災害　いわて JRAT 災害リハビリテーション支援活動報告書．岩手災害リハビリテーション推進協議会，2017．
2）大久保 訓・他：2016（平成 28 年）台風 10 号被害による岩手県岩泉町災害時リハビリテーション支援活動報告～転倒予防を重視した対応～．日本転倒予防学会 **43**(3)：11-18，2018．

（大井清文）

第 1 回　岩泉町保健医療福祉介護連携会議の様子

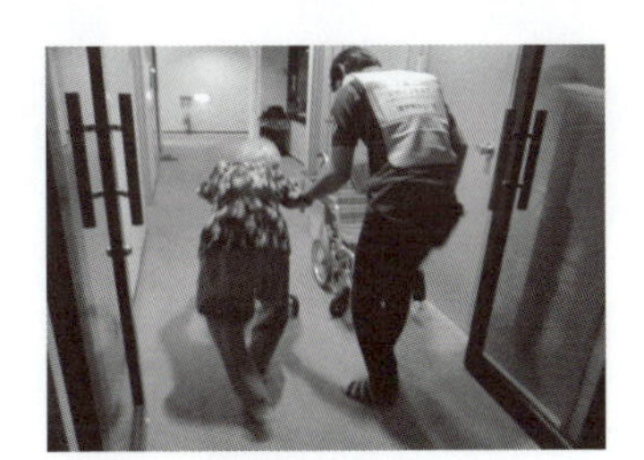
避難所での歩行訓練

訪問リハビリテーション支援

平成 29 年 7 月九州北部豪雨

(1) 災害の概要

①**発生日時**：2017 年 7 月 5 日（水）
2017 年 7 月 5 日から 6 日にかけ，対馬海峡付近に停滞した梅雨前線に向かって暖かく非常に湿った空気が流れ込んだ影響などにより，線状降水帯が形成・維持され，同じ場所に猛烈な雨を継続して降らせたことから，九州北部地方で記録的な大雨となった．

②**災害規模・被害状況**：福岡県朝倉市や大分県日田市などで 24 時間降水量の値が観測史上 1 位の値を更新するなど，これまでの観測記録を更新する大雨となった．
死者：福岡県（朝倉市 34 名・東峰村 3 名）計 37 名，大分県日田市 3 名
住宅被害：全壊 336 棟，半壊 1,096 棟，一部破損 44 棟，床上浸水 180 棟，床下浸水 1,481 棟

③**災害の特徴**：山間部の中小河川が増水，氾濫し，土砂崩れなどが発生した．道路崩壊，鉄道橋流失，土砂流入，冠水などにより交通が寸断され，多数の集落が孤立状態となった．死者行方不明者の被災原因は土砂災害，洪水であるが，多くの家屋が洪水により流出，犠牲者の多くが屋内で被災しているのが特徴である．一方で近隣の医療機関の被害は少なく，発災早期から診療業務ができていた．

(2) 災害リハビリテーション支援活動の概要

①**活動期間**：2017 年 7 月 16 日（日）

②**活動場所**：朝倉市の避難所（ピーポート甘木・らくゆう館・サンライズ杷木・杷木地域生涯学習センターなど）および朝倉市災害対策本部

③**活動内容**：主に情報収集活動である．福岡 JRAT3 名で福岡県庁の保健医療介護部，医療指導課を訪問．医療指導課課長と面会を行い，JRAT の活動内容を説明．朝倉市の現地災害対策本部の訪問を許可いただく．現地では福岡 JRAT 副代表の西浦氏と合流，避難所の視察を行い JRAT としての活動を協議した．

(3) 総括

長期的な支援を想定して朝倉市を中心に現地入りをしたが，避難所の環境は整備されていた．深部静脈血栓症予防のための運動は時間が決められており，1 日 3～4 回のスケジュールが組まれていた．また段ボールベッドなどの福祉用具，避難所の空調設備も調達されていた．避難者の健康管理においては看護師による相談窓口が設置されていた．また，近隣の医療機関が通常診療していたことから巡回バスが運行しており避難所から医療機関までの交通手段は確保されていた．現地医療機関の被害は少なく医療活動が滞りなく実施できており，医療需要と供給のバランスがとれていたため，現地の医療資源で支援が可能と判断された．

医療支援活動開始がやや遅れた感はあり発災早期の支援体制の整備に課題があったと思われる．今後は福岡県との災害支援に関する協定を締結する予定である．

（赤津嘉樹）

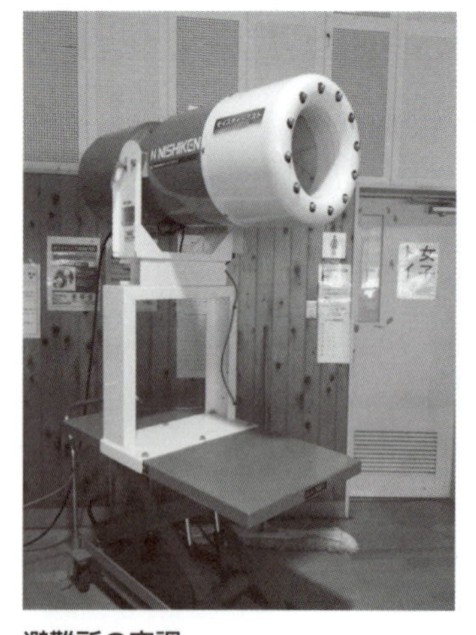

避難所の空調

福祉避難スペース

水害の被害：耕作地

平成30年大阪府北部を震源とする地震

(1) 災害の概要

①**発生日時**：2018年6月18日（月）午前7時58分
②**災害規模・被害状況**：マグニチュード6.1，最大震度6弱，住宅被害は全壊9棟，半壊87棟，停電，断水などライフラインの被害は早期に復旧した．高槻市など三島医療圏以外の地域はほとんど被害を受けなかった．
③**災害の特徴**：平日の早朝に都市部に発生した地震災害であった．家屋やライフラインの被害は比較的少なく，急性期の医療ニーズは停電が発生した病院の転院搬送があった程度であった．

(2) 災害リハビリテーション支援活動の概要

①**活動期間**：2018年6月19日〜7月4日
②**活動場所**：大阪府庁内に設置された保健医療調整本部にリエゾン1名を派遣し，現地JRAT災害対策本部を，高槻市の愛仁会リハビリテーション病院内に置き，被災者の直接支援を高槻市および茨木市内の避難所で行った．
③**活動内容**：発災翌日に避難所を視察したところ，多くの高齢者が避難生活を送っており，リハビリテーション支援の必要性があると判断した．そして大阪府保健医療調整本部にJRATとして救護班の登録を行ったうえで，大阪JRAT代表から支援メンバーを呼びかけ，本部活動者と現場支援者とに分かれ，現場支援者は巡回訪問を行った．毎日の巡回では，段ボールベッドの設置や日常生活動作の評価と指導などを行った．延べ活動人数は，医師8名，理学療法士20名，作業療法士5名，言語聴覚士3名で，6月24日にJRATとしての活動は終了し，地域リハビリテーション支援センター（愛仁会リハビリテーション病院）に引き継いだ．地域リハビリテーション支援センターは，高槻市保健所からの依頼を受け，保健師とともに残った要援助者に対する支援を続け，支援の行き届いていない避難者がいないことを確認し，7月4日に活動を終了した．

(3) 総括

2016年の熊本地震での支援経験者が多く，活動のスタートがスムーズであった．日々の活動者が3〜4人であったことと，短期間で活動を終えることができたため，大きな混乱はなかった．三島圏域内での活動者で十分であったが，これ以上の規模の災害であれば，他地域もしくは他県からの応援が必要であった可能性が高い．JRATから地域リハビリテーション支援センターへ引き継いで，災害時から平時の支援サービスに移行することを2016年の熊本地震の前例から学んでいたため，先の見通しが立った活動となった．地域リハビリテーション支援センターの存在が災害時に生かされたと感じた．

（冨岡正雄）

大阪府保健医療調整本部にて

現地JRAT災害対策本部（愛仁会リハビリテーション病院内）の様子

平成 30 年 7 月豪雨（西日本豪雨/岡山県）

(1) 災害の概要

①**発生日時**：2018 年 7 月 6 日（金）～7 日（土）

②**災害規模・被害状況**：死者 61 名，住宅全壊 3,983 棟，半壊 1,022 棟　床上浸水 5,210 棟，床下浸水 6,058 棟.

7 月 5 日：県内各地域に大雨，土砂災害，洪水警報発令.

7 月 6 日：県災害対策本部設置，県内各地域に大雨特別警報発令，避難勧告・避難指示発表.

7 月 6 日～7 日未明：県内 10 河川 18 カ所で決壊．特に 1 級河川の高梁川に注ぐ小田川水系の河川での決壊が集中し，倉敷市真備地域で甚大な被害.

7 月 8 日：県内避難所数　384 カ所　避難者数不明.

7 月 10 日：県内避難所数　57 カ所　避難者数 3,999 名.

③**災害の特徴**：7 月 7 日までの 48 時間雨量が県内 25 観測地点のうち 20 地点で史上最大を記録・河川の水位上昇により，堤防決壊が起こり，人や車が流され，広範囲の住宅が浸水した．倉敷市真備町地区の複数の河川決壊による浸水範囲は約 1,200 ヘクタール（真備町地区全体の約 3 割），浸水深度は 5～6 m に及ぶ地域もあった．岡山市東区沼の砂川堤防決壊による岡山市東区平島地区浸水範は約 750 ヘクタールであった．死者の多くが高齢者であり，逃げ遅れ，自宅での浸水による死亡が多く，死因のほとんどが溺死であった.

(2) 災害リハビリテーション支援活動の概要

①**活動期間**

7 月 12 日～8 月 31 日：JRAT として活動.

9 月 1 日～10 月 31 日：岡山県リハビリテーション専門職団体連絡会が週末のみ避難所巡回.

②**活動場所**：県からの JRAT への支援依頼地域は倉敷市真備町となっており，その地域の住民が避難している倉敷市内および総社市内の避難所で支援活動を行った.

③**活動内容**：7 月 12 日より避難所支援の活動を開始した．県からの支援依頼文書には「被災高齢者の生活不活発病を可能な限り防ぐため，リハビリテーションの観点から避難所等における現地支援について協力を」と記されており，まさに災害リハビリテーションに対する依頼であった．避難所の支援は県からの指示もあり，避難者の多い 3 カ所を中心に活動を開始した．発災時，地域 JRAT として設立ができていなかったため，各団体の役員の職場，知り合いに声をかけ支援スタッフを何とか確保した．初動から関わっている県内スタッフは疲弊し，活動困難になると判断し，活動開始 8 日目（7 月 19 日）より県外からのロジスティクスの派遣を依頼した．その後，県外支援チームの派遣も依頼した．開始時は活動本部を倉敷市保健所のロビーに設置していたが，倉敷市保健所から約 600 m の距離にある倉敷リハビリテーション病院内に活動本部を置く許可をいただき，非常に活動がしやすくなった.

(3) 総括

7 月 12 日～8 月 31 日の JRAT としての活動実績は，支援チーム数は延べ 191 チーム，支援参加者数は延べ 653 名，支援避難所数が述べ 561 カ所であった．避難所での介入件数として個別指導 689 件，集団体操 146 回，環境調整 330 件，助言 311 件であった.

活動終了後に残った課題として，仮設住宅への移転に伴う新たなニーズへの対応（住宅環境，移動手段など），環境の変化による生活不活発病の予防，地域サロン活動の復活への援助，復興に向け，他団体・行政との連携などがあるが，それらに対して十分な対応ができなかった.

西日本豪雨の発災前から協議されていた岡山 JRAT は 2018 年 10 月 22 日に立ち上げることができた．真備町での活動が評価され，岡山 JRAT と県との災害時協定を結ぶこともでき，一応の体制が整った．しかし，災害が発生したときに，迅速に支援チームが編成できるかが課題であり，災害リハビリテーション支援チームの育成・組織化が早急に必要である．また，災害時には早急な対応が重要になってくることは明確であり，JRAT としてマニュアル整備，書類・報告内容などの統一をし，迅速に必要備品や資料の提供が行える体制が必要と考える.

【文献】

1）2018 西日本豪雨 岡山の記録：山陽新聞社，2018.

2）國安勝司：平成 30 年 7 月豪雨における岡山 JRAT の活動について．*MB Med Reha* **272**：23-28, 2022.

（國安勝司）

岡山 JRAT による集団体操

平成30年7月豪雨（西日本豪雨/愛媛県）

（1）災害の概要

①**発生日時**：2018年7月5日（木）～8日（日）

②**災害規模・被害状況**：梅雨前線の停滞や線状洪水帯の発生により，7月5日から8日の4日間で，7月の雨量を大幅に超える集中豪雨となり，愛媛県内各地で同時多発的かつ広範囲にわたる土砂災害や河川の氾濫が起きた．特に南予地域（愛媛南部）の大洲市，西予市，宇和島市吉田長を中心として，甚大な被害となった．人的被害（2019年3月4日時点）として，死者27名，災害関連死5名，安否不明1名であった．住宅被害（2018年12月10日時点）としては，全壊625棟，半壊3,108棟，一部損壊207棟，床上浸水187棟，床下浸水2,492棟であった．また，最大で12市町，31,608戸が断水した．

③**災害の特徴**：記録的大雨による傾斜地の土砂災害と河川の氾濫による浸水害が主要な災害であった．被災箇所は，南予が中心であり，特に大洲市，西予市および宇和島市の被害が甚大であった．土砂災害は，中予地区（松山）や島嶼部にも発生したが，宇和島市吉田町の斜面災害による果樹園（みかん畑）や家屋損壊が甚大であった．肱川上流の地域で，2018年7月5日～8日の4日間で，7月の月降水量平年値を大幅に上回る豪雨により，肱川が氾濫し，西予市野村町や大洲市で浸水害が発生した．

（2）災害リハビリテーション支援活動の概要

①**活動期間**：2018年7月8日（日）～8月14日（火）

②**活動場所**：愛媛県庁内の県災害対策本部，八幡浜保健所内現地保健医療調整本部および大洲市保健センター内現地災害対策本部と大洲市および西予市の避難所（延べ48カ所）で活動を行った．

③**活動内容**：7月7日午後に愛媛県より愛媛JRAT事務局に災害対策支援への準備指示があり，愛媛JRAT役員間で情報を共有した．8日朝に会長および副会長が愛媛県庁内災害対策本部を訪れ，愛媛DMAT，県医療対策課および保健福祉課と活動調整を行った．9日には，県災害対策本部内に愛媛JRAT災害対策本部が設置され，情報収集とともに，現地保健医療調整本部に愛媛JRATチームを派遣した．9日以降，西予市野村町および大洲市内の全避難所での環境アセスメント・環境調整および要配慮者のアセスメント・生活不活発病予防指導等を開始した．さらに，7月28日には，県保健福祉課からの要請により，野村町内避難所にて，野村病院医師および愛媛県臨床検査技師会とともに深部静脈血栓症の健診および予防体操指導を行った．避難所閉鎖および仮設住宅への移行にともない，8月14日をもって活動は終了した．

（3）総括

2016年に愛媛県と愛媛JRATとの間で災害時リハビリテーション支援活動に関する協定を結んでいたことから，発災直後より県担当課からの情報提供がなされ，災害支援要請が円滑になされた．発災翌日には県災害対策本部および保健医療調整本部に調整員を派遣し，発災48時間以内に愛媛JRATが被災地で活動することができた．また，DMAT，DHEAT，日赤救護班や災害支援ナースと連携した支援活動ができた．当初は，現地保健師の愛媛JRATへの認知が乏しかったが，県保健師を介しての連絡によって協力体制がとれてきた．課題としては，避難所生活から仮設住宅に移行する時期に愛媛JRATの活動が終了となり，仮設住宅での環境整備に関わることができず，災害復旧・復興期に支援する体制がないことである．愛媛県には地域リハビリテーション支援体制がない．さらに医療的ケア児・者を含めた障がい児・者への関わりができなかったことも課題である．現在，これら課題に取り組んでいるところである．

【文献】

1）愛媛県：平成30年7月豪雨災害における初動・応急対応に関する検証報告書：https://www.pref.ehime.jp/h15350/gouu/kensyo.html
2）愛媛県災害リハビリテーション連絡協議会：平成30年7月豪雨に係る災害リハビリテーション支援活動報告書（2019年3月31日発行）
3）藤田正明・他：平成30年7月豪雨における愛媛JRATの活動について．*MB Med Reha* **272**：29-36，2022.

（藤田正明）

現地保健医療調整本部での会議

平成 30 年 7 月豪雨（西日本豪雨/広島県）

（1）災害の概要

①**発生日時**：2018 年 7 月 6 日（金）～7 月 7 日（土）にかけて多発的に発生．2018 年 6 月 28 日より，華中から日本海を通って北日本に停滞していた梅雨前線は，7 月 4 日より北海道付近に北上し，7 月 5 日には西日本まで南下，停滞した．同時期，6 月 29 日に日本の南で台風第 7 号が発生した．梅雨前線や台風第 7 号の影響により，日本付近に温かく，非常に湿った空気が供給され続け，西日本を中心に，全国的に広い範囲で記録的な大雨となった．特に 7 月 6～7 日にかけて雨が強まり，各観測地点で史上最高の雨量を記録した．このため，三篠川，瀬野川，総頭川（二級河川）などの河川が氾濫，12 河川で破堤，82 河川で越水の被害発生．また，山の斜面が同時・多発的に崩落した．崩落した斜面は県内 7,000 カ所に及んだ．発生した土砂災害は全県 1,242 件であった．

②**災害規模・被害状況**

【インフラ被害の状況】崩落した斜面が土石流となって市町や幹線道路に流入し，鉄道や山陽自動車道などの基幹道路が通行不能となった．ライフラインにおいても 7 月 7 日には約 47,000 戸の停電，約 22 万戸の断水など大きな被害を生じた．住宅被害は全壊，一部損壊，床上・床下浸水を併せて 14,926 戸に及んだ(2018 年 7 月 31 日時点)．

【人的被害】死者 152 名（内，関連死 43 名），行方不明者 5 名，重症者 67 名，軽傷者 80 名（2022 年 8 月 10 日時点）

【避難の状況】広島県では，2018 年 12 月 26 日をもって，県内全体の避難所を閉鎖したが，避難所者最大数は 17,379 名，避難所数は 702 カ所であった．（2018 年 7 月 6 日時点）

③**災害の特徴**：今回の広島における災害を見ていくと，死者のうち 87 名（災害直接死の 80%）が土砂災害で亡くなっている．インフラの被害も甚大なものになった．これは豪雨によって山の斜面が崩落し，同時多発的に発生した土石流により河道が閉塞され供水氾濫を助長するといった土砂災害と洪水の相乗効果によるものであった．土田（広島大学　防災・減災センター長）らはこれを「相乗型豪雨災害」と呼んでいる[1]．

（2）災害リハビリテーション支援活動の概要

①**活動期間**：7 月 7 日～8 月 30 日

②**活動場所**：東広島市・三原市・呉安浦を除く，熊野町・坂町小屋浦・呉市天応・その他の地域

③**活動内容**：上記期間内延べ支援チーム・参加者は 25 チーム，140 名．延べ支援避難所は 111 カ所であった．

【本部立ち上げ】2018 年 7 月 7 日，広島 JRAT 代表が対策本部長となり，廿日市市にあるアマノリハビリテーション病院内に広島 JRAT 災害対策本部を設置．広島県保健医療福祉調整本部が立ち上がると，広島 JRAT 災害対策本部を県庁内に移動．JMAT の傘下での活動を開始する．本部長はリエゾンとして県庁内に常駐．県庁内の各会議に出席することとした．

【避難所の環境評価，避難所におけるリハビリテーショントリアージとその対応】避難者一人ひとりをアセスメントし，ⅰ）生活自立，介入必要なし，ⅱ）要支援，環境調整必要，ⅲ）要支援，個別リハビリテーション介入必要，とに分類し対応した．アセスメントは 2016 年熊本地震にて使用した JRAT 独自のアセスメント表を使用した（p.181，図Ⅻ-2 参照）．生活に困難をもつ避難者に対し，トリアージに沿って，段ボールベッドの設置や手すりの設置，歩行補助具の適用と手配，装具のメンテナンスや修理依頼，個別リハビリテーションの実施などを行った．避難所全体の環境調整としては段差の解消，トイレに簡易洋式トイレの設置などの調整を行った．

【参加の促進，生活不活発病の予防活動】避難者への個別の介入とは別に，時間を設定して集団体操を避難所ホールなどで実施した．

【深部静脈血栓症検診への帯同，予防支援】JMAT によるポータブルエコーを使用した深部静脈血栓症（DVT）検診に JRAT 隊員が帯同し，DVT 予防運動を指導した．弾性ストッキングは日本赤十字社より配布された．

土砂に埋まる車

(3) 総括

今回の災害において，広島 JRAT は初めて組織的に支援活動を実施した．活動時，県庁内や保健医療福祉調整本部内においても JRAT の認知度は高くなかった．しかし，調整本部での会議や県庁全体でのクラスター・ミーティング，広島県災害対策本部での会議に参加することにより，リハビリテーション専門職の存在が認知され，現地の保健師や避難所管理者などのニーズに対応することができた．今回の豪雨災害において DVT での死亡例は 1 例であった．また，災害関連死と認定されたのは 3 例であった (2018 年 12 月 27 日時点)[2]．この DVT の症例は渋滞中の車の中での発症であり，避難所内での発生は認められなかった．避難所内での活動はある程度確保できていたと考えられる．

しかし，課題も明確となった．まず，JRAT の知名度の低さである．現在は，JRAT が法人化するなど知名度は徐々に増してきているが，地域での JRAT の認知度はいまだ十分とはいえない．平時より関係各所との関係性を強めていく必要があるのではないだろうか．また，広島県には災害時公衆衛生リハビリテーションチームが存在する．公衆衛生リハビリテーションチームとの連携にも課題があった．今回は県東部を公衆衛生チームが，その他の地域を JRAT が担当し，活動した．しかし，お互いの情報交換は県庁の管轄課が違うために直接できなかった．今後に向けて，より良い連携の形を模索していく必要があると感じた．次に，広島 JRAT 災害対策本部の立ち上げにも苦労をした．ロジスティクス要員は限られており，個人への負担が大きかった．これも平時より，本部立ち上げのシミュレーション研修を実施する，ロジスティクス要員を育成しておくなどの必要性を感じた．受援の必要性の判断も難しかった．発災直後に受援を打診したが，RRT チームが立ち上がる以前の災害であり，JRAT 中央災害対策本部と連携体制を構築することが出来なかった．そのため，隊員の疲弊が大きかった．現在は JRAT-RRT（Rapid Response Team）の養成[3]や JRAT-EWS[4]などの開発により，より明確な判断が可能となってきている．

最後に，JRAT が活動終了時，地域リハビリテーションへの移行の難しさについてふれたい．広島県では被災前から取り組まれていた地域リハビリテーション推進事業が継続していたため，地域リハビリテーション支援体制が保たれており，地域リハビリテーション広域支援センターに移行を依頼することはできた．しかし活動に対する予算については不明確であったため，センターの持ち出しを余儀なくされた．今後は，地域リハビリテーション移行期における地域リハビリテーション広域支援センターの位置付けや予算に関して明確にしていく必要がある．

【文献】
1) 土木学会・地盤工学会：2018 年西日本豪雨災害合同調査報告会資料，2018.
2) 広島県医務課報告資料，2018 年 12 月.
3) 栗原正紀，冨岡正雄：JRT-RRT の創設．*MB Med Reha* **272**：43-49，2022.
4) 佐藤 亮：令和元年山形沖地震における JRAT 初動対応チーム隊員としての活動．第 54 回日本理学療法学術大会抄録集，2019.

（天野純子）

土砂に覆われる家屋　小屋浦の神社前

土砂に埋もれる家屋

平成30年北海道胆振東部地震

(1) 災害の概要

①**発生日時**：2018年9月6日（木）午前3時7分
②**災害規模・被害状況**：最大震度7の胆振中東部を震源とする地震．地震の規模はマグニチュード6.7，震源の深さは37 km．死者44名（うち災害関連死3名），負傷者785名．建物被害は全壊491棟，半壊1818棟，一部損壊47,108棟．道内避難者数：最大13,111名（2018年9月7日22：00時点），累計16,649名（北海道危機対策課調べ）水道の全戸復旧は，発災後33日目．最後の避難所閉鎖は，発災後105日目．
③**災害の特徴**：北海道では，観測史上初の震度7を記録した．強振動により厚真町を中心に土砂崩れが広い範囲で起こった．北海道内の約4割の電力を供給していた苫東厚真発電所の停止に伴うブラックアウトが発生．発災直後，ほぼ北海道全域で停電．最大64時間停電が続いた．過疎地域で発生した地震災害で，長期的なインフラ被害の多くは，胆振東部3町（厚真，安平，むかわ）に集中．大都市札幌から約80 kmの地域であった．

(2) 災害リハビリテーション支援活動の概要

①**活動期間**：2018年9月7日〜9月20日
②**活動場所**：胆振東部3町（厚真，安平，むかわ）に設置された全避難所．（避難者ゼロの避難所を除く最大時設置避難所数：厚真町7，安平町6，むかわ町5.）（最大規模：厚真町総合福祉センター526名収容）
③**活動内容**：発災翌日（9月7日）に北海道JRAT災害対策本部にて，第1回対策会議を開催した．近隣の医療機関の被害が大きくなかったことから，JMAT（日本医師会災害医療チーム）自体を結成するかの議論があった影響で，発災4日目の9月11日，JMAT傘下での現地活動開始となった．開始後は，胆振東部3町全避難所を対象に，現地の保健師と連携・巡回し活動を展開した．主な活動　1）避難所のアセスメント，2）避難者のアセスメント，3）集団体操の誘導，4）最小限の個別介入，5）札幌にてロジスティクス活動．9月20日災害救助法の活動期限のため，同日に活動収束となる．他団体（北海道リハビリテーション専門職協会）が介護予防事業の委託事業を前倒しする形で，1カ月以上のブランクが空いたが，一部活動を再開した．

(3) 総括

避難者の自助・互助を促し，機能・ADL・メンタルの維持に貢献した．具体例では，段ボールベットの配置位置を含む避難所内レイアウトの指導．簡易置き型手すり設置による立ち上がり・入浴の自助・互助促進．入浴補助具の設置により，デイサービスの再開提案などがある．保健師には，災害リハビリテーションの必要性を認識してもらえたと実感する．

課題を列挙する．1）災害派遣協定未締結であり，職能団体を通して支援者を募集したため，施設管理者の理解に努力を要したり，活動日数に制約があった．2）公的な支援による福祉用具の準備に時間を要した．3）今後，広大な北海道での支援を行う場合，人口が集中する札幌から遠隔地の場合，数百km単位の移動となり，マンパワーと距離が大きな課題である．4）札幌でロジスティクス活動を行ったが，本部費用は公的な費用弁済の対象外であり，行政・医師会との距離，協定締結，組織的支援体制整備が必要である．

（光増 智）

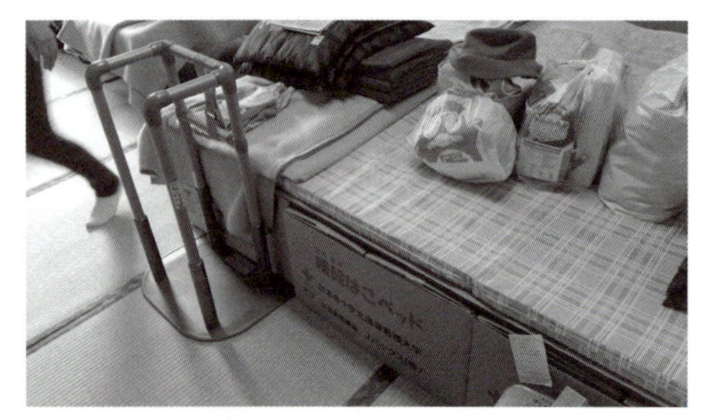

ベットサイドに簡易置き型手すりを設置し，トイレへの移動が自立（厚真町）

集団体操（厚真町）

令和元年8月の前線に伴う大雨（佐賀豪雨災害）

（1）災害の概要

①発生日時：2019年8月28日

②災害規模・被害状況：2019年8月27日未明からの線状降水帯に伴う大雨により，佐賀県西部の六角川上流の武雄市では28日早朝までの24時間降水量が400 mm近く，特に28日未明には最大3時間降水量が210 mmと観測史上1位となった．この結果，六角川の水位上昇で，堤防の決壊や越水を防ぐためにポンプを止める「運転調整」がされ，堤防内の市街地に溜まった雨水の排水不能で内水氾濫が生じた．六角川水系の牛津川でも，流域の豪雨で水位が上昇し，堤防からの越水で農地や市街地に浸水被害が発生した．また，佐賀市内の内水氾濫により，県内の住家被害は6,060棟にも及んだ．死者4名，農業被害127億円などの被害となった．

③災害の特徴：27日，28日の線状降水帯による降雨は観測史上1位となる1時間最大降水量110 mm，3時間最大降水量223.5 mm，総降水量400 mm以上となり，8月の月降水量平年値の2倍を超えた．27日の山間部大雨と28日の有明海満潮時頃の記録的大雨で河川の水位は上昇し，大規模な内水氾濫が発生した．山間部では建物が土石流などにより全壊．平野部では，市街地のほぼ全域が内水氾濫により浸水．各地で道路冠水による通行止め，公共交通機関が運休など都市機能が停止．トイレが使えない，事業所の営業停止など，社会経済活動が大幅に低下．大規模な内水氾濫により，床上・床下浸水は3,000戸を超えた．

（2）災害リハビリテーション支援活動の概要

①活動期間：2019年8月30日～9月12日

②活動場所：佐賀JRATとして各避難所（杵藤保健福祉事務所，北方保健センター，長寿園，大町町公民館，三郷，ひじり学園）にて支援を行った．また，佐賀県庁に保健医療調整本部，杵藤保健所福祉事務所に現地保健医療調整本部が設置されたため，佐賀JRATは両方において会議に参加した．

③活動内容

8月28日：令和元年佐賀豪雨が発災した．

8月30日：佐賀JRATとして現地に出向き情報収集をすることから始動した．

8月31日：佐賀JRATが佐賀県の要請を受けて活動を開始した※．期間中は，RRT（Rapid Response Team）の支援を受けた．

9月12日：佐賀JRATとしての活動を撤退した．

※佐賀JRATの活動（現場活動）としては「各避難所状況把握」「活動報告（日報）」「活動取材対応（新聞社など）」「段ボールベッドの製作・設置」「浴槽へ入る/浴槽から出る簡易階段を設置」「車椅子利用者などのために段差解消簡易スロープを設置」などがあった．

（3）総括

2019年の佐賀豪雨災害などにおける佐賀JRATの活動を通して多くの経験を積んだことにより，地域JRAT体制の構築に至り，2020年6月5日に「佐賀JRAT」として佐賀県と協定を締結した．今後も，JRAT本部と情報を共有しながら，平時より行政やDMAT，JMAT，DHEATなどの他の災害医療団体と交流を深め連携を図っていくことが重要であると考えている．そして，平時においては，災害リハビリテーションに関わる人材育成のために，地域研修や全国研修を活用して災害リハビリテーション支援チームの教育（RRTの育成を含む），市民講座や広報などによる地域住民の教育も必要であると考えている．これらの平時の備えが，発災時における円滑な連携による情報の一元化・共有化を可能とし，地域JRATとして組織的で直接的な災害リハビリテーション支援活動の適切な提供に繋がるものと思われる．

【文献】

1）浅見豊子：災害リハビリテーションにおける地域の活動―佐賀災害リハビリテーション推進協議会（佐賀JRAT）の活動を通して．臨床リハ **30**(3)：263-269，2021．
2）浅見豊子：これからの災害リハビリテーションのあり方．臨床リハ **30**(3)：225，2021．
3）浅見豊子，片渕宏輔：令和元年佐賀豪雨における佐賀JRATの活動をとおして．*MB Med Reha* **272**：51-61，2022．

（浅見豊子）

佐賀JRAT始動日（大町町避難所スタッフと佐賀JRATメンバー）

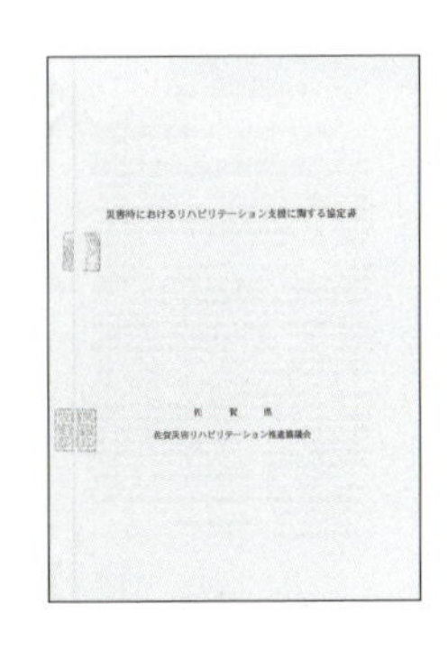

佐賀県と佐賀災害リハビリテーション推進協議会締結書（2020年6月5日付）

令和元年房総半島台風（台風第 19 号/千葉県）

(1) 災害の概要

①**発生日時**：2019 年 9 月 9 日（月）
②**災害規模・被害状況**
人的被害：死者 3 名（千葉県 2 名，東京都 1 名），重傷者 13 名，軽傷者 137 名（消防庁情報，2019 年 12 月 23 日時点）．住家被害：全壊が 391 棟，半壊・一部損壊が 76,483 棟，床上・床下浸水が 230 棟（消防庁情報，2019 年 12 月 23 日時点）．
③**災害の特徴**：最大約 93 万 4,900 戸の大規模な停電が発生し，復旧作業が長期化するなど，大きな被害が生じた．長期間にわたる停電の影響により，通信障害が発生した他，多くの市町村で断水などのライフラインへの被害や，鉄道の運休などの交通障害が発生し，住民生活に大きな支障を及ぼした．災害救助法の適用団体は 2 都県 42 市町村であり，避難所は，千葉県内の市町村を中心に設置され，ピーク時における避難者数は 2,200 名を超えた．

(2) 災害リハビリテーション支援活動の概要

①**活動期間**：千葉県庁 2019 年 9 月 10 日～24 日，現地常駐 9 月 13 日～24 日，支援活動 9 月 16 日～23 日
②**活動場所**：千葉県安房圏域：南房総市 11 カ所，館山市 3 カ所，鋸南町 6 カ所（最大）
③**活動内容**：活動を開始した時期は，災害フェーズ第 2 期「応急修復期」であり，ライフラインや交通網，情報網は徐々に復旧し，被災者は仕事や家庭に戻りつつあり，日中は避難所から家の片づけに出るなど活動が拡大している時期であった．支援チームは避難所および被災世帯の戸別訪問などを実施し，情報収集，環境整備，動作・介助指導，生活不活発病の予防にかかる指導などを行った．集団体操については，行政側からの依頼もあった．また，段ボールベットの在庫管理，配布も実施した．あわせて支援終了時には地域リハビリテーション広域支援センターに引き継ぎを行った．本災害での支援チームは 4 施設，8 チーム 23 名，延べ 15 チーム 39 名が活動した．

(3) 総括

千葉 JRAT と千葉県は事前に協定が結ばれていた．千葉 JRAT は被災翌日より県庁の災害保健医療調整本部に常駐したが，当初は停電による情報不足にて被害の概要把握が困難であった．次第に災害の状況が明らかとなり，9 月 13 日に館山市の安房地域医療センター内にある現地の安房保健医療調整本部にロジスティクス要員が入った．

発災当初は停電にて現地での医療提供が困難となったことから，透析患者などの広域搬送が災害医療支援の中心であった．現地にロジスティクス要員が入ったことにより，避難所で生活する要配慮者がいることや避難所環境が十分に整えられていないことなどが，現地および県保健医療本部と共有できたため，9 月 16 日から千葉県の協定に基づく支援が開始された．JRAT としての現地情報収集の遅れに加えて，災害リハビリテーション支援の必要性についての発信が遅れたため（県との事前協定はあったが），支援活動開始に時間を要したことが課題となった．

（近藤国嗣）

被害の様子

安房保健医療調整本部でのミーティング

令和２年７月豪雨（熊本豪雨）

（1）災害の概要

①**発生日時**：2020年7月4日（土）
②**災害規模・被害状況**：2020年7月4日未明から朝方にかけて降り続いた局地的な大雨により，球磨川水系が氾濫・決壊し，熊本県南部を中心に浸水被害が相次いだ．避難所数と避難者数は人吉・球磨地域40カ所1,672名，八代地域22カ所197名，芦北地域14カ所157名（2020年7月9日13：00時点）．人的被害は死者65名，行方不明者2名．住家被害は全壊1,491棟，半壊3,098棟（2021年3月30日時点）．
③**災害の特徴**：7月3日から7月31日にかけて，日本付近に停滞した前線の影響で，各地で大雨となり，人的被害や物的被害が発生した一連の大雨を指す．熊本県南においては広域同時多発水害が発生し，土砂崩れや河川の氾濫により主要アクセス道路が寸断され，被災地域が人吉・球磨地域，八代地域，芦北地域の3つに分断された．地域によっては，自動車による移動や物資の運搬が困難な「孤立状態」に陥る集落が複数みられた．災害発生時の熊本県内におけるCOVID-19のリスクレベルは1であった．

（2）災害リハビリテーション支援活動の概要

①**活動期間**：2020年7月4日～8月31日
②**活動場所**：八代地域と芦北地域は，地域リハビリテーション広域支援センターの差配で支援可能と判断し，避難所・避難者数が多く地域リハビリテーション資源とニーズの不均衡が著しい人吉・球磨地域への支援を行った．
③**活動内容**：熊本JRATは4日早朝より情報収集を開始し，熊本JRATの活動準備を事務局員とJRAT-RRTを中心に開始した．COVID-19対策のため県保健医療調整本部には常駐せず，山鹿温泉リハビリテーション病院に設置した熊本JRAT災害対策本部から球磨地域振興局内の熊本JRAT現地本部を遠隔で支援した．今回の活動は，全国初のCOVID-19流行下での避難所支援であり，感染症対策には医療救護班の一員として積極的に取り組んだ．生活不活発病への対応として，集団体操を開始するにあたっては，現地保健医療調整本部で感染拡大防止に配慮したルールを協議しそれに従い実行した．また，熊本地震同様に避難所から建設型応急住宅の初期改修への協力も行った．

（3）総括

COVID-19によりチームの派遣調整や集団体操などに影響をきたしたが，7月13日から継続的に避難所支援を行った．8月末まで延べ58隊116名を派遣し，支援避難所数は5市町村延べ221カ所，避難者への個別指導延べ154名，集団体操32回，避難所環境調整などへの福祉用具対応は13件であった．建設型応急住宅の初期改修評価は，52世帯155カ所の改修を提案した．発災初日から熊本JRAT災害対策本部を立ち上げ，県庁や被災自治体，他支援団体と円滑な連携が図れた．感染対策のため熊本JRAT災害対策本部からリモートで熊本JRAT現地本部を支援する体制であったが，現地本部のロジスティクスは，本部経験のある顔なじみの隊員を配置し大きな混乱はみられなかった．発災直後より，平時の関係性がいかされ，県医師会やJRAT県担当課と連携がとれ，円滑な初動に繋がった．また，熊本地震の活動実績によりJRATは県内保健師に認知されており発災初期から避難所支援を展開できた．一方で，建設型応急住宅に対する初期改修等の避難所以外の具体的支援内容については，保健師・他支援団体への啓発が不十分であった．避難所における福祉用具貸与に関しては，熊本地震時より時間がかかっており供給体制に課題を残した．

【文献】

1）熊本県災害リハビリテーション推進協議会：令和２年７月豪雨に係る災害リハビリテーション支援活動報告書，2023.
2）佐藤 亮：建設型応急住宅の住環境整備に対するリハビリテーション専門職の介入効果の検証．日本災害医学会誌 **27**（3）：188-198，2022.

（佐藤 亮）

避難所入り口のサーモセンサー

COVID-19感染拡大防止に配慮した集団体操

令和３年熱海市伊豆山地区土砂災害

（1）災害の概要

①**発生日時**：2021 年 7 月 3 日（土）10 時 30 分頃，3 日間降り続いた大雨により，延長約 1 km，最大幅約 120 m にわたる土石流が発生し，下流の居住地区に流入した．

②**災害規模・被害状況**：災害関連死 1 名を含む 27 名が亡くなり，2022 年 6 月時点で 1 名が行方不明（遺骨の一部発見），建物 136 棟が被害を受け，最大で約 580 名が避難した．

③**災害の特徴**：局所災害であり，同じ市内でも，他の地域では通常の生活が送られる状況であった．多くの被災者・避難住民は，設備が整っている市内のホテルに受け入れられた．

（2）災害リハビリテーション支援活動の概要

①**活動期間**

7 月 5 日～7 月 20 日：静岡 JRAT 代表・事務局による派遣体制の構築．県行政・県医師会や現地 DMAT・保健師などとの調整で，実際の支援隊派遣までに 2 週間以上を要した．

7 月 21 日～8 月 1 日：静岡 JRAT（医師とリハビリテーションスタッフ）．

8 月 3 日～9 月 14 日：県リハビリテーション協議会（リハビリテーション専門職）．

②**活動場所**：避難住民の約 580 名（上と数字を合わせる）の避難所となっている熱海市内のホテル数カ所．避難生活中にホテル変更があり，その際の移動や部屋割り振りにも JRAT が関与した．

③**活動内容**：保健師・看護師・社会福祉士（DWAT）から，避難者のリハビリテーションニーズに関する情報を得て訪問介入した．避難生活環境の指導やリハビリテーションニーズに応じて地域の医療・介護資源につなぐ作業，リハビリテーション科医師による保健講話，リハビリテーションスタッフによる体操指導などを行った．DMAT が退去したあとは，サポート隊唯一の医師として診療活動を行った．

（3）総括

静岡 JRAT が中長期的に活動する初めての機会であった．このため県内の活動とはいえ，県行政をはじめ各自治体や県・市医師会との連携が不十分であり，派遣までに多くの日数を要してしまった．この反省に立ち，その後，県との連携に向けた活動を継続し，2023 年春には，静岡県と静岡 JRAT の災害時対応に関する協定が締結され，3 月 28 日に県知事出席の協定締結式が行われた．

今回は県内の局地災害で，静岡 JRAT と県リハビリテーション協議会だけでの避難所支援であったが，この活動を通じて，県内全域の災害時リハビリテーション支援の体制を充実させる効果は，充分に得られたと感じた．

今後の課題として，①発災時の静岡 JRAT 内での迅速な意思統一方法の確立，②静岡県や県の他団体（看護・福祉 DWAT）との協働強化，③隣県や遠隔地への JRAT 派遣への対応，④自県を含む大規模災害における他県 JRAT の支援受け入れ（受援）のシステム構築などが挙げられる．

（高橋博達）

好評だったリハビリテーション講話

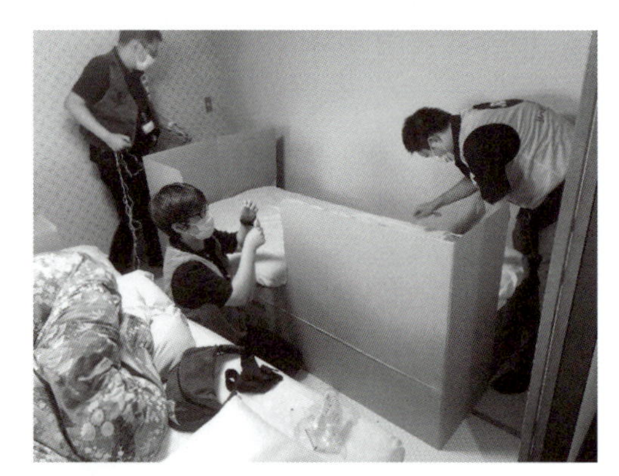

段ボールベッドの最適化作業

災害時に役立つウェブサイト

<首相官邸>
・防災の手引き：https://www.kantei.go.jp/jp/headline/bousai/index.html
　大規模自然災害ではどのようなことが起きるのか，その時どう対応したらよいのか，災害に対する備えはきちんとできているかを知ることができる．
　「地震」，「津波」，「火山」，「大雨・台風」，「土砂災害」，「竜巻」，「雪害」，「災害への備え」，「防災気象情報と警戒レベル」「避難はいつどこに」，「災害関連ツイッター」など，項目別に情報が整理されている．

<内閣府>
・防災情報のページ：https://www.bousai.go.jp/
　最近発生した自然災害（地震・津波・風水害・豪雪・火山噴火など）の情報を見ることができる．
・防災情報システム：https://bousai-system.go.jp/index.jsp
　地震，津波，気象，河川，人的・物的被害情報などを全国，地域別の地図で見ることができる．

<厚生労働省>
・災害：https://www.mhlw.go.jp/stf/seisakunitsuite/bunya/0000055967.html
　災害ごとの厚生労働省や関係自治体の対応などを見ることができる．発出された通知文が掲載されている．

<気象庁>
・防災情報：https://www.jma.go.jp/jma/menu/menuflash.html
　「気象」，「地震・津波」，「火山」，「海洋」，「天気予報」などの情報を見ることができる．

<国土交通省>
・災害・防災情報：https://www.mlit.go.jp/saigai/index.html
　国土交通省が把握した防災情報が掲載されている．
・ハザードマップポータルサイト：https://disaportal.gsi.go.jp/
　「わがまちハザードマップ」で各市町村が作成したハザードマップが検索できる．「重ねるハザードマップ」で，洪水，土砂災害，高潮，津波などのリスク情報を地図や写真に重ねて表示できる．

<DMAT>
・DMAT：http://www.dmat.jp/
　災害派遣医療チーム（DMAT）の情報が掲載されている．

<JMAT>
・JMAT：https://jmat-hq.jp/
　日本医師会災害医療チーム（JMAT）の情報が掲載されている．

<JRAT>
・JRAT：https://www.jrat.jp/
　日本災害リハビリテーション支援協会（JRAT）の情報が掲載されている．

<DPAT>
・DPAT：https://www.dpat.jp/
　災害派遣精神医療チーム（DPAT）の情報が掲載されている．

<DWAT>
・DWAT：https://www.mhlw.go.jp/content/12200000/000792308.pdf
　災害派遣福祉チーム（DWAT）に関する報告書が掲載されている．

（笠松信幸）

索 引

災害リハビリテーション
標準テキスト　第２版　　ISBN978-4-263-21885-3

2018年6月25日　第1版第1刷発行
2023年7月10日　第2版第1刷発行

企画・編集　一般社団法人 日本災害リハビリテーション支援協会
発行者　白　石　泰　夫
発行所　医歯薬出版株式会社
〒113-8612 東京都文京区本駒込1-7-10
TEL. (03)5395-7628(編集)・7616(販売)
FAX. (03)5395-7609(編集)・8563(販売)
https://www.ishiyaku.co.jp/
郵便振替番号　00190-5-13816

乱丁，落丁の際はお取り替えいたします　　印刷・三報社印刷／製本・皆川製本所